COLECCIÓN POPULAR

399

TEATRO II

201

MARUXA VILALTA

TEATRO II

*Esta noche juntos, amándonos tanto / Nada
como el piso 16/ Historia de él / Una mujer,
dos hombres y un balazo / Pequeña historia
de horror (y de amor desenfrenado)*

COLECCIÓN
POPULAR

FONDO DE CULTURA ECONÓMICA

MÉXICO

Primera edición, 1989

ISBN 968-16-3090-4

Impreso en México

A Gonzalo, siempre
A mis hijos, Adriana y Gonzalo

PRÓLOGO

Maruxa Vilalta ha sostenido desde sus inicios en 1960 una ininterrumpida actividad como autora dramática y directora escénica. Sus obras han sido concebidas estrictamente para el teatro, sin ociosas preocupaciones literarias. De allí proviene su eficacia y el relieve que cobran cuando sus textos confrontan el espacio vital del escenario.

Las primeras obras seguían los cauces trazados por el expresionismo didáctico; conducían a conclusiones y aseveraciones muy aleccionadoras en lo que concierne al desequilibrio social de las estructuras burguesas; el desmesurado poder de los bienes materiales sobre los del espíritu y la negación de las aspiraciones más legítimas del ser humano.

Las obras más recientes escritas por la autora, incluidas en este volumen, muestran una mayor complejidad y se vinculan con otras de autores latinoamericanos que se proponen armonizar dos modalidades dramáticas que parecían irreconciliables hasta hace pocos años: por una parte, la preocupación del devenir histórico concebido como tema central de toda creación teatral; por otra, la indagación del problema del ser en su más íntima esencia y sus reacciones ante los conflictos que la vida, por el mismo hecho de ser dinámica, va tejiendo en torno suyo.

El teatro épico y las derivaciones de la dramática de Bertolt Brecht analizan al hombre como mera circunstancia histórica: los personajes de ese teatro han sido despersonalizados, determinados únicamente por el acontecer de la Historia. Personajes arquetipos, o genéricos, representan, cada uno de ellos, un sector de la sociedad y el conflicto dramático se origina por la diversidad de posiciones que esos personajes encuentran dentro del grupo social. Esta tendencia dominaba en las primeras obras de Maruxa Vilalta, lo cual era explicable si se acepta que los problemas inmediatos de nuestra sociedad se originan en la miseria, la ignorancia y la desigualdad. Por lo cual, esas primeras obras son enfáticamente afirmativas, denuncian, señalan y buscan caminos de rectificaciones en las prácticas viciosas de la sociedad burguesa.

Por otra parte, la huella que el teatro del absurdo ha dejado en la literatura dramática actual es también muy profunda y su impronta se advierte en ese sistema de cuestionamientos que muestra al individuo siempre en pugna con el grupo, a la unidad reñida con la pluralidad.

Ionesco y Beckett interrogan acerca de las razones mismas de la existencia, la inutilidad de toda lucha, el absurdo de todo propósito redentor, sofocado de antemano por el imperativo de la muerte, del silencio.

Si el teatro épico se arraiga ideológicamente en el materialismo histórico y si aceptamos que el teatro del absurdo es la expresión dramática de las corrientes filosóficas idealistas surgidas durante la segunda posguerra, resultaba explicable que las dos modalidades teatrales fueran antagónicas. Algunos dramaturgos, sin embargo, nos han recordado más recientemente que hay partes del espíritu humano que se forman en el devenir histórico, pero otras permanecen inmutables arraigadas en su ser inmanente. Y esta conciliación de principios, en un mundo gobernado por ideologías absolutistas que se manifiestan en todos los órdenes de la existencia, ha creado dentro del teatro una forma de expresión más compleja, forma en la que lo real cede frecuentemente su lugar a lo posible y nos hace ver que lo que llamamos realidad no es sino un postulado, una suposición, una conjetura.

Los autores responsables de esta gran aventura teatral de enlace entre dos opuestos son los más recientes dramaturgos polacos: Mrozeck y Gombrowicz. Y algunas de las formas puestas en juego por ellos han tenido una gran resonancia entre los autores de las recientes generaciones. Es dentro de estas posibilidades donde puede verse en el teatro de Maruxa Vilalta un impulso conciliador que siempre tiene como fin el de trascender la realidad inmediata del costumbrismo falsamente realista. Así, en las obras aquí reunidas el examen de la realidad se enfoca partiendo del postulado de que los personajes necesitan autodefinirse primero como individuos desprendidos de cualquier contexto histórico, para después inscribir su naturaleza dentro de los incidentes que conforman la historia actual.

Esta noche juntos, amándonos tanto muestra, como algunas obras de Ionesco, una pareja de ancianos que viven, repetido hasta el agotamiento, el mismo tedio, las mismas circunstancias e insignificantes hechos que se endurecen en esa reiteración. Si aceptamos que el aburrimiento es una de las formas más lacerantes de autoagresión, veremos que esta obra la expresa cabalmente; desde el estado de mayor quietud, el fastidio, hasta las expresiones más activas y violentas de la hostilidad. Algunos personajes imaginarios, pero no por ello menos reales dentro de la obra, irrumpen en la acción escénica, dando motivo a una activa expresión corporal de los dos personajes. El diálogo discurre entre afirmaciones que niegan y negaciones afirmativas, creando un tejido muy bien urdido de todas las contradicciones que estos dos personajes viven en la soledad.

Varios autores latinoamericanos han recogido de Ionesco esta sensación de aislamiento como un fenómeno de la inclinación antisocial del hombre contemporáneo, pero también como una anticipación a la muerte. Maruxa Vilalta logra en esta obra, con excepcional rigor, mostrarnos esa ausencia de compromiso de los seres que ha creado, aislados por temor a cualquier hecho que implique una comunicación, porque ésta es temible pues amenaza con el peor de los peligros: el de descubrir que la vida puede tener algún sentido. El espectador se pregunta: ¿por qué son así estos seres? ¿Efectos de la dictadura? ¿Ausentismo de la clase burguesa? Seguramente, pero también por imposibilidad de comprender lo que ocurre fuera de los estrechos límites de su individualidad corporal y moral.

Silenciosos ante ellos mismos y ante sus semejantes repiten todos los gestos cotidianos, como en mezquinos ritos que evitan toda posibilidad de aventura, así sea ésta la más apremiante, como es el hecho de prestar ayuda a una moribunda.

En *Nada como el piso 16* Maruxa Vilalta acentúa el clima de hostilidad. El piso 16 es un lugar alto, dominante, y su valor emblemático sintetiza la vida de aquellos que han logrado acumular una fortuna desmesurada y recorren con algunos compañeros ocasionales el mismo camino de degradación que fue necesario transitar para llegar a esas alturas. La obra en su totalidad tiene un sentido de indagación, de enumeración de vicios o virtudes que se ponen en juego dentro de la sociedad burguesa. El deleite de la humillación (lo que un criterio psicológico llamaría sadismo) cumple un círculo en el cual los tres personajes que participan en la trama de esta obra son alternativamente víctimas y verdugos, fingiendo que gozan el mortecino erotismo del poder.

La autora pone aquí en juego un elocuente lenguaje mímico como parte indispensable de su contenido dramático. Los personajes usan el látigo de manera que el espectador advierte un crecimiento muy sensible en la crueldad de la trama misma, pero al hacerlo esos seres se deleitan con un diálogo aparentemente inofensivo. En verdad el mejor apoyo de esta obra está en el juego físico que se ejerce sobre el escenario. El diálogo es un elemento amortiguador, para que el público no llegue nunca a un paroxismo que pudiera resultarle insoportable. Y con esta sabia dosificación la obra cumple con su destino; eludiendo el melodrama detiene al espectador fijo en su asiento.

Historia de él alude directamente a la realidad mexicana, a los procedimientos viciados y a los caracteres viciosos que intervienen en el llamado "juego político": la búsqueda inexorable del poder. La elección de las autoridades más altas del país es vista en esta obra como un largo camino de sometimientos, de tal manera que el logro del propósito resulta una derrota moral. Los apoyos que el personaje busca y obtiene lo van destruyendo en su más íntima esencia, sumiéndolo en una atmósfera sofocante: la de la adulación. Los aduladores son aparentemente falsos en su comportamiento, pero se convierten en la verdad más activa de la obra. *Él* es una síntesis de atributos que deben reunirse en el hombre que asume el poder y, así, el personaje va perdiendo su individualidad para convertirse en una suma de todos los hombres que están en esa situación. Este comportamiento polivalente le da un carácter de "entelequia", de una cosa que lleva en sí misma el sentido de su acción; la de dominar a un pueblo, guardar un "orden", preservar una estructura política, sin plantear nunca la motivación o el destino de sus acciones. Convertido en marioneta, el personaje es dominado, a su vez, por aquellos a los que domina y su única opción posible es la de ejercer funciones de asesino o de suicida.

El programa de la obra es visible desde el comienzo hasta el final. Maruxa Vilalta asume así la función de un maestro que, como lo quisiera Brecht, hace uso del teatro como de un aula y el escenario viene a desempeñar las funciones de un pizarrón (*tableau noir* se diría en francés), pero de naturaleza dinámica, cambiante, en el cual la autora no se contenta con mostrar los hechos, sino que llega a demostrarlos, mediante la acumulación de pruebas e incidentes dramáticos de toda índole.

Una mujer, dos hombres y un balazo reúne cuatro instancias de una misma situación: la que el título de la obra descubre sin rodeos. Cuatro obras breves vinculadas por el conjuro del amor punible; desde el breve melodrama de alusión política *En Las Lomas, esa noche,* el recorrido dramático va mostrando con desenfado burlón la falta de identidad de la clase burguesa mexicana, y luego amplía su órbita de análisis en *Archie and Bonnie*, que se acerca a la comedia musical norteamericana para satirizarla mediante la asociación arbitraria de temas y motivos, en una cadena de sustituciones que van desplazando también la identidad de los personajes y su individualidad: éstos viajan de una obra a otra, del teatro a zonas aledañas a éste (el circo, la función de magia), pero siempre regresan a su ambiente natural que es el del teatro, en donde, ya se sabe, deben sustituir a otros rostros que no son los suyos, pero de los que se adueñan momentáneamente. Así, en *El barco ebrio* la escapada a la irrealidad es más decidida y recuerda algunos pasajes del teatro breve de García Lorca, pero la autora vuelve pronto a su tema favorito: el del silencio poblado de palabras en *El té de los señores Mercier*.

Pequeña historia de horror (y de amor desenfrenado) propone la revisión satírica del género policiaco: los personajes son como el reverso de todos los que pueblan las comedias convencionales de crímenes, horrores y averiguaciones de delitos. Los equívocos en el vestido, el llamado travestismo (que tan importante función desempeñó en el teatro español del Siglo de Oro), está revestido de un lejano acento freudiano pero tratado en tono de ironía: hombre, mujer, homosexual, heterosexual se funden en un solo personaje que nos va mostrando sus diversas facetas para afirmar una conclusión aleccionadora: la perversión de los instintos vitales no se opera solamente por distorsiones del yo individual, sino por la disociación que se establece entre los deseos del personaje, debida a la incongruencia existente entre la sociedad y el individuo.

La autora juega con las probabilidades de desenlace ante los ojos del espectador y suprime así el apoyo fundamental de este género de comedias: el final sorpresivo. A cambio de eso nos deja entrever que la indagación de la muerte individual resulta inútil dentro de una sociedad en proceso de descomposición colectiva, en la que todos los personajes han ido activando sus posibilidades de destrucción. La autora sólo los impulsa a dar el último paso para lograr su aniquilación total.

En algunas de todas estas obras, la autora ha incursionado en el habla popular y es necesario reconocer que en esos pasajes su ejercicio dialogal es espontáneo, sin ningún rebuscamiento ni afán de "rehacer" el lenguaje de las clases bajas de la ciudad, peligro en el que han sucumbido muchos otros dramaturgos. En otras ocasiones es la situación misma la que se acerca al teatro callejero y a la carpa popular, logrado, todo, con buena fortuna.

Originaria de Cataluña —nacida en Barcelona de donde salió muy niña con sus padres, los abogados Antonio Vilalta y Vidal y María Soteras Maurí, republicanos exiliados en México—, Maruxa Vilalta ha venido a enriquecer notablemente el teatro mexicano demostrando, una vez más, que en este país son las mujeres las más talentosas, en sus respectivas generaciones, para abordar el género teatral. Ya anteriormente Elena Garro y Luisa Josefina Hernández evidenciaron en sus respectivas modalidades ser las mejor dotadas entre los dramaturgos nacidos en México. Bienvenida sea ahora Maruxa Vilalta que con su teatro muestra la dificultad de la convivencia en todas las latitudes de la Tierra, la imposibilidad de comunicación entre el individuo y el grupo, entre la unidad y la colectividad, y que con una fácil trasposición da un significado más amplio a los problemas de México y de sus pobladores en la hora actual.

CARLOS SOLÓRZANO

ESTA NOCHE JUNTOS, AMÁNDONOS TANTO

(farsa trágica sin intermedios)

Valor intrínseco de una pieza dramática, realizada con el estricto plasma del diálogo, para proyectar la sórdida ruindad del egoísmo, la numerosa teratología de la hostilidad que, si en la presente obra sólo se refiere a una pareja solitaria y morbosa, pinta un mundo que lo mismo atañe a la soledad que a sectores sociales, ciudades y aun países corroídos por la negación circular hacia todo y hacia todos.

En el transcurso del drama, la reiteración es deliberada y en momentos es elocuencia por vía de exageración, pues si hurga en la intervivencia dual que es el mínimo familiar, en verdad alude a épocas o sectores que han ido cortando su comunicación con la especie, para gozar después con el fracaso, la ruina y el padecimiento de los demás.

Esas expresiones monstruosas pertenecen a la realidad. No hay que alarmarse. El sobresalto nos sacude porque resulta casi imposible fijar la línea limítrofe entre la realidad y la paranoia; o sea, la natural consecuencia del aislamiento o la locura distribuida en la vida cotidiana. Es ésta una dolorosa radiografía de la disidencia en un cotejo conyugal, un diálogo de máscaras, divorciadas tal vez desde antes de las nupcias.

Y es ahora cuando el espectador descubre que el verso de López Velarde "el amor amoroso de las parejas pares" no es logogrifo ni juego de palabras, porque Casimiro y Rosalía son una pareja impar. Nadie puede negar que están allí, vinculados y ungidos, pero menos podrá negarse que se odian, se mienten y que en la violencia que ejercen con los demás sólo existe la mutua repugnancia que se profesan. Después de repasar el diálogo, podrá reconocerse que la convivencia de estas dos sombras es su propio castigo y que la intención crítica de la autora ha quedado cumplida.

MIGUEL ÁLVAREZ ACOSTA

(Del prólogo a la edición de OPIC, México, 1970.)

Esta noche juntos, amándonos tanto gana el premio Juan Ruiz de Alarcón, otorgado por la Asociación Mexicana de Críticos de Teatro a la mejor obra de 1970; asimismo obtiene el premio a la mejor obra de 1971 otorgado por los críticos en el Festival de Las Máscaras, de Morelia.

La obra se estrena en el Teatro del Granero, de la ciudad de México, el 10 de abril de 1970. Dirección de escena de la autora, escenografía de Félida Medina, música escrita e interpretada al armonio por Lucía Álvarez, asistente de dirección Héctor M. Sierra, actuación de Roberto Dumont (después José Luis Castañeda), Pilar Souza y Carlos Pouliot.

Entre otras representaciones de esta pieza:

Together tonight, loving each other so much se estrena en el Gramercy Arts Theater de Nueva York el 10 de noviembre de 1973. Producción de Gilberto Zaldívar, dirección de escena de René Buch, escenografía de Robert Federico y el grupo Spanish Theatre Repertory Company, con doble reparto de actores, en inglés y en español.

Temporada en el Segundo Festival Internacional Cervantino de Guanajuato, en 1974, con la Spanish Theatre Repertory Company.

Segunda temporada en México en el Teatro Orientación, en 1974, con la Spanish Theatre Repertory Company.

Temporada en el teatro del Loretto Hilton Center, de San Luis Misuri, en 1974, con la Spanish Theatre Repertory Company.

Por televisión la obra es difundida en México por

21

el canal 13 en la serie *Los lunes, teatro*, en 1974. Adaptación y dirección de la autora, con los actores Carlos Ancira y María Teresa Rivas.

Por radio, *Together tonight, loving each other so much* es difundida por Radio Belgrado, de Yugoslavia, en 1984.

En México, entre las principales temporadas de *Esta noche juntos, amándonos tanto* se cuentan las de Culiacán, Teatro del IMSS, estreno 28 de junio de 1970, con dirección de escena de Héctor M. Sierra; Acapulco, con el grupo Teatro de Las Máscaras, como parte del Ciclo Maruxa Vilalta, con dirección de Roberto Ceballos, a partir de febrero de 1971; Guadalajara, con el grupo Teatro Universitario de Guadalajara, dirigido por Félix Vargas, en el Teatro del Club de Leones, en 1974, y en el Teatro Cuauhtémoc de la ciudad de México, en 1975.

Esta noche juntos, amándonos tanto ha sido editada por:

Organismo de Promoción Internacional de Cultura (OPIC), México, 1970.

Fondo de Cultura Económica, en el libro de Maruxa Vilalta *Teatro*, México, Colección Tezontle, 1972 y Colección Popular, 1981.

Aguilar editores, en el libro *Teatro mexicano de 1970*, selección y notas de Antonio Magaña-Esquivel, México, 1973.

D.C. Heath and Company, en el libro *Teatro de la Vanguardia,* prólogo, selección y notas de Myrna Casas, Massachusetts, 1975.

Together tonight, loving each other so much (traducción de Willis Knapp Jones) está publicada en *Modern International Drama,* State University of New York at Binghamton, vol. 6, núm. 2, primavera de 1973.

Como dos palomos, como dos tórtolos (traducción al checoslovaco de Jan y Jana Makarius) está publicada por la agencia teatral y literaria Dilia, Praga, 1971.

Entre las fotos que se exhibieron durante la temporada de estreno en México de *Esta noche juntos, amándonos tanto* hay una de niños muertos en bombardeo fascista sobre la ciudad de Barcelona durante la guerra civil española: fotografía cuya existencia por sí sola justifica para mí el haber escrito esta obra y justificaría el trabajo de toda una vida.

MARUXA VILALTA

(En la edición de OPIC, México, 1970.)

Personajes

ÉL

ELLA

EL GENERAL — EL POLICÍA — EL VERDUGO — EL GUARDIA DEL CAMPO DE CONCENTRACIÓN — EL SOLDADO — EL DICTADOR. (*Papeles que interpreta un solo actor.*)

Estancia-comedor con puerta de entrada a la casa, asegurada con un gran cerrojo, y salidas a habitaciones interiores. Una ventana. Mesa de comedor cubierta con carpeta descolorida. Un aparador antiguo. Demás muebles, todos viejos. Acumulación de objetos y adornos inútiles. Montones de periódicos en el suelo, contra una pared. Telarañas. Polvo. Ambiente sórdido. Es como un abigarrado almacén de cosas viejas, Entre ellas los dos únicos habitantes de la casa. Él fuma pipa y Ella teje.*

ÉL: Hoy también.

ELLA: Igual que ayer.

ÉL: Lo mismo que mañana. Estamos solos en casita.

ELLA: Solos con nuestro amor.

ÉL: ¡Con nuestro gran amor! Podemos disfrutar de la velada.

ELLA: ¿Qué haremos hasta que sea hora de la cena?

ÉL: Esperar, querida, esperar a que sea hora de la cena.

ELLA: Sí, esperar... Si fueran las ocho sería hora de la cena, pero no son las ocho.

ÉL: Falta mucho para que sean las ocho.

---

* En las funciones de la temporada de estreno en México, una ejecutante tocó el armonio en escena.

ELLA: Sí, falta mucho. (*Un silencio.*) Llueve.

ÉL: ¿Cómo?

ELLA: Está lloviendo.

ÉL: No creo.

ELLA: Estoy segura.

ÉL: En fin, qué más da.

ELLA: Sí, qué más da.

ÉL: Que llueva o que no llueva, nosotros no estamos bajo la lluvia.

ELLA: No.

ÉL: Los que estén bajo la lluvia, allá ellos.

ELLA: Allá ellos. (*Un silencio.*) Entonces, admites que llueve.

ÉL: No llueve. Podemos comprobarlo si quieres. Podemos abrir la ventana.

ELLA: ¡Qué dices! ¡Abrir la ventana!

ÉL: Estaba bromeando.

ELLA: No la abrimos nunca. ¡Esta ventana no la abrimos nunca!

ÉL: Estaba bromeando.

ELLA: Casimiro, no vuelvas a asustarme así.

ÉL: No quise asustarte, Rosalía.

ELLA: ¡Abrir la ventana que da a la calle! ¿Y los ruidos de afuera? ¿Y la gente, las voces?

ÉL: Las risas.

ELLA: Sí, sería terrible. Oiríamos las risas.

ÉL: No te preocupes, no vamos a oírlas.

ELLA: Veríamos a la gente.

ÉL: No la veremos, por fortuna. Fue una gran idea instalar aquí una ventana aislante.

ELLA: Fue una gran idea.

ÉL: Ni ruidos, ni lluvia, ni luz, ni gente. Nada.

ELLA: Nada. Gracias a la ventana.

ÉL: De vidrio aislante.

ELLA: De seda aislante.

ÉL: De piedra aislante.

ELLA: De arena.

ÉL: De polvo.

ELLA: De tierra.

ÉL: ¿Oyes ahora?... El silencio.

ELLA: El silencio. (*Una pausa.*) Deberíamos instalar también una puerta aislante.

ÉL: Imposible.

ELLA: ¿Por qué?

ÉL: Se quejarían.

ELLA: ¿Quiénes?

ÉL: Los demás..., la gente. Empezarían a armar escándalo. Que si no abríamos, que si llevábamos años aquí encerrados, que si teníamos ventanas aislantes, puertas aislantes.

ELLA: No tendrían por qué enterarse. Nadie nos visita. No tenemos parientes.

ÉL: Ni amigos, por fortuna.

ELLA: Por fortuna.

ÉL: Pero si tuviéramos una puerta aislante se enterarían. Alguien llamaría.

ELLA: Sí, siempre hay alguien que llama.

ÉL: El lechero, por ejemplo.

ELLA: Puedo despedirlo.

ÉL: El tendero.

ELLA: Lo despediría también.

ÉL: Entonces tendríamos que salir de casa para comprar alimentos.

ELLA: ¿Salir de casa? Eso sería terrible.

29

ÉL: Terrible, sí. Y de todos modos, alguien acaba-
ría por llamar. Se enterarían de que teníamos una
puerta aislante e irían a denunciarnos a la policía.

ELLA: ¿Tú crees?

ÉL: La gente es capaz de todo.

ELLA: ¡Y tener que vivir en un edificio!... Claro,
con tu pensión no podemos vivir en casa propia.
¡Si por lo menos hubieras llegado a jefe antes de
jubilarte!

ÉL: Una oficina del gobierno es un lugar importante para trabajar. No cualquiera puede trabajar en una oficina del gobierno.

ELLA: Pero no llegaste a jefe.

ÉL: Tenía empleados a quienes mandar.

ELLA: ¡Bah, una secretaria!

ÉL: Cada mañana le ordenaba sacar punta a los lá-
pices de mi escritorio: todos los que iba a utilizar
y también todos los que no iba a utilizar. Cada
mañana archivábamos los expedientes que debían
archivarse y sacábamos del archivo aquellos que
debían revisarse para después volverse a archivar.
Era un trabajo muy importante.

ELLA: Muy importante, no lo niego. Pero no llegaste a jefe.

ÉL: Fui segundo jefe. Tenía mi despacho privado.

ELLA: De cristal. Ni siquiera de madera.

ÉL: ¡Mano firme con los de abajo! Yo siempre
supe mandar.

ELLA: Un segundo jefe no es lo mismo que un jefe
de verdad. Por eso ahora con tu pensión no alcanza para nada.

ÉL: No tenemos casa propia pero nunca hemos hecho amistad con los vecinos del edificio, no puedes quejarte. Nunca hablo con nadie.

ELLA: Yo tampoco.

ÉL: Cuando iba a la oficina nunca saludaba si encontraba a alguien por la escalera.

ELLA: Si los saludas estás perdido.

ÉL: Sí, así se empieza. Así acaba uno haciéndose de amigos.

ELLA: ¡Qué horror!

ÉL: ¡Desastroso! (*Un silencio.*)

ELLA (*Suspira*): A veces, al anochecer, cuando llueve, pienso en ellos.

ÉL: ¿En quiénes?

ELLA: En los hijos que no tuvimos.

ÉL: Sí, yo también pienso en ellos. A veces.

ELLA: ¿Muchas veces?

ÉL: No. Pocas.

ELLA: Yo solamente cuando llueve. Como ahora.

ÉL: Ahora no llueve.

ELLA: Yo no lamento no haberlos tenido.

ÉL: Yo tampoco.

ELLA: Si no los tuvimos fue porque no pudimos.

ÉL: Porque no quisimos.

ELLA: El RH y esas cosas.

ÉL: Tú, que decías que ibas a arruinarte el cuerpo.

ELLA: Tú, que no tenías tiempo para educar hijos.

ÉL: Nunca se habló del RH.

ELLA: En fin, no tiene importancia.

ÉL: Claro que no la tiene.

ELLA: Total, unos niños más o menos. . .

ÉL: Ya no son niños. Pronto cumplirán treinta años.

ELLA: ¡Treinta años ya, los hijos que no tuvimos, nuestros gemelos!

ÉL: Sí, treinta años.

ELLA: ¡Cómo pasa el tiempo!

ÉL: ¡Cómo pasa!

ELLA: Hubiera jurado que sólo tenían diez años.

ÉL: Te confundes, querida, te confundes. Las que tenían diez años cuando dejaste de verlas eran las mellizas de tu hermana, pero de eso hace ya veinte años porque a tu hermana no la tratas. Tú creías que también ibas a tener mellizas.

ELLA: Y tú te empeñaste en que fueran niños. ¡Hasta en eso tuviste que imponer tu voluntad!

ÉL: ¿Yo? De ninguna manera.

ELLA: ¡Y ahora nuestros hijos van a cumplir treinta años!

ÉL: Menos mal que no los tuvimos.

ELLA: Menos mal. (*Un silencio.*) Un derecho, basta, un revés...

ÉL: ¿Qué tejes hoy?

ELLA (*Muestra el tejido, de forma indefinida a la vez que estrambótica, hecho con lana gruesa.*): Ya lo ves, lo mismo que ayer.

ÉL: ¿Y estás a punto de terminarlo?

ELLA: No. Me falta mucho todavía.

ÉL: Cuando terminas una cosa es el vacío, es el final, es la nada. Es como si algo hubiera muerto. Sé lo que este tejido representa para ti, Rosalía.

ELLA: No representa nada. Es mi tejido nada más.

ÉL: Te ayuda a vivir. Sería terrible que lo terminaras.

ELLA: No necesito que me ayuden a vivir.

ÉL: En fin, debes estar prevenida.

ELLA: Tendré cuidado.

ÉL: Cuando menos se espera, un desenlace fatal, una flor que se marchita, un tejido que se termina, una ilusión que muere. . .

ELLA: Creo que descansaré un rato. (*Deja el tejido.*) ¡No sé qué haría sin tu cariño, Casimirito!

ÉL: ¡Qué haría yo, mi Rosalía, sin tu amor!. . .

Golpes en la puerta. Alguien llama. El ruido se reproduce varias veces, exageradamente, en forma de impresionante eco. Él y Ella se miran, asustados.

ELLA: ¿Llaman?

ÉL: ¡Llaman!

ELLA: No puede ser.

ÉL: Los dos lo hemos oído.

ELLA: Será enfrente. O abajo.

ÉL: No.

ELLA: ¿Por qué no?

ÉL: Porque cuando llaman enfrente no se oye aquí. Ni cuando llaman abajo tampoco. Alguien ha llamado a nuestra casa.

ELLA: ¿A nuestra casa? Pero es terrible.

ÉL: Habrá que afrontarlo.

ELLA: ¿Te das cuenta? Tendremos que abrir, hablar con la gente.

ÉL: Supongo que sí.

Vuelven a llamar. El eco no es ya impresionante, aunque sí insistente. El miedo que Él y Ella *sintieron se ha convertido en indignación.*

ELLA: ¡Como se atreven! No contestes, ya se cansarán.

ÉL: Será molesto oírlos.

ELLA: Deberíamos instalar una puerta aislante.

ÉL: Ya te te dicho que no es posible.

Llaman otra vez. Eco.

ELLA: ¿Quién podrá ser?

ÉL: ¡Qué extraño!

ELLA: Muy extraño.

ÉL: Lo mejor será abrir y deshacernos de ellos cuanto antes. Iré yo. (*Va hacia la puerta de entrada.*)

ELLA: Yo me voy a la cocina.

Ella sale. *Él* descorre, con gran ruido, el cerrojo, abre y no da tiempo de hablar al que llama: un personaje absolutamente real al que se representa siempre en forma imaginaria.

ÉL: Aquí no es. Se equivoca de casa. ¿Cómo?... La nueva vecina. Usted es la nueva vecina... Efectivamente, señora, no la conozco. (*Se dispone a cerrar, pero la vecina insiste.*)... ¿Del cinco, dice? Vive en el cinco... Frente a nosotros, sí, estamos cerca... (*Muy a pesar suyo.*) Bueno, si quiere pasar, pase, señora, pase... (*Se hace a un lado y el personaje imaginario entra. Casimiro lo observa, en actitud reprobadora.*)

ÉL: ¿Qué?... Se siente mal. Una aspirina... No, no es molestia, pero no tenemos aspirinas... No, ni una sola, señora. Ni una sola aspirina ni nada

que se le parezca en toda la casa. . . ¿Era todo?
(*Se apresura a abrir la puerta.*) ¡Se marcha ya,
cuánto lo siento!. . . Sí, yo también he tenido mucho
gusto, sí, encantado. Hasta la vista, señora,
adiós. . . (*Cierra la puerta tras el personaje imaginario
y vuelve a echar el cerrojo, asegurándose
de que queda bien puesto. Entra* Rosalía.)

ÉL: ¿Has oído?

ELLA: Todo. ¡Es el colmo! ¡Atreverse a pedirnos
una aspirina! Hiciste muy bien en no dársela.

ÉL: Claro que hice bien. Hacer un favor a la gente
siempre es peligroso. ¿Y si te lo agradecen?
¿Y si con ese pretexto quieren hacer amistad?

ELLA: Sí, es peligroso.

ÉL: Si le doy una aspirina hoy, mañana puede volver
y pedir bicarbonato, sal, patatas, que le hagamos
la comida, que se la llevemos.

ELLA: Sí, les haces un favor y estás perdido. Por
eso yo no le di su carta.

ÉL: ¿Qué carta?

ELLA (*Le muestra un sobre.*): Mira: "Número cinco",
dice aquí. Es para ella. Esta mañana la echó
el cartero, por equivocación, por debajo de nuestra
puerta.

ÉL: ¿El cartero? ¡Cómo se atreve!

ELLA: Estoy segura de que fue él porque lo oí. Llamó
y dijo "¡cartero!"

ÉL: ¡Qué desfachatez!

ELLA: Y como no fui a abrir, echó la carta por debajo
de la puerta.

ÉL: Sabe perfectamente que nosotros no recibimos
cartas.

ELLA: Lo sabe, ¡pero la gente es de un egoísta! (*Rompe la carta.*) Esto es para la basura.

Busca a su alrededor y no encuentra dónde tirar los papeles rotos. Abre el aparador, los mete dentro y se las arregla para volver a cerrar, empujando arrugados recortes de telas de diversos colores que salieron del mueble, desbordante de cosas, apenas se abrió.

ÉL: Ese cartero cometió un error imperdonable.
ELLA: Imperdonable, sí.
ÉL: Me quejaré. Voy a escribir a la administración de correos para que lo despidan.
ELLA: ¡Casimiro, qué gran idea!
ÉL: Así aprenderá a no cometer errores.
ELLA: Así aprenderá a no traernos más cartas. Te daré en qué escribir.

Se apresura a abrir nuevamente el aparador y revuelve objetos inútiles: los recortes de telas, madejas de lana enredadas, agujas de tejer torcidas, calcetines viejos, pedazos de vajilla rota y, entre todo eso, tazas, platos, vasos y cubiertos. Encuentra papel y sobre, bastante arrugados también. Vuelve a meter las demás cosas en el aparador, en desorden, empujando para poder cerrar.

ELLA: Toma, aquí tienes papel y sobre de los que traías a casa cuando ibas a la oficina.
ÉL: Menos mal que los encontraste.

ELLA: Los había guardado bien. Como con el dinero de tu pensión no alcanza para nada...

ÉL: Me dirigiré al administrador general en persona... Con letra de molde; será un anónimo, desde luego. (*Escribe.*) Señor administrador... (*Se interrumpe.*) No, "señor" no. Pondré "administrador", a secas.

ELLA: Sí, administrador a secas. Para que vea que eres tan importante como él.

ÉL: O más. (*Escribe.*) Administrador General de Correos. Presente. Muy señor mío: Lamento tener que dirigirme a usted para poner en su conocimiento una grave falta... (*Se interrumpe.*) No, una les parecerá poco. (*Escribe.*) Para poner en su conocimiento graves faltas cometidas por uno de sus subordinados...

ELLA: El que se haya equivocado de número también puede parecerles poco. Pon que roba las cartas. O que se queda con objetos de valor.

ÉL: Eso es mentira.

ELLA: Y bien, Casimiro, y bien, no vas a retroceder ahora. Es ese hombre o nosotros.

ÉL: No tengo inconveniente en inventar lo que sea. (*Escribe.*) Me refiero al cartero de nuestra calle, quien pierde la correspondencia, la destruye o la roba.

ELLA: ¡Muy bien! La roba.

ÉL (*Escribe.*): Hace poco se extravió sin llegar a mis manos un sobre con un cheque. No tengo pruebas de que el cartero sea el responsable, pero sí me constan otros abusos. Ayer mismo lo vi romper un paquete entero de cartas.

ELLA: ¿Lo viste?

ÉL: ¡Cómo voy a verlo si no salimos de casa y la ventana es aislante!

ELLA: Sí, claro, cómo vas a verlo.

ÉL (*Escribe.*): Vecinos de esta misma calle me han dicho que también ellos frecuentemente dejan de recibir su correspondencia.

ELLA: ¿Y si preguntan?

ÉL: No faltará quien les diga que ha dejado de recibir una carta. (*Escribe.*) Lo cual le hago saber para que se tomen las medidas necesarias. Mi caso es lo de menos. Se trata de la protección de todos los ciudadanos.

ELLA: ¡Eso es, habla de los ciudadanos! Así pareceremos patriotas.

ÉL: Ahora pondré el nombre de nuestra calle, para que identifiquen al cartero. (*Escribe.*)

ELLA: ¿Y si hay dos carteros en nuestra calle?

ÉL: Tanto mejor. Así mataremos dos pájaros de una pedrada.

ELLA: ¡Perfecto! ¿Pero entonces crees que dará resultado? ¿Lo echarán?

ÉL: No lo sé. Por lo menos nosotros habremos hecho lo posible.

ELLA: Eso sí, nuestra conciencia está tranquila. Seguro que sospecharán de él, desconfiarán...

ÉL: El sobre... (*Toma el sobre y empieza a escribir en él. Se interrumpe.*) Pero hay un problema. Para enviar la carta hacen falta estampillas.

ELLA: Yo tengo. (*Busca otra vez en el aparador.*) Las guardé una vez que mandaron una propaganda. Como con el dinero de tu pensión no alcanza para nada...

ÉL: No es necesario que alcance para estampillas puesto que no escribimos cartas.

ELLA: Ya ves, nunca se sabe... (*Encuentra las estampillas y se las da.*) Toma, aquí están.

ÉL: Sí, nunca se sabe... (*Termina de escribir el sobre y pega las estampillas.*) ¡Me parece imposible! ¡Escribir una carta, yo! ¡Dirigirme a alguien de afuera!... Claro que el fin lo justifica. Voy a perjudicar a ese cartero.

ELLA: "Vamos" a perjudicarlo.

ÉL: Hasta ahora tú no has hecho nada. Pero aun estás a tiempo. El problema subsiste. Tendrás que salir a llevar la carta al buzón de abajo.

ELLA: ¿Cómo? ¿Salir de casa? ¡De ninguna manera!

ÉL: Yo no lo haré. No estoy dispuesto a encontrar a alguien por la escalera. No voy a arriesgarme a que me dirijan la palabra.

ELLA: Pero, querido, por favor...

ÉL: Inútil. Prefiero no quejarme.

ELLA: ¿Y que ese hombre se quede sin castigo? ¡Eso sí que no!

ÉL: Toma entonces. (*Le da la carta.*)

ELLA: Pero, Casimirito, ¿y si yo encuentro a alguien? ¿Y si me hablan? ¿Y si me sonríen?

ÉL: Es difícil. Tu rostro no invita a sonreír.

ELLA: ¡Está bien! Si no queda más remedio...

Quita el cerrojo y abre la puerta. Con precaución asoma la cabeza y mira hacia todos lados. Se de-

cide y sale de prisa, no sin cerrar la puerta tras de sí.

ÉL (*Ríe.*): ¡Corre, Rosalía, corre!... Vas a pasar miedo, por esa escalera... (*Serio.*) El miedo no es una sensación agradable... (*Se acerca a la ventana.*) Si no fuera por esta ventana, vería a la gente, allí abajo. Los vería a todos, inmundos escarabajos. Alguno sería capaz de mirar hacia aquí, de sentirse con derecho a preguntarme algo. Alguno sería capaz de dirigirme la palabra; de subir y llamar a la puerta de mi casa... ¡Los hay que dicen ser felices! Pero hasta aquí no llegarán sus voces. Sus palabras no me interesan...

Ella *entra apresuradamente y cierra la puerta.*

ELLA: ¡Ya está!

ÉL: El cerrojo. No olvides el cerrojo.

ELLA: No lo olvido. Nunca lo olvido. (*Echa el cerrojo.*) Dejé la carta en el buzón y no encontré a nadie.

ÉL: Bueno, pues asunto terminado. La piedra ya está lanzada. Podemos felicitarnos.

ELLA: Hicimos algo de provecho el día de hoy.

ÉL: Sí. Hicimos algo de provecho.

ELLA: ¿Mirabas por la ventana?

ÉL: Sí.

ELLA: ¿Viste algo?

ÉL: Desde luego que no. Para eso tenemos una ventana aislante.

ELLA: Siempre temo que el mecanismo se estropee; que la ventana deje de ser aislante.

ÉL: Las ventanas aislantes nunca se estropean. Cuando las instalas, es para siempre.

ELLA: Si se estropeara veríamos la calle, oiríamos a la gente.

ÉL: Las ventanas aislantes no se estropean. Estás nerviosa, Rosalía. Debes controlarte.

ELLA: La próxima vez que haya que salir de casa irás tú.

ÉL: La próxima vez ya veremos. Es difícil que tengamos que salir.

ELLA: ¿Por qué tuviste que enviarme a mí?

ÉL: Cálmate, querida, cálmate.

ELLA: ¿Qué hacemos ahora? Falta mucho para que sea la hora de la cena.

ÉL: Sí, falta mucho.

ELLA: ¿Dónde habré dejado mi vestido?

ÉL: Lo traes puesto, querida, lo traes puesto.

ELLA: Éste no. El que estoy haciendo. El del maniquí.

ÉL: El del maniquí debe de estar en el maniquí.

ELLA: Voy a buscarlo. (*Sale.*)

ÉL: ¿Dónde demonios puedo haber dejado la pipa?... (*La busca por la habitación.*)

Ella *entra con el maniquí, que trae puesto un ridículo vestido de colores chillantes.*

ELLA: Tenías razón: el vestido del maniquí estaba en el maniquí.

ÉL: ¿Tienes alguna idea de dónde dejé mi pipa?

ELLA (*Admira el vestido del maniquí.*): ¿Qué te parece? ¿No es precioso?

ÉL (*Encuentra un botón.*): ¡Un botón rosa! ¿Qué está haciendo aquí un botón rosa?

ELLA Déjalo donde estaba. Algún día puedo tener un vestido de color de rosa y necesitar un botón rosa. Con el dinero de tu pensión no alcanzaría para comprarme un botón rosa.

Saca del aparador un cojín con alfileres y empieza a arreglar el vestido sobre el maniquí, hacer pliegues, prender alfileres, etcétera.

ÉL: Bueno, pues la pipa sigue sin aparecer... (*La encuentra.*) ¡Ah, por fin, aquí está!

ELLA: Has tenido suerte. Recuerdo aquella vez que buscaste el calzador más de una semana seguida.

ÉL: Y tú no me ayudaste a encontrarlo.

ELLA: Pero, querido, ése es problema tuyo. Yo no uso calzador. (*Él guarda la pipa.*) ¿No vas a seguir fumando?

ÉL: No. Por ahora no.

ELLA: Hacer un vestido no es cosa fácil, claro, pero no podemos pagar una modista con el dinero de tu pensión... (*Él ríe ante el maniquí.*) ¿De qué te ríes? Es un bonito vestido.

ÉL: Un papagayo, querida. Con esto puesto parecerás un viejo papagayo.

ELLA: No vamos ahora a discutir de modas.

ÉL: Por supuesto que no.

ELLA: Tengo que ir a preparar la cena.

ÉL: Sí queridita, ve... (*Ella sale.*)

ÉL (*Ríe.*): ¡Exactamente un viejo papagayo!...
(*De pronto deja de reír y le arranca el vestido al
maniquí.*) ¡Oh esto está mejor, mucho mejor!...
(*Acaricia el cuerpo del maniquí, con movimientos a la vez lascivos y grotescos. Empieza a bailar
un tango con él. Termina de bailar y conversa
con el maniquí.*) ¿Cómo? ¿Usted también es sol-
tera? Sí, señorita, sí, eso se ve, eso se siente.
(*Pellizca al maniquí.*)... ¡Oh, no, no, le aseguro
que no pienso ponerme impertinente!... ¿Con
promesa de matrimonio? Bueno, no sé si llega-
remos a tanto. (*Se aleja con el maniquí del
brazo.*)... Sí, yo pienso hacer una carrera brillante; me lo merezco. Pasaré al escritorio próximo al mío, y después al otro y al otro. Dentro
de veinte escritorios más llegaré al del jefe; lo
tengo perfectamente calculado. Sí, mi meta es ser
jefe. Mandar. ¡Dar órdenes! ¡Eso es lo único que
cuenta: dar órdenes! Y yo estoy perfectamente
dotado para dar órdenes, señorita, perfectamente dotado. Cene conmigo esta noche y se lo explicaré con más detalles... (*Ríe con el maniquí
y baila con él nuevamente: ahora un vals cursi.*)
¡Oh, sí, sí, nada como el baile! Baile de quince
años, baile de treinta años, Guerra de los Cien
Años... La Guerra de los Cien Años fue muy
posterior a la fundación de Alejandría. Cultura,
sí señorita, eso se llama tener cultura. (*Deja de
bailar.*) No se ría, por favor. Su risa me es desa-
gradable. (*Petulante.*) Hagamos cita para mañana a las seis. Media luna de reloj. Tengo

predilección por esa hora. A pesar de las verticales, sí, porque habitualmente prefiero las diagonales. De todos modos, siempre que dan las seis de la tarde me siento capaz de enamorarme.

Ella entró hace unos momentos y observó el final de la escena. Parece encantada.

ELLA: ¡Casimiro, era yo!

ÉL: ¿Cómo?

ELLA: Sinvergüenza..., estabas haciéndome el amor... El maniquí era yo.

ÉL: Sí. Eras tú hace treinta años.

ELLA: ¡Treinta años ya! ¡Cómo pasa el tiempo!

ÉL: Ya entonces no eras ninguna jovencita. (*Empieza a ponerle el vestido al maniquí.*)

ELLA: No, no, déjalo así. ¡Desnudo! Es mi cuerpo.

ÉL: ¿Tú cuerpo este maniquí? Por eso siempre te quedan mal los vestidos que te haces.

ELLA: ¡Treinta años!... Pero el amor que ahora nos tenemos es mucho más verdadero.

ÉL: ¿Te parece?

ELLA (*Ríe, coqueta.*): ¡Ji, ji, ji!... Picarón... Me deseas...

ÉL: ¿Te deseo?

ELLA: Constantemente tengo que poner freno a tus impulsos.

ÉL: ¿Sí?

ELLA: ¡Lascivos!

ÉL: No es para tanto.

ELLA: ¡A que no me besas!

ÉL: Te diré...

ELLA: ¡A que no! ¡A que no!... (*Ríe y se hace perseguir por el escenario. Ridículo coqueteo. Él renuncia. Entonces Ella se le acerca.*)

ELLA: ¡Por favor, Casimiro, por favor, ten prudencia! (*Se arremanga el vestido y le muestra las piernas.*) ¡No, no, las piernas no! ¡No me mires las piernas!...

ÉL (*Que no le ha hecho ningún caso.*): No, querida, no te las miro. (*Termina de ponerle el vestido al maniquí, con gran disgusto de Ella.*)

ELLA: ¿Pero qué haces?

ÉL: Visto tu cuerpo. Podrían verlo los niños.

ELLA: ¿Qué niños?

ÉL: Nuestros hijos.

ELLA: Pronto cumplirán treinta años. Además, no los tuvimos.

ÉL: Si los hubiéramos tenido podrían verlo. Es mejor así.

ELLA: Si te empeñas... (*Él ríe nuevamente ante el maniquí.*) Será mejor que me lo lleve.

ÉL: ¿Por qué? ¿No sigues trabajando en el vestido?

ELLA: No. No sigo. Voy a dejarlo en su lugar. (*Sale con el maniquí.*)

ÉL: ¡Lástima! Era divertido... (*Ríe.*) ¡Muy divertido!... (Ella *entra.*)

ELLA: Pretendes que mi cuerpo no es como el del maniquí. Pretendes que no soy joven.

ÉL: Yo no pretendo nada, querida, yo no pretendo nada.

ELLA: Casimiro... ¿Crees que todavía luzco guapa?

ÉL: ¿Todavía?

ELLA: Quiero decir, a mi edad.

ÉL: ¿A tu edad? ¡Pero, querida, qué son sesenta años!

ELLA: De manera que todavía luzco guapa.

ÉL: Luces lo mismo que siempre, querida, lo mismo que siempre.

ELLA (*Coqueta.*): Gracias. . .

ÉL (*Le sonríe.*): ¡Je!

ELLA (*Le sonríe.*): ¡Je, je!

ÉL: ¿Felices?

ELLA: Felices.

ÉL: Felices-esposos.

ELLA: Felices-esposos-amamos.

ÉL: Felices-esposos-amamos-nos. (*Se toman de las manos y giran mientras cantan a coro.*)

ÉL y ELLA: "Naranja dulce,
          limón partido,
          dame un abrazo
          que yo te pido. . ."

Dejan de girar y ríen. En esto Él *saca del aparador una vieja y grotesca peluca de bucles y se la pone a* Ella, *que empieza a exhibirse adoptando ridículas actitudes de mujer fatal. Él se burla, a carcajadas. Bajo el reflejo de luces cenitales de colores fuertes, son dos personajes de pesadilla. Cuando* Rosalía *termina su exhibición, vuelve la luz general.*

ELLA: Es una bonita peluca.

ÉL: Muy bonita, sí. . .

ELLA: Y me hace lucir joven.

ÉL: Sí, muy joven...

*Golpes llamando a la puerta, con menos insisten-
cia que la vez anterior. Eco.*

ELLA (*Se quita la peluca.*): ¿Oíste?

ÉL: Sí. Llamaron a la puerta.

ELLA: ¿Será otra vez esa mujer?

ÉL: Lo más probable.

ELLA: ¡La gente es de un egoísta!

ÉL: La echaremos fuera en unos segundos. Yo me
encargo de ella. (*Va hacia la puerta, descorre el
cerrojo y abre.*)

ÉL: ¡Ah, señora, otra vez usted! (*El personaje imaginario entra.*) Ya encontró las aspirinas; la felicito... Se siente peor... Cree que no es cosa de
aspirina... Algo grave... Está sola y no conoce
a nadie. Pues, mi querida señora, eso no es culpa
mía.

ELLA (*Al personaje imaginario.*): ¡Ni mía tampoco!... Sí, señora, ya sé que es usted nuestra vecina, sí, el gusto es mío.

ÉL: Si está enferma no se preocupe. Vuelva a su
casa y acuéstese.

ELLA: Vamos, no pierda tiempo, váyase a descansar.

ÉL (*Toma del brazo al personaje imaginario y lo
conduce hacia la puerta.*): No, no, no hay "pero"
que valga. A descansar, señora, a descansar. Encantado de su visita y lamento que haya sido
tan breve. Regrese cuando quiera. Adiós. (*Le cie-*

rra la puerta en las narices y vuelve a asegurarla
con el cerrojo.)

ÉL: ¡Ya está! Nos libramos de ella.

ELLA: Por qué le dijiste que regresara. Es capaz
de hacerlo.

ÉL: No lo creo. Tenía muy mal aspecto.

ELLA: Amarillo, sí.

ÉL: Yo más bien diría blanco.

ELLA: Verdoso. Como nos haga caso y se acueste
será difícil que se levante. Aunque a lo mejor lo
consigue.

ÉL: A lo mejor. Nunca se puede estar tranquilo.

ELLA: La mujer es joven. Parece fuerte, por des-
gracia.

ÉL: En fin, esperemos que no logre levantarse.

ELLA: Esperemos.

ÉL (*Trae un tablero con fichas.*): ¿Terminamos
el juego de damas?

ELLA: ¿Para qué?

ÉL: Para terminarlo. Lo dejamos empezado.

ELLA: Como quieras.

ÉL: (*Mueve una ficha.*): Ganaré yo, como siempre.

ELLA (*Avanza su ficha.*): Lo haces a propósito.

ÉL: Claro que lo hago a propósito.

ELLA: Lo haces para molestarme.

ÉL: Cuando se juega es para ganar.

ELLA: Lo haces para molestarme.

ÉL (*Come fichas.*): Te como, y te como, y te
como.

ELLA (*Coqueta.*): ¡Ay! ¡Ay!... ¿Me comes?

ÉL: A ti no, querida. Lo que me interesa son las fichas. . . (*Salta sobre otra ficha.*) ¡Y una menos! (*Siguen jugando.*)

ELLA: Destruirme te produce placer.

ÉL: En fin. . .

ELLA: ¡Y pensar que pude haberme casado con un hombre rico!

ÉL: Eso hiciste. Te casaste conmigo, que era más rico que tú.

ELLA: Acabaste con una pensión miserable.

ÉL: No te lo reproches, querida, tú no podías saberlo.

ELLA: Sin embargo, hago todo lo posible porque seamos felices.

ÉL: Y lo consigues, querida, lo consigues.

ELLA: Las blancas avanzan.

ÉL: Ganarán las negras. Las negras siempre ganan.

ELLA: No siempre. El otro día leí que metieron en la cárcel a unas mujeres negras. Me alegro. Aborrezco a las negras. Y a los negros también.

ÉL: Y también a los blancos.

ELLA: ¿Y qué me dices de los amarillos?

ÉL: Aborrecibles todos.

ELLA: Menos mal que nosotros no nos tratamos con nadie.

ÉL: Menos mal. Dama.

ELLA (*Le da una ficha.*): No sé cómo lo consigues. Ganas siempre.

ÉL: Estoy acostumbrado a imponer mi voluntad. A mandar. A dar órdenes. En la oficina daba órdenes a mis subalternos.

ELLA: ¡Bah, una secretaria!

ÉL: ¡Duro con ellos! Aplasté a quien se me puso por delante, lo mismo que en este tablero.

ELLA: ¡Bah, sólo aplastaste a unos cuantos!

ÉL: Hice lo que pude. Otra dama.

ELLA (*Le da otra ficha.*): Casimiro... ¿acaso te aburres en mi compañía?

ÉL: ¿Aburrirme? ¡Nunca, querida, nunca! Otra y otra. Te como dos fichas más de una jugada.

ELLA: Tú y yo siempre estamos juntos, Casimiro.

ÉL: Juntos, sí.

ELLA: Y unidos.

ÉL: Muy unidos.

ELLA: Te detesto.

ÉL (*Come fichas.*): Yo quisiera verte muerta.

ELLA: ¡Casimiro!

ÉL: Rosalía. Me parece que equivocamos el tono.

ELLA: ¿Equivocamos el tono?

ÉL: Sí, querida, "mi amor".

ELLA: Me tranquilizas, Casimiro, "mi vida". Llegué a pensar que no nos amábamos.

ÉL: ¿No amarnos, tú y yo? ¡Qué tontería!

ELLA: Querías verme muerta.

ÉL: Pequeñas diferencias de opinión existen en todos los matrimonios. No tienen ninguna importancia.

ELLA: No. Ninguna.

ÉL: ¡Mi reina!

ELLA: ¡Mi cielo! (*Un silencio.*) ¿Y ahora qué hacemos?

ÉL: Seguir jugando, querida, seguir jugando.

ELLA: No puedo seguir. Me quedé sin fichas.

ÉL: Entonces gané yo, como siempre.

ELLA: Te complace destruirme. Todos quisieron destruirme siempre, pero yo los destruí a ellos.

ÉL: Muy bien, querida, hiciste muy bien. A la gente hay que darle su merecido.

ELLA: ¡Estoy segura de que sigue lloviendo!

ÉL: No puede seguir lloviendo.

ELLA: ¿Por qué no?

ÉL: Porque no ha llovido en todo el día.

ELLA: En fin, no tiene importancia.

ÉL: Ninguna. ¿Y la cena?

ELLA: ¿Cómo?

ÉL: Dijiste que ibas a preparar la cena.

ELLA: Ya la preparé.

ÉL: ¿Qué hay para cenar?

ELLA: Café con leche.

ÉL: ¡Ah!

ELLA: Lo sabes perfectamente; preguntas sólo para molestarme.

ÉL: Pregunto porque no me lo habías dicho.

ELLA: Hace treinta años que hay café con leche para cenar. Preguntas sólo para molestarme.

ÉL: De ninguna manera.

ELLA: Tener la cena lista me costó mi trabajo. El café con leche no se prepara tan fácilmente.

ÉL: Desde luego que no.

ELLA: La gente cree que es sencillo, pero muy pocos son los que saben tomar un buen café con leche.

ÉL: Nosotros sí sabemos. Tenemos treinta años de práctica.

ELLA: La gente no tiene paladar.

ÉL: De todos modos, falta mucho para la hora de la cena.

ELLA: Sí, falta mucho.

ÉL: Podemos sentarnos. (*Se sienta.*)

ELLA: Sí, sentémonos. (*Se sienta.*)

ÉL: Pensemos en algo.

ELLA: Sí, pensemos.

ÉL: Hablemos de algo.

ELLA: Sí, hablemos. (*Un silencio.*) No se me ocurre nada.

ÉL: Es extraño.

ELLA: Muy extraño.

ÉL: Sin embargo hay muchos temas que tratar, entre dos que se quieren.

ELLA: Muchos temas que tratar, sí.

ÉL: Muchas ideas que compartir.

ELLA: Entre dos que se quieren.

ÉL: Como nosotros nos queremos. (*Un silencio.*) ¡En fin!

ELLA: ¡En fin!

ÉL: Hace calor.

ELLA: Yo más bien siento frío.

ÉL: ¡En fin!

ELLA: ¡En fin!

ÉL: Total, las palabras...

ELLA: Sólo son palabras.

ÉL: No tienen mayor importancia.

ELLA: No la tienen.

ÉL: Podemos utilizar las palabras que queramos.

ELLA: Cuando queramos.

ÉL: En el sentido que queramos.

ELLA: Claro.

Él: Al fin y al cabo, todas las palabras son iguales.

Ella: Todas.

Él: Geometría.

Ella: Trigonometría.

Él: Ortografía.

Ella: Seis, siete, ocho, nueve, diez. También los números son todos iguales.

Él: ¡Qué fastidio!

Ella: ¡Qué fastidio!

Él: Física y geografía.

Ella: ¿A qué viene eso?

Él: Recordaba las materias que estudié en la escuela.

Ella: ¡Hace mucho tiempo!

Él: El mismo tiempo que tú. Tenemos la misma edad.

Ella: ¿La misma? ¡Imposible!... (*A un personaje imaginario.*) ¡Oh, muy amable, caballero, muy amable!... (*A Casimiro.*) ¿Lo ves? Un admirador. (*Al personaje imaginario.*) ¡Gracias, caballero, muchas gracias!...

Él: Apuntes. Para hacer un dibujo a veces se empieza por un apunte.

Ella: Sí.

Él: Podemos también hacer apuntes para hablar.

Ella: Aritmética.

Él: Metamorfosis.

Ella: Yo digo encrucijada.

Él: Encrucij.

Ella: Encruz.

Él: En.

Ella: E.

ÉL: ¡Ejem!

ELLA: No vale la pena.

ÉL: No vale la pena.

ELLA: El lenguaje no es cosa nuestra.

ÉL: La gente es estúpida. La gente habla para comunicarse.

ELLA: Sí, para comunicarse. Creen que lo principal es comunicarse.

ÉL: Comunicar.

ELLA: Común.

ÉL: Pues sí, Rosalía, sí. Siempre es interesante conversar contigo.

ELLA: Siempre es interesante escucharte. (*Un silencio.*)

ÉL (*Toma la pipa y la enciende*): El tabaco es una planta solanácea originaria de las Antillas.

ELLA (*Toma el tejido.*): En las noches de lluvia, no hay como sentarse a tejer un rato.

ÉL: ¡Pero, Rosalía, qué estás haciendo! ¿Es que no te das cuenta?

ELLA: ¿Qué sucede?

ÉL (*Le quita el tejido.*): ¿Pero es que no lo ves? ¡Mira todo lo que has tejido ya! Lo has terminado. Anoche olvidaste deshacerlo.

ELLA: Sí. . . ¡Es terrible! Olvidé deshacerlo.

ÉL: Te lo advertí, querida, te lo advertí. No importa que tejas siempre lo mismo, pero tienes que deshacerlo.

ELLA: No sé cómo pudo ocurrir.

ÉL: Durante treinta años deshiciste el tejido cada noche.

ELLA: Deshacer el tejido es un método anticuado.

Puedo arreglármelas sin deshacerlo.

ÉL: Quizás. Pero ahora lo has terminado.

ELLA: ¿Qué hago, Casimiro, qué hago?

ÉL: Lo siento mucho.

ELLA: Tienes que ayudarme.

ÉL: ¿Cómo? Yo no sé tejer.

ELLA: Tiene què haber alguna solución.

ÉL: Ninguna. No puedes seguir tejiendo.

ELLA: ¿Por qué no?

ÉL: Este tejido no conduce a ninguna parte. ¡No es nada! Toma, cerciórate por ti misma. (*Se lo devuelve.*) No puedes seguir tejiendo porque no sabes lo que tejes. Lo que no conduce a ninguna parte está terminado antes de empezarlo. No existe. Es inútil fingir, Rosalía. Has terminado el tejido. No puedes dar un punto más.

ELLA: No puedo dar un punto más. (*Deja el tejido.*)

ÉL: ¡Mi pobre Rosalía! Tendrás que pensar en otro pretexto para seguir viviendo.

ELLA: Casimiro, mi amor, el tabaco que estás fumando es el mismo de ayer, estoy segura. Y de anteayer también.

ÉL: Es un tabaco excelente.

ELLA: Excelente, excelente, eso se dice siempre. Las cosas siempre empiezan por ser excelentes y después se vuelven hábito, rutina. Este tabaco es el mismo del martes, el mismo del lunes, el mismo del domingo.

ÉL: Tiene muy buen sabor.

ELLA: El mismo de hace treinta años.

ÉL: ¿El mismo?

ELLA: Te gustaría descubrir un sabor nuevo, no lo
niegues. Pero compraste bolsas enteras de este
tabaco, sacos enteros, y ahora estás obligado a
terminártelo. Fumas porque estás obligado, pero
ha dejado de gustarte. ¡El sabor es siempre el
mismo!

ÉL: Sí. Siempre el mismo. (*Deja la pipa. Hay un
silencio.*)

ELLA: Espero que no me guardes rencor.

ÉL: De ninguna manera.

ELLA: Lo siento, querido, pero tenías que aceptarlo.

ÉL: Irse de aquí, eso es lo que importa.

ELLA: Fumar treinta años el mismo tabaco tenía
que llegar a cansarte.

ÉL: Lo que importa es irse de aquí. Voy a abrir la
ventana. (*Se acerca a la ventana. La emprende a
manotazos contra una tela de araña.*)

ELLA: Esa telaraña lleva mucho tiempo ahí. No
tienes ningún derecho. . . (*Sin escucharla, Él saca
de un cajón un destornillador y regresa a la ventana. Afloja tornillos imaginarios, que rechinan.
Ella observa, aterrada y ridícula.*)

ELLA: ¡No! ¡No, Casimiro, la ventana no!

*Él empieza a abrir, como si se tratara de la pesada
puerta de un compartimiento de seguridad cerrado hace mucho tiempo. Rechinidos correspondien-
tes. Empuja fuerte y abre de par en par la ventana.
Inmediatamente se retira de ella. De la calle llegan
deslumbrantes luces y ruidos atroces, discordantes:
voces, risas, alguna bocina y motor de automóvil
pero predominan las voces y risas. No se entiende*

lo que las voces dicen. Son luces y sonidos exage-
rados, distorsionados: un verdadero caos de pesadi-
lla en contraste con el cual se oye al mismo tiem-
po, quedo, suave, repetir seguido, como eco, la
palabra "amor". Casimiro y Rosalía *permanecen*
horrorizados, mirando hacia la ventana. Finalmen-
te Rosalía *grita.*

ELLA: ¡Vuelve a cerrar!... ¡Vuelve a cerrar!...

Como él no se mueve, ella misma va hacia la ven-
tana y, con gran esfuerzo, consigue cerrarla. Las
luces que vienen de la calle se apagan y cesan los
ruidos. La respiración de Rosalía *es agitada. Más*
que dignos de lástima, ambos personajes resultan
grotescos.

ELLA: ¿Por qué lo hiciste, Casimiro? ¿Por qué?
ÉL: Verdaderamente fue terrible. (*Vuelve a asegu-*
    rar los tornillos.)
ELLA: No abras nunca más, ¡nunca más!
ÉL: No, no abriremos nunca más. No podemos
    irnos.
ELLA: No podemos. (*Un silencio. Y vuelve a tomar*
el tejido.) En las noches de lluvia, no hay como
    sentarse a tejer un rato.
ÉL: No llueve, Rosalía, acabas de verlo. Acabo de
    abrir la ventana.
ELLA (*Deja el tejido.*): No necesito que me ayu-
    den a vivir. No tejeré más. No hablemos más de
    eso.
ÉL: No hablemos más.
ELLA: ¿De qué hablaremos entonces?

ÉL: De lo que tú quieras, querida.

ELLA: ¿Qué haremos ahora?

ÉL: Lo que tú quieras, mi vida, lo que tú quieras. (*Toma unas tijeras y empieza a recortar un retrato.*)

ELLA: ¡Casimiro! ¡Ése es un retrato mío!

ÉL: Por eso mismo. Lo recorto con estas tijeritas.

ELLA: Lo estás destrozando.

ÉL: Un ojo primero..., después la boca...

ELLA: Si te divierte hacer pedazos mi retrato... Pero te advierto que tengo más.

ÉL: Lo sé, querida, lo sé... Ahora la nariz y un trozo de frente. En siete, en ocho, en diez... Éste era un viejo retrato, no una imagen pura. Yo sólo quiero de ti imágenes puras. ¡Ya está, una oreja menos!

ELLA: ¿Qué logras con eso?

ÉL: ¡Fuera imágenes falsas! Prefiero amarte como verdaderamente eres.

ELLA: ¡Mira lo que has hecho!

ÉL: Un rompecabezas.

ELLA: ¡Muy divertido!

ÉL: Un laberinto.

ELLA: ¿Te burlas?

ÉL: Los laberintos te atrapan, te enredan, te envuelven. Te encuentras de pronto en ellos sin ver la entrada ni la salida; sólo senderos, caminos, aristas... como éstas. Trozos que no son nada, como éstos. ¡Trozos repugnantes! ¡Los aborrezco!

ELLA: Yo también, hay cosas que especialmente aborrezco. Hay personas a las que especialmente aborrezco.

Se miran. Hay un silencio. Y llaman a la puerta, esta vez con golpes mucho más débiles que en ocasiones anteriores. El ruido vuelve a reproducirse en forma de eco.

ÉL: ¡Llaman otra vez!

ELLA: Sí, llaman.

ÉL: ¡Increíble!

ELLA: Tiene que ser la enferma de nuevo.

ÉL: Le daré su merecido. (*Va hacia la puerta, quita el cerrojo y abre bruscamente.*)

ÉL: Señora, no estoy dispuest... (*Pero se interrumpe y retrocede tambaleándose: la mujer se ha desplamado sobre él.*) ¡Eh!... Señora, tenga más cuidado, puede hacerme caer!... (*Logra deshacerse de ella y la empuja lejos. Casimiro y Rosalía siguen con la vista al personaje imaginario que va dando tumbos y acaba por caer sobre una silla.*)

ELLA: ¡Cuidado, señora, tenga más cuidado con mis sillas!

ÉL: Está bien, está bien, queda usted disculpada. Y ahora puede irse. Nosotros no recibimos visitas.

ELLA (*Al personaje imaginario.*): ¿Eh?... ¡Que no tiene fuerzas para levantarse!... ¡Que se está muriendo!

ÉL (*Se cerciora de que no hay nadie afuera y se apresura a cerrar la puerta, echando el cerrojo.*): No sea ridícula, señora, no sea ridícula.

ELLA: Todo esto son imaginaciones suyas. Usted es joven...; debe de tener mi edad.

ÉL (*Al personaje imaginario.*): ...¿Treinta años?

ELLA (*A* Él.): ¡Qué te dije! ¡Mi edad precisamente!

ÉL (*Al personaje imaginario.*): ¿Cómo?... Que no son imaginaciones... ¿El corazón, dice? ¡Tonterías, señora, las cosas del corazón siempre son tonterías!... De manera que se ahoga. Necesita oxígeno.

ELLA: ¡Claro que sí! Todos necesitamos oxígeno.

ÉL (*Al personaje imaginario.*): ¿Qué dice?... ¡Un médico! ¡Ahora quiere que llame a un médico! Pues no conozco a ninguno.

ELLA: Nosotros no tenemos nada que ver con los de afuera.

ÉL (*Al personaje imaginario.*): ¿Eh?... ¡Una ambulancia entonces! Tampoco puedo llamar a una ambulancia. No tengo teléfono.

ELLA (*Al personaje imaginario.*): Vamos, la acompaño a la puerta. (*Hace por levantar a la mujer de la silla, pero no lo consigue.*)

ÉL: La acompañaré yo. (*Se acerca al personaje imaginario.*)... ¿Cómo? ¡Esperar! ¿Pero por qué tenemos que esperar, mi querida señora, por qué tenemos que esperar? Regrese usted a su casa ahora mismo.

ELLA (*Al personaje imaginario.*): ...¿Morir sola? Tiene miedo de morir sola. ¡Somos mujeres, señora; hay que tener un poco de valor!

ÉL: ¡Morir sola! ¡Todos morimos solos!

ELLA (*Al personaje imaginario.*): ¿Qué?... ¿Que su marido no está?

ÉL: Y eso qué importa. Así se llevará una sorpresa cuando regrese.

ELLA: Cuando hay que morir no es el marido el que muere en lugar de una.

ÉL: ¡Morir! Hay que ser valiente para estas pequeñas cosas, señora, hay que ser valiente.

ELLA: ¿Eh?... ¿Un vaso de agua? No, señora. No hay criada. No hay vaso. No hay agua.

ÉL: ... Llamó abajo y no hay nadie. ¿Y qué quiere que yo haga? Pruebe arriba.

ELLA: ¡Por favor, no insista! Ya le dijimos que no tenemos teléfono.

ÉL: Los teléfonos reciben llamadas. Establecen conexiones con la gente.

ELLA: Y nosotros no queremos saber nada de la gente.

ÉL: Estamos muy ocupados. Rosalía, dame el periódico de hoy: necesito el crucigrama.

ELLA: Sí, querido, aquí está. (*Le da el periódico.*)

ÉL: Gracias, mi vida. (*Al personaje imaginario.*) ¿Pero qué le pasa, señora, qué le pasa? ¿Qué contorsiones son ésas? No se ponga histérica.

ELLA: La gente hasta para morir molesta.

ÉL (*Se dispone a levantar a la mujer de la silla.*): Bueno, vamos de una vez. Ponga su brazo alrededor de mi cuello, así... ¡Arriba ahora! (*La levanta y va llevándosela hacia la puerta.*)... Eso es, apóyese en mí, si no queda más remedio... ¿Cómo?... ¡Otra vez con eso de la ambulancia! Ya le hemos dicho que no podemos llamar a ninguna ambulancia.

ELLA: ¡Qué mujer tan necia!

ÉL (*Logra dejar al personaje imaginario apoyado contra una pared.*): Eso es..., aquí, contra la pared... Procure no caerse...

ELLA (*Al personaje imaginario.*): Si quiere, en la esquina hay un teléfono público.

ÉL: Sí, baja usted la escalera, llega a la esquina, cruza la calle y encuentra un teléfono.

ELLA: Puesto ahí especialmente para estos casos de emergencia.

ÉL (*Al personaje imaginario.*): ¿Eh?... De "suma" emergencia. Claro que sí, morir es un caso de suma emergencia. Pero sólo para el que se muere. (*Quita el cerrojo y abre la puerta.*) Bueno, señora, adiós otra vez. (*Vuelve a cargar con ella.*) ¿Lo ve? Ya puede caminar sola... (*La echa fuera.*) Sí, sí, no tenga cuidado, está perdonada; mi mujer y yo siempre hemos sido generosos... (*Elevando la voz.*) ¿Cómo?... No, la escalera está hacia el otro lado, a su derecha... ¿Ya no ve bien? No se preocupe, agárrese del barandal. (*Cierra y echa el cerrojo con fuerza.*)

ÉL: Se fue a llamar por teléfono.

ELLA: Hay gente tozuda.

ÉL: No llegará.

ELLA: Yo creo que sí llega. ¿Apostamos?

ÉL: No, para qué.

ELLA: Lástima. Yo ganaría.

ÉL: De todos modos la mujer se está muriendo.

ELLA: Sí, es cosa de horas.

ÉL: Minutos, más bien.

ELLA: ¡Mira que atreverse a pedirnos que llamáramos a una ambulancia! ¡Como si nosotros estuviéramos enfermos!

ÉL: Como si no tuviéramos nada más que hacer. (*Toma el crucigrama.*) Veamos ese crucigrama... "Río de la India"... (*Escribe.*) Gan... ges...

ELLA: Es el único río que preguntan siempre, por eso lo sabes.

ÉL: Nada como disfrutar del silencio resolviendo un crucigrama.

ELLA: ¿Por qué disfrutar del silencio? Yo quiero oír música.

ÉL: ¿Por qué oír música? Nunca te ha gustado.

ELLA: Lo que pasa es que nunca puedo oír música porque no tenemos televisión.

ÉL: Tenemos radio.

ELLA: Voy a encenderlo.

ÉL: Ten cuidado; luego vienen las desilusiones. La música nunca te ha gustado. (Ella *enciende un viejo radio y se oye música. Una muy bella música.* Él *sigue con el crucigrama.*)

ÉL: Palabra de cuatro letras para expresar un "sentimiento o inclinación natural"... (*Se interrumpe.*) Bien, Rosalía, bien, pues ya tienes lo que querías. Música.

ELLA: Sí.

ÉL: ¿Y qué te parece?

ELLA: ¡Hacía tanto tiempo!... Casi había olvidado lo que es la música.

ÉL: Nada excepcional, querida, ya te estás dando cuenta; nada excepcional.

ELLA: No, nada excepcional.

ÉL: Unos cuantos acordes que se enlazan, unas cuantas notas que se repiten... Y eso es todo.

ELLA: Eso es todo.

ÉL: Todo se repite siempre: las notas, los ruidos, la gente...

ELLA: Todo se repite.

ÉL: Hay demasiada gente en el mundo. (*Vuelve al crucigrama.*) "Amor". El sentimiento o inclinación natural es "amor". (*Escribe.*)

ELLA: La música es aburrida.

ÉL: Te lo dije.

ELLA: La música no vale la pena. (*Cambia de estación. En el radio se oyen ahora emisiones cruzadas, con voces que hablan en inglés y en ruso.*)

ÉL: Parece que éstos no se entienden.

ELLA: Es que hablan distintos idiomas.

ÉL: Menos mal que tú y yo hablamos el mismo idioma.

ELLA: Menos mal. (*Cambia de estación.*)

RADIO: Las víctimas del ciclón van en aumento. Miles de familias han quedado sin albergue. (*Se inician parlamentos en contrapunto: sigue la voz en el radio al mismo tiempo que* Él y Ella *también continúan hablando.*)

ÉL: "Nombre de una dinastía china"...

ELLA: Nunca has oído hablar siquiera de las dinastías chinas.

ÉL: Claro que he oí-

RADIO (*Seguido.*): La velocidad del aire no disminuye y el mar ha cubierto calles y casas. El número de damnificados es do hablar de ellas. Soy un hombre culto.

ELLA: Nunca fuiste a la Universidad.

ÉL: Tú ni la primera enseñanza terminaste.

ELLA: Soy autodidacta.

ÉL: Ignorante solamente, querida, ignorante.

cada vez mayor. Pedimos ayuda a quienes esto escuchen. Seguiremos recibiendo ropa y medicinas de quienes deseen donarlas, contribuyendo así a aliviar la situación en la que se encuentran los habitantes de la región dañada. Pedimos ayuda. Pedimos ayuda...

ELLA (*Después de las últimas palabras en el radio, lo apaga.*): "¡Ayuda!" "¡Ayuda!" ¡Si fuéramos a prestar atención a lo que dicen los demás!... Nunca llegaste a jefe, por eso ahora con tu pensión no alcanza para nada.

ÉL: "Nombre de una dinastía china"... (*Deja el periódico.*) ¡Bah, hoy este crucigrama es aburrido.

ELLA: Lo que pasa es que no sabes resolverlo.

ÉL: Todavía no es hora de la cena.

ELLA: Todavía no.

ÉL (*Va hacia los montones de periódicos viejos.*): Hojearé algunos de estos periódicos... Éste, quizás, y éste... y éste... (*El polvo lo hace toser.*) Podrías poner un poco de orden aquí. Los periódicos están llenos de polvo.

ELLA: ¿Sugieres que no limpio bien la casa? Claro, con el dinero de tu pensión no alcanza para una criada.

ÉL: Nunca hemos querido tener criada.

ELLA: Nunca hemos querido, pero si quisiéramos con el dinero de tu pensión no alcanzaría.

ÉL (*Siguió revolviendo periódicos.*): Este periódico es de hace treinta años.

ELLA: ¿Treinta años ya? ¡Cómo pasa el tiempo!

ÉL: De hace cuarenta, cincuenta, cien años. (*Tose.*)

ELLA: ¿Tanto? ¿Cómo habrán venido a dar aquí? ¡Ay, Casimirito, estás exagerando! Siempre cuido de tirar los periódicos viejos a la basura. Pero claro que a veces queda alguno.

ÉL: ¿Alguno?

ELLA: Y en la cocina tengo más.

ÉL: Para tirar todo esto habría que salir de casa. O llamar a alguien que viniera a llevárselo.

ELLA: Supongo que no querrás que aquí entre gente.

ÉL: No. Dejaremos los periódicos donde están. Con tal de que no aumenten. (*Regresa con los periódicos que escogió y los sacude. Grandes cantidades de polvo. Tose.*) ¡Maldito polvo!...

ELLA (*Tose.*): Un poco de polvo nunca puede evitarse... ¿Por qué no lees el periódico de hoy?

ÉL: El de hoy ya lo leí por la mañana. Además, también tenía polvo. (*Termina de sacudir los periódicos y se instala a leerlos.*) Bueno, creo que ahora podré leerlos.

ELLA (*Tose.*): Claro que podrás... No es para tanto... (Él *lee.*) ¿Qué dice? ¿Algo interesante?

ÉL: Regular... Un bombardeo.

ELLA: ¿Un bombardeo? ¡A ver, léemelo!... Digo, si no te molesta.

ÉL: ¿Por qué habría de molestarme?

ELLA: Es que leer el periódico puede distraernos de compartir nuestro amor.

ÉL: Por un ratito nuestro amor no se perjudica en lo más mínimo.

ELLA: ¿De veras? ¿Estás seguro, Casimirito, mi vida?

ÉL: Absolutamente seguro, queridita, absolutamente seguro.

ELLA: Entonces leeme lo del bombardeo. ¿O prefieres que te lo lea yo?

ÉL: Lo leeré yo, querida, lo leeré yo, no faltaba más... Es una noticia de España. (*Lee.*) El bombardeo de ayer sobre la población de civiles arrojó un saldo de cincuenta mil muertos. Hombres, mujeres y niños huían por la carretera cuando fueron atacados por las escuadras aéreas del general sublevado. El general en persona dio la orden...

Quedan inmóviles. Al mismo tiempo, proyección de diapositiva de aviones de guerra, ruido de motores y entra El General. *Calza botas. Choca talones y hace el saludo fascista, con el brazo extendido. Es la orden para proyección de otra foto, ésta de bombardeo, y ruido de ataque aéreo.* El General *queda inmóvil, con el brazo en alto, en tanto que* Casimiro y Rosalía *recobran movimiento y* Casimiro *sigue leyendo.*

ÉL (*Lee.*): Las primeras bombas mataron a cientos... Mataron a miles... Los aviadores persiguieron a los sobrevivientes, ametrallándolos...

Casimiro y Rosalía quedan inmóviles. El General repite el mismo saludo y queda inmóvil con el brazo en alto. Ruido ahora de ataque aéreo encarnizado, con bombas y ametralladoras, y proyección de diversas fotos que se suceden mostrando, en campos y ciudades, hombres, ᵢ..ujeres y niños muertos. Después, Casimiro cierra el periódico, con lo que cesa el fuego, se apaga la proyección de fotos, El General sale y Rosalía también recobra movimiento.

ÉL (*Al cerrar el periódico.*): Bueno, cincuenta mil muertos son muchos muertos.

ELLA: Muchos, sí.

ÉL: En fin, les sirvió de lección. Para que aprendan a no interrumpir el tránsito.

ELLA: ¿Algo más interesante?

ÉL: Más interesante, más interesante, déjame ver... (*Elige entre los periódicos que trajo y toma otro*). Treinta años después... Seguimos con España. (*Lee.*)... Un estudiante de diecinueve años murió ayer en Madrid, después de haber participado en una manifestación contra el régimen. Estaba en su casa cuando allí se presentaron los policías...

Quedan inmóviles, Él leyendo el periódico, a la vez que principia proyección de fotos con escenas de policías o militares empleando la fuerza bruta contra civiles; diapositivas que se sucederán durante los parlamentos siguientes de El Policía, que entra por la sala, entre el público, al empezar la proyección. Calza botas. Se dirige a los espectadores.

POLICÍA: ¿Dónde está? ¡Somos de la policía! Es inútil que pretendan esconderlo. (*Se dirige a un personaje imaginario.*) ¡Éste es!... ¡Te agarré! ¡Sabía que te encontraríamos! ¿Cómo?... De manera que confiesas. ¡Te atreves a confesar que eres estudiante! (*Lo golpea, haciéndolo retroceder.*)... ¿Nunca has negado ser estudiante? ¿Nunca has tratado de que no te encuentren? ¡Vamos, camina! De nada te servirá oponer resistencia. ¿Qué?... No tratas de oponer resistencia. Pues de todos modos, ¡camina! (*A golpes lo hace subir al escenario.*) ¡Conque estudiante, eh! Ya te enseñaremos a ser estudiante. ¡Para que aprendas!

Sigue golpeando al personaje imaginario. Le da ahora un empujón definitivo, haciéndolo caer a través de una ventana: ruido de cristales rotos. El Policía, satisfecho, se sacude las manos. Queda inmóvil en esta actitud en tanto que Casimiro y Rosalía recobran movimiento y Casimiro siguen leyendo.

ÉL (*Lee.*):... "Un accidente —declaró la policía—: el estudiante cayó por la ventana." (*Lee otra noticia.*) Madrid... La salud del caudillo es mejor que nunca... (*Vuelve la página del periódico, con lo cual la proyección se apaga y El Policía sale.*)

ÉL (*Seguido.*): Bueno, allá ellos con sus problemas.

ELLA: El que escribió esa nota del estudiante parece defenderlo. ¡Qué absurdo!

ÉL: Si lo tiraron por la ventana se lo tenía merecido.

ELLA: Claro que sí, bien merecido por protestar contra el régimen.

ÉL: El régimen siempre tiene la razón. (*Lee.*) Biafra... Miles de niños siguen muriendo de hambre...

ELLA: ¿Biafra?

ÉL: Un lugar donde hay muchos niños, por lo visto.

ELLA: Entonces mueren por su culpa, por ser tantos.

ÉL (*Cambia de periódico y lee.*): Vietnam... (*A Rosalía.*) Siguen las matanzas.

ELLA: ¡Muy bien! Las matanzas son muy necesarias.

ÉL: ¡Lástima que esto ya lo leímos el otro día! (*Deja el periódico.*)

ELLA: Lástima, sí... (*Toma el periódico en el que Casimiro hizo el crucigrama.*) El periódico de hoy dice que hará mejor clima.

ÉL: ¿Dónde hará mejor clima?

ELLA: En la zona sur.

ÉL: No es la nuestra.

ELLA: Tienes razón. Esta noticia no sirve para nada... (*Cambia de periódico.*) ¡Mira, un electrocutado!

ÉL: ¿Un electrocutado? Eso no está mal.

ELLA: Ahora yo leeré para ti, Casimirito. Esta noticia viene de Nueva York.

ÉL (*Soñador.*): Iré a Nueva York algún día...

ELLA (*Lee.*): Hoy electrocutaron al preso condenado a muerte hace diecisiete años.

ÉL: Por lo menos el tiempo no pasó en balde.

ELLA (*Lee.*):... Se le acusaba de haber asesinado a su médico, delito que siempre negó.

ÉL: Hay gente tozuda.

ELLA (*Lee.*): Había podido aplazarse la sentencia gracias a la lucha tenaz de su abogado.

ÉL: ¡Qué abogado tan tonto! En vez de dejar que le mataran al cliente y ahorrarse trabajo.

ELLA (*Lee.*): Se electrocutó al reo a las seis de la mañana.

ÉL: No está mal para empezar el día.

ELLA (*Lee.*): Cuando entró al recinto donde iba a ser ejecutado no aparentaba nerviosismo.

ÉL: Sólo eso faltaba. Después de diecisiete años ya podía haberse acostumbrado a la idea.

ELLA: Dicen que nunca se acostumbran. Son unos egoístas. (*Lee.*) No provocó incidente alguno cuando fue conducido a la silla eléctrica. Se le colocó el casco en la cabeza, se le pusieron las correas y se fijaron los electrodos en su pierna. En seguida el verdugo...

Quedan inmóviles, Ella *leyendo el periódico. Al mismo tiempo, proyección de foto de una silla eléctrica y entra* El Verdugo. *Calza botas. Se adelanta y hace ademán de conectar la corriente. Se escucha sordo zumbido y juegos de luces se operan sobre la silla eléctrica. La ejecución se ha consumado.* El Verdugo *extiende la mano señalando hacia la silla eléctrica como un actor mostraría a otro para que compartiera el aplauso del público, al que saluda. En esta posición queda inmóvil, a la vez que* Casimiro y Rosalía *recobran movimiento y* Ella *sigue leyendo.*

ELLA (*Lee.*): ... Y los médicos declararon que el reo había muerto.

ÉL: ¡Muy bien! ¡Ese verdugo lo hizo muy bien! (*Aplaude.*)

ELLA: Sí, ¡muy bien!

Ella *aplaude también.* El Verdugo *se toma las manos y levanta los brazos en alto, como triunfador de una pelea de box, saludando hacia un lado y otro del escenario. En estas posiciones,* El Verdugo *saludando y* Casimiro y Rosalía *en actitud de aplaudir, quedan los tres inmóviles al mismo tiempo que la proyección de la foto de la silla eléctrica cambia por otras, que se suceden: una horca, una guillotina, cámara de gas, garrote, pelotón de fusilamiento y nuevamente silla eléctrica. Al volver a proyectarse esta foto de la silla eléctrica, los tres personajes recobran movimiento:* Casimiro y Rosalía *continúan aplaudiendo y* El Verdugo *saludando al público.*

ÉL: ¡Bravo!...

ELLA: ¡Qué técnica tan moderna!

ÉL: ¡Qué maestría!

ELLA: ¡Qué escuela! (*Dejan de aplaudir* y El Verdugo *queda inmóvil, saludando.*)

ÉL: ¡Qué manera tan perfecta de matar!

ELLA: Una manera ciento por ciento profesional. (*Vuelve la página del periódico, con lo que la proyección se apaga* y El Verdugo *sale.*)

ELLA:... ¡Ah, pero aquí hay más información todavía! (*Lee.*) Al electrocutado se le saltaron los ojos.

Vuelve a proyectarse la foto de la silla eléctrica y, apresuradamente, cual si hubiera equivocado el mutis y regresara a corregir su error, El Verdugo *vuelve a entrar y se coloca en la posición en la que estaba, saludando. Queda inmóvil.*

ÉL (*Seguido*): ¿Se le saltaron los ojos? ¿Estás segura?

ELLA: Eso dice. (*Lee.*)... Uno de los testigos de la ejecución afirma que al ejecutado se le saltaron los ojos.

ÉL (*Extasiado.*): Me hubiera gustado ver eso.

ELLA (*Mismo tono.*): Y a mí.

ÉL: Debió de ser interesante.

ELLA: Terriblemente interesante. (*Lee.*)... Sigue aún insistiéndose en que el hombre ejecutado era inocente y parecer ser que muy pronto van a presentarse pruebas irrefutables de ello. (*Cie-*

rra el periódico, con lo cual la proyección se apaga y El Verdugo *sale.*)

ELLA (*Seguido.*): Bueno, si era inocente, allá él.

ÉL: Tanto trabajo para matarlo y, total, ser inocente.

ELLA: ¡Debería darle vergüenza! (*Toma otro periódico y lee.*) Relato espeluznante del prisionero evadido de... (*A Casimiro.*) Esto tampoco suena mal. (*Lee.*)... Desde el hospital donde se encuentra encamado el prisionero evadido del campo de concentración explicó hoy que en ese campo muchos de los internados, unos doce mil, entre los que hay cerca de cuatro mil mujeres y dos mil niños, se arrastran por el suelo sin poder caminar debido a la falta de alimentación y al trato brutal que reciben. Dijo que los guardias...

Quedan inmóviles, Ella *leyendo el periódico, a la vez que se inicia proyección de diapositivas de campos de concentración, prisioneros, alambradas de púas, etcétera; fotos que se sucederán durante los parlamentos siguientes de* El Guardia, *quien entra al empezar la proyección. Calza botas. Da una patada a un prisionero imaginario que está en el suelo.*

GUARDIA: ¡Prohibido! Aquí no permitimos que a nadie le duela nada. El que esté enfermo, que muera sin quejarse. (*Reparte patadas a otros prisioneros.*) ¡Prohibido! ¡Verboten! ¡Défendu! ¡Vietato! La carne de perro es demasiado buena para los prisioneros. Las suelas de zapato son demasiado buenas. Las ratas son demasiado buenas. ¡Deberíamos dejarlos morir de hambre a todos! ¡Deberían haber muerto ya en la guerra! Si han sobrevivido, nosotros nos encargaremos de remediarlo. ¡Prohibido! (*Otra patada y queda inmóvil en esa actitud, a la vez que* Él *y* Ella *recobran movimiento.*)

ÉL: En fin, las patadas son necesarias para la disciplina.

ELLA (*Lee.*):... Y añadió que las condiciones higiénicas en que viven los prisioneros son deplorables y que... (*Quedan inmóviles,* Rosalía *con la vista en el periódico, a la vez que* El Guardia *recobra movimiento.*)

GUARDIA (*A los prisioneros imaginarios.*): Desde ayer tienen una letrina más. Y otra que ya tenían: dos letrinas. Se las deben a la generosidad de nuestro jefe. Hoy habrá una ceremonia en el patio para darle las gracias. (*Otro prisionero recibe su patada.*) ¡Prohibido! Todo comentario está prohibido. Dos letrinas para doce mil es más que suficiente: a seis mil por letrina. ¡Verboten!

Una patada más y queda inmóvil, en tanto que Él *y* Ella *recobran movimiento.*

ÉL: Seis mil por letrina... Pues me parece razonable.

ELLA: Muy razonable. (*Lee.*)... El prisionero evadido expresó que en un solo día han llegado a morir setenta y cinco personas, muchas de ellas de enfermedades infecciosas. (*Cierra el periódico, con lo cual la proyección se apaga y* El Guardia *sale.*)

ÉL (*Seguido.*): Setenta y cinco diarios..., siete por tres: veintiuno..., dos mil y pico al mes.

ELLA: Y son doce mil. A este paso se tarda seis meses en eliminarlos a todos.

ÉL: Esos guardias no estaban bien organizados.

ELLA: ¡Casimiro! ¿No te has dado cuenta? ¡Esto es terrible! ¡Es abominable!

ÉL: ¿Qué sucede, querida? ¿Dónde ves lo abominable?

ELLA: "Enfermedades infecciosas", dicen aquí. Esa gente es capaz de venir a contagiarnos.

ÉL: No, querida. Este periódico es de cuando la segunda Guerra Mundial. No pueden venir a contagiarnos.

ELLA: ¡Ah, bueno, entonces no tiene ninguna importancia! (*Cambia de periódico.*) Veamos alguna otra cosa... (*Encuentra algo.*) ¡Ah, unos colgados!... ¡Mira qué antipáticos!

ÉL (*Ve el periódico.*): Sí, tienen mala cara.

ELLA (*Lee.*): Ahorcaron a los reos políticos en...

ÉL (*Interrumpe.*): A ver, déjame leerlo a mí. (*Toma el periódico y lee.*)... Los reos políticos condenados por el gobierno fueron ahorcados públicamente ante una multitud que presenció este "acto de justicia", según lo calificaron los gobernantes militares.

ELLA: ¡Claro que fue un acto de justicia! ¡Sigue, sigue!

ÉL (*Lee.*):... Se llevó a los reos a la plaza central, donde se había dispuesto una plataforma. En seguida un soldado...

Quedan inmóviles, Casimiro leyendo el periódico. Al mismo tiempo, proyección de fotografía de dos ahorcados y entra El Soldado. *Calza botas. Se acerca a un personaje imaginario y hace ademán de ponerle una soga al cuello. Se acerca a otro personaje imaginario y repite el mismo ademán: le pone una soga al cuello. Se retira unos pasos y hace ahora ademán de tirar de una cuerda. Al mismo tiempo la fotografía que se proyectaba cambia por otra en la que se ven largas hileras de muchos ahorcados y suenan trompetas de victoria.* El Soldado *queda inmóvil.* Casimiro y Rosalía *recobran movimiento.*

ELLA: ¡Oh, qué rápido, qué bien hecho!
ÉL (*Lee.*):... Se ordenó que a los ejecutados se les colgaran carteles explicando "sus crímenes".

Casimiro y Rosalía *quedan inmóviles. Vuelven a sonar las trompetas triunfales.* El Soldado *toma un cartel con letras ordenadas sin formar palabras, de manera ininteligible. Lo muestra al público y va a colocarlo sobre el pecho de cada uno de los dos personajes imaginarios. Queda finalmente sosteniendo él mismo el cartel y así se inmoviliza, a la vez que* Casimiro y Rosalía *recobran movimiento y* Casimiro *sigue leyendo.*

ÉL (*Lee.*): Los cuerpos fueron exhibidos en la plaza durante veinticuatro horas. (*Deja el periódico, con lo cual la proyección se apaga y* El Soldado *sale.*)

ELLA (*Seguido.*): Oye, ¿y cuáles fueron los crímenes?

ÉL: ¡No te enteras de nada! Los carteles lo decían bien claro.

ELLA: ¡Durante veinticuatro horas los cuerpos en la plaza! ¡Qué impresionante espectáculo!

ÉL: Muy impresionante, sí.

ELLA: Cuando lo hagan aquí, tienes que llevarme.

ÉL: ¡Rosalía! ¿Saldrías de casa? ¿Serías capaz?

ELLA: Por una vez... ¡Podría ponerme el vestido nuevo! No siempre hay oportunidad de ver espectáculos de tanta categoría.

ÉL: Sí, son cosas de las que no debe uno perderse.

ELLA: ¿Crees que lo harán pronto aquí?

ÉL: ¿Por qué no? Los espectáculos de categoría se vuelven internacionales.

ELLA: ¡Ese bravo soldado!... ¡Qué eficacia! ¡Qué fuerza! En un momentito, ¡listo!, ahorcados los dos.

ÉL: Eso no es nada. Hay otros militares más eficaces y más fuertes. El otro día hubo uno que ahorcó a doscientos.

ELLA: ¿A doscientos?

ÉL: Y la semana pasada uno ahorcó a quinientos. Desde lejos. Sin moverse de su escritorio.

ELLA: ¿Un militar?

ÉL: Sí, un militar.

ELLA: ¡Qué haríamos sin los militares!

ÉL: Son unos héroes, sí. Terminan con toda la gente indeseable que hay en el mundo.

ELLA: Que es todo el mundo, prácticamente.

ÉL: Ahorcan a dos, a cientos, a miles. O los fusilan. O se sirven de cámaras de gas.

ELLA: Así eliminan a millones. Bombas. Campos de exterminio. Los militares no escatiman esfuerzo.

ÉL: Es admirable.

ELLA: ¡Admirable!

ÉL: Los alemanes en Stalingrado.

ELLA: El generalísimo en España.

ÉL: Hiroshima. ¡Admirable!

ELLA: ¡Admirable!

ÉL: La bomba hache, la i griega, la zeta. ¡Admirable!

ELLA: ¡Admirable!

ÉL: ¡Y los golpes de Estado! El periódico de hoy dice que hubo un nuevo golpe de Estado de otro general.

ELLA: ¡Qué haríamos sin los generales! Gracias a ellos siempre hay miles de muertos. Gente indeseable toda.

ÉL: Millones de muertos.

ELLA: ¡Qué haríamos sin los dictadores!

ÉL: ¿Recuerdas?

ELLA: Hace años.

ÉL: Hoy mismo. Esta mañana.

ELLA: ¿Recuerdas?

ÉL: ¿Recuerdas?

ELLA: ¿Recuerdas?

ÉL: ¡Admirable!

ELLA: ¡Admirable!

Quedan inmóviles a la vez que principia proyección de fotos de Hitler, Mussolini, Franco, Trujillo y Duvalier,* que se sucederán durante los parlamentos siguientes de El Dictador, *quien entra al iniciarse la proyección. Botas. Un collar de medallas. Pasea de un lado a otro, exhibiéndose. Se adelanta y habla al público.*

DICTADOR: ¡Atención..., pueblo! Yo soy tu salvador. Yo soy el salvador de la patria. Bla, bla, bla; bla, bla, bla. ¡Bla! Bla, bla, bla; bla, bla, bla. ¡Bla! Bla, bla, bla, bla... Bla, bla, bla, bla... ¡Atención..., pueblo! Yo soy tu salvador. (*Lo interrumpen silbidos y diversas voces en la sala.*)

VOCES: ¡Fuera!
        ¡Fuera!
        ¡Asesino!

DICTADOR (*Al público*.): ¿Millones de muertos? ¿Y qué son millones de muertos? ¡Millones de ratas! ¡Yo soy el único cuya vida vale!

VOCES: ¡Asesino!
        ¡Fuera! (*Silbidos, abucheos.*)

DICTADOR (*Al público*): ¡Silencio! ¿Cómo se atreven a llegar hasta aquí? ¿Cómo se atreven a hablarme?... ¿Quiénes son? ¿Ciudadanos? ¿Y qué son los ciudadanos? ¡Ratas! (*Se vuelve de espaldas al público y da órdenes en el escenario, a la vez que las mismas fotos empiezan*

* Si se proyectan más fotos se ruega al director de escena, sea cual fuere su credo personal, respetar la ideología antifascista de la obra.

otra vez a sucederse, ahora muy rápidamente, repitiéndose varias veces durante los parlamentos y acción que siguen.) ¡Aviones! ¡Tanques! ¡Barcos! ¡Marinos! ¡Regimientos! ¡Pelotón... a mí! (*Señala al público.*) ¡Mátenlos a todos! ¡Extermínenlos! ¡Se han atrevido a contradecirme! (*Toma una ametralladora y apunta él mismo a los espectadores.*) ¡Soy el salvador de la patria! (*Ametralla al público a la vez que se oye gran ruido de ametralladoras, cañones y bombas. Casimiro y Rosalía aplauden.*)

ÉL: ¡Admirable! ¡Bravo!...
ELLA: ¡Bravo! ¡Admirable!...

Ruido final de explosión de enorme bomba. La proyección fotográfica queda fija y los tres personajes inmóviles, Él y Ella *en actitud de aplaudir y* El Dictador *con la ametralladora. En seguida se apaga la proyección de fotos,* El Dictador *sale y* Él y Ella *recobran movimiento y aplauden todavía. Luego* Ella *pregunta.*

ELLA: ¿Por qué dejó de ametrallarlos?
ÉL: Los mató a todos.
ELLA: ¿A todos? ¡Qué valiente! ¡Mató a todos los ciudadanos él solo, con sus barcos, aviones y tanques!
ÉL: Con los suyos y con otros que pidió prestados.
ELLA: ¡Qué gran hombre!
ÉL: ¡Nada como los dictadores!

ELLA: Si esos ciudadanos murieron, lo tenían merecido.

ÉL: Muy merecido, por contradecir al salvador de la patria.

ELLA: Además, eso sucedió hace muchos años.

ÉL: Hoy mismo. Esta mañana.

ELLA: Muchos murieron, sí.

ÉL: Seguirán muriendo, ya se sabe.

ELLA: Ya se sabe. No es asunto nuestro.

ÉL: Yo no puedo darme el lujo de compadecer a nadie.

ELLA: Nosotros no tenemos nada que ver con los de afuera. (*A un espectador.*) Oiga, si va usted a pegarse un tiro, que sea lejos de mi ventana; me molestan los ruidos.

ÉL: No te preocupes, querida, tenemos una ventana aislante.

ELLA (*Al mismo espectador.*): Y si es posible, que no sea a la hora de la cena.

ÉL: ¡Ah, eso sí! Que no sea a la hora de la cena. Rosalía (*Ve su reloj.*), son casi las ocho.

ELLA: Sí, voy a poner la mesa. Allá los demás con sus dificultades.

ÉL: Que mueran sin molestar.

ELLA: Que respeten la intimidad del hogar... (*Saca del aparador: mantel, dos servilletas, dos tazas, dos platos y dos cucharitas, con lo que pone la mesa.*) Bueno, la mesa ya está lista. Voy a calentar la cena.

ÉL: No tardes. Ya sabes que me gusta cenar puntual.

Ella sale por la cocina. Golpe en la puerta de entrada, como si alguien hubiera caído contra ella. Eco. Casimiro escucha, sin moverse de su lugar. Ruidos en la puerta como de alquien que se mantuviera apoyado en ella, agrandados también inmediatamente en forma de eco. Casimiro se acerca a la puerta y permanece atento. Ruidos y eco nuevamente. Casimiro ordena, elevando la voz.

ÉL: ¡Deje de apoyarse en mi puerta! ¿Lo oye?... (*Se aleja, impaciente.*) ¡Es lo único que me faltaba! Va a estropear el barniz. (*Ella entra.*)

ELLA: La cena estará en seguida.

ÉL: Hay alguien en nuestra puerta.

ELLA: ¿Cómo?

ÉL: Por lo visto no ha muerto todavía. Creo que vuelve a estar ahí.

ELLA: ¿Será capaz?

ÉL: Pero esta vez no lo cuenta. (*Decidido, va hacia la puerta. Quita el cerrojo y abre. Apenas lo hace, la puerta cede al peso del personaje imaginario que se sostiene contra ella. Casimiro se apresura a empujar para volver a cerrar.*) ¡Ah, no, no, no, señora, no, aquí no entra!

ELLA: ¡Vaya! Sigue sin poder tenerse en pie.

ÉL (*Al personaje imaginario, sin dejar de sostener la puerta.*): ¿Cómo?... Que no es su intención entrar... Que no puede llegar hasta su casa. Pues es ahí enfrente, señora, ahí enfrente, del otro lado de la escalera. Unos pasos más.

ELLA (*Al personaje imaginario.*): ¿Cómo que no puede? ¡Siempre se pueden dar unos pasos más!

ÉL (*Sigue sosteniendo la puerta.*): ¿Qué?... ¿Que la ambulancia no llegará a tiempo?

ELLA: ¡Ah, de manera que por fin logró llamar por teléfono! ¿Lo ves, Casimiro? Te dije que si apostábamos yo ganaría.

ÉL: Vamos, vamos, señora, haga el favor de no apoyarse así en mi puerta; la está maltratando.

ELLA: Para estar moribunda tiene mucha fuerza.

ÉL: Es la desesperación de los últimos minutos.

ELLA: Ya no dice nada.

ÉL: ¡Mira, qué muecas hace ahora!

ELLA: ¡Qué bien lo disimulaba! Tiene más arrugas que yo.

ÉL: No perdamos más tiempo. Voy a echarla fuera.

ELLA: Déjame ayudarte. Empujemos juntos la puerta.

ÉL: Bueno, a la de tres. Uno, dos...

Pero la puerta se abre totalmente, cediendo a un último esfuerzo de la mujer, que cae al suelo a los pies de Casimiro y Rosalía. *Éstos retroceden. Miran ahora hacia el lugar donde quedó el personaje imaginario.*

ÉL: ¡Qué costalazo!

ELLA: ¡Vaya manera de caerse! (*Se acerca al cuerpo y lo observa.*) Menos mal que no sangra. No me ensuciará el suelo.

ÉL (*Se inclina hacia el personaje imaginario.*): Ahora sí, me parece que no se levantará más. (*Le toma el pulso. Le escucha el·corazón.*)

ELLA: ¿Muerta?

ÉL: Muerta. (*Se cerciora de que no hay nadie afuera.*) Hay que sacarla de aquí.

ELLA: Todavía podemos empujarla con la puerta. (*Lo hace.*) Es difícil... (*Se ayuda dando patadas al cuerpo para hacerlo rodar.*)

ÉL: De todos modos, no podemos dejarla aquí afuera.

ELLA: ¿Por qué no?

ÉL: Quedaría demasiado cerca. Hay que arrastrar-la hasta la puerta de su casa.

ELLA: Esta vez te toca a ti salir. Date prisa...

ÉL: No te preocupes. Un cadáver es cosa fácil de manejar.

Empieza a arrastrar al personaje imaginario. Lo deja caer y vuelve a asegurarse de que nadie de afuera lo ve. Arrastra nuevamente el cadáver. Una vez más lo deja caer para cerrar la puerta tras de sí. Rosalía queda sola.

ELLA: ¡Qué buena suerte!... (*Observa la mesa y da algunos toques finales mientras canturrea, ridícula, con voz cascada.*) Con mi amor... en Portugal... Lindo sol... de Portugal... (*Sale por la cocina; se la sigue oyendo tararear su can-ción. Al cabo de unos segundos regresa con una charola con el café, la leche y el azúcar.*) La gente cree que es sencillo tomar café con leche, pero muy pocos son los que saben tomar un buen café con leche. (*Deja la charola sobre la mesa, llena las tazas y les pone azúcar mientras canta*

otra vez.) Aquella tarde... con mi amor...
Aquella tarde... en Portugal... Lindo sol... de
Portugal... (*Él entra y se apresura a cerrar la
puerta.*)

ÉL: ¡Asunto liquidado!

ELLA: El cerrojo. No olvides el cerrojo.

ÉL: No lo olvido. Nunca Lo olvido. (*Echa el
cerrojo, asegurándose de que quede bien firme.*) El cadáver quedó en la puerta misma de su
casa.

ELLA: Servicio a domicilio. No podrá quejarse.

ÉL: Gracias a la ventana aislante ni siquiera oire-
mos la sirena si llega la ambulancia.

ELLA: Nada como una ventana aislante.

ÉL: Y si llaman a la puerta no abriremos hasta
después del entierro.

ELLA: Insisto en una puerta aislante. Pero, claro,
con el dinero de tu pensión...

ÉL: Ya veremos. Habrá que pensarlo.

ELLA: En fin, si a esa mujer le dio por morirse no
es problema nuestro.

ÉL: Nosotros no tenemos amigos, por fortuna.

ELLA: Y a los vecinos no los saludamos. (*Termina
de menear el café con leche con una cucharita,
que sacude haciéndola sonar contra la taza, como para un llamado de atención.*) Las ocho. La
cena está servida.

ÉL: ¡Oh!... Este café con leche tiene hoy muy
buen aspecto.

ELLA: ¿De veras, Casimirito?... ¡Cuánto me alegro de que te guste! Es el mismo café con leche
de siempre.

ÉL: El mismo de hace treinta años, sí. De todos modos, tiene muy buen aspecto.

ELLA: Preparé esta cena especialmente para complacerte.

ÉL: Tú siempre pensando en complacerme.

ELLA: ¡Mi amor!

ÉL: ¡Mi vida!

ELLA: Y después de cenar, ¿qué haremos?

ÉL: Seguir disfrutando de la velada, querida. Seguir disfrutando de la velada.

ELLA: Igual que ayer.

ÉL: Lo mismo que mañana.

ELLA: Una vez más estamos esta noche juntos.

ÉL: Esta noche juntos, amándonos tanto.

ELLA: ¿Cenamos?

ÉL: Cenamos.

Se sientan a la mesa.

ELLA (*Saborea el café con leche.*): ¡Hoy el café con leche me quedó perfecto!

ÉL (*Lo prueba.*): Azúcar... Yo le pondría un poco más de azúcar... (*Se lo pone y vuelve a probarlo.*) Ahora sí, ¡exquisito!

ELLA: ¡Sencillamente exquisito!...

Se sonríen y siguen saboreando el café con leche mientras viene, lento, el

OSCURO

NADA COMO EL PISO 16

(obra en tres actos)

Se trata de una crítica a la vida burguesa y a sus ideales: para ser burgués hay que ser un bastardo capaz de renunciar a todo escrúpulo de conciencia, a toda lealtad, a todo sentido humanitario, a toda moralidad real, en una palabra, dice la autora, se es un buen burgués cuando se renuncia al amor.

Anécdota: Jerome, un joven electricista, llega a casa de Max. Ha sido llamado para reparar un desperfecto en la instalación eléctrica de la casa. Poco después descubre que el contacto que debe reparar no tiene corriente, "parece como si alguien lo hubiera cortado" a propósito. Es decir, el cruce de ambas vidas, la de Jerome y Max, no ha sido fortuito.

Max es un burgués que está "a un paso" de la gerencia general de una gran compañía de aparatos eléctricos. Max toma a Jerome como a un conejillo de indias, un espécimen sobre el cual experimentar su capacidad de poder; desea observar cómo responde a su provocación y hacer la anatomía de su mente con el propósito de "dominar a un hombre hasta anular en él toda resistencia, toda fuerza de voluntad". Para tener a Jerome en su poder, Max le ofrece todas las tentaciones: el robo, que después frustra para hacerlo sentir culpable (en lugar de llamar a la policía, le sirve una copa), y después le ofrece a su mujer. Su mujer "no es su esposa", aclara, sino una prostituta que ha traído del parque. Junto con las tentaciones le crea nuevas necesidades: el ideal burgués expresado por Stella: "¿Por qué ibas a querer irte? Aquí tienes de todo: alfombra y calefacción, televisión y teléfono, radio y tocadiscos, refrigerador, lavadora, aspiradora, licuadora, batidora, extractor. . ." Y Max: "Vivimos en un país desarrollado." Jerome cae en la trampa: acepta la mujer y las nuevas necesidades. Ya no podrá escapar de la casa. Pero la aceptación implica el sometimiento. Y Max ejerce el poder con deleite sibarita, conduciendo a Jerome a las situaciones más humillantes, hiriéndolo en las zonas más sensibles de su orgullo. Stella se turna, una noche con cada uno, y Max goza en ambas; en una, la realidad de la mujer que se le entrega; en otra, la morbosidad de espiar por la cerradura o de imaginarla en brazos de Jerome. Sin embargo, al oír Stella el comentario de Jerome: "Desarrollado gracias a que otros son subdesarrollados", ella se asusta: "¡Dios mío, es comunista!" Jerome niega serlo: "Menos mal —opina Max— no quiero inmoralidades en casa". Es decir, la moral burguesa no se afecta con que el "invitado" se acueste con la mujer del burgués, pero sí con sus ideas "comunistas". Y para corroborar el cinismo burgués, Stella agrega: "Max es muy religioso".

En realidad, Stella no se llama Stella. Como prostituta se llamaba Jane. Al llevársela Max a su casa (creándole también necesidades burguesas para que ella no desee evadirse), la llama Stella porque este nombre va mejor con el refinamiento de la mujer que ahora se viste paradójicamente con el color de la pureza, el blanco, por imposición suya (todo lo que se hace o deja de hacer en la casa es por imposición de Max). "Dos vestidos o doscientos", es lo mismo. Todos serán el mismo vestido blanco, el de la "pura" prostitución. "Stella es peor que Jane", dice Max. ¿Por que? Porque es una prostituta que en lugar de ser de muchos hombres (condición normal de su "profesión"), se dedica por conveniencia a uno solo, el burgués, lo que puede juzgarse como una doble prostitución. Jane es la mujer prostituida, Stella es la prostituta prostituida. Jane es el pecado real. Stella, la virtud fingida, la pureza aparente.

Jerome sólo tiene dos opciones: proteger su conciencia humana, salvando su amor y huyendo de esa casa de tentación, humillación y rebajamiento, o renunciar a su conciencia y al amor para quedarse en esa casa, también prostituido. Opta, como Stella en su momento, por la renuncia; pero la renuncia en Jerome trae aparejado algo con lo que Max no contaba: una igualdad de poder que Stella nunca alcanzó, porque el paso de una prostituta (que ya ha perdido ciertos escrúpulos) hacia la pérdida total de su noción del bien y del mal, es de menor magnitud que el paso de un hombre que no había renunciado al amor. Esta diferencia da a Jerome una fuerza equivalente a la de Max, de ahí que los dos personajes sean representados por líneas cronoespaciales de igual magnitud. Stella, en cambio, cuando llega con Max, es una mujer que ya ha renunciado al amor. Su magnitud es pues menor y su simbolismo (la esposa del burgués, que se casa por conveniencia, es decir, la mujer prostituida) queda de manifiesto al ser representada por una línea mononivélica espacial, tal como todo símbolo en general que carece de una de las dimensiones humanas.

Jerome averigua la verdad sobre el ascenso de Max a gerente general y se entera de que realizó una estafa haciendo aparecer como culpable al antiguo gerente, para poder ocupar su puesto. Jerome se apropia de las pruebas y propone el chantaje. Él callará la verdad si Max lo nombra su asesor en la compañía. Max se ve obligado a ceder. Jerome ha ganado el poder. He aquí el robo de cualidad (en este caso el poder es un defecto y no una virtud, que da a Jerome la supremacía sobre Max). Se inicia así un cambio en el derrotero de las líneas de fuerza que van configurando la greca. Sueños de grandeza en Jerome. Fantasías de asesinato en Max, quien pierde el poder al adquirirlo Jerome. Stella cambia otra vez de nombre, ahora se llamará Samantha y vestirá de rojo. ¿Hasta cuándo? Hasta que Max robe de nuevo el poder de Jerome, más allá del telón final de la obra. Stella, contaminada, no puede ejercer ningún poder, sólo lanza amenazas, es ésta su mayor audacia. Su poder no es real, tan sólo es aparente, como su nombre, como su pureza, como su entidad humana.

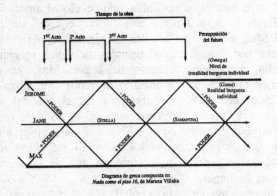

Diagrama de greca compuesta en
Nada como el piso 16, de Maruxa Villalta

Pasado
Cuando Jerome llega a casa de Max, las vidas de Max y Jane ya se habían encontrado, puesto que viven juntos. En cuanto a las líneas de Jerome y Jane, es posible que se hayan encontrado (recuérdese que Jane es un símbolo) y la propia Stella le dice a Jerome al conocerlo que le parece haberlo visto antes: tal vez "nos conocimos en la playa

el cuatro de julio, fiesta nacional... en el bar Phoenix".
En cuanto a haberse cruzado las vidas de Jerome y Max,
éste advierte que "son colegas": Jerome es electricista y
Max preside una compañía de aparatos eléctricos. En este
sentido, ambos son también un símbolo: el burgués, dueño
de los instrumentos de producción, y el obrero, que los
emplea, son elementos de la sociedad, siempre en cruce.

Futuro.

Nivel de
realidad burguesa social

(Beta)

Mecanismo de la mutación:

MAX: Hombre$+$Poder se convierte en: Hombre$-$Poder.
JEROME: Hombre$-$Poder se convierte en: Hombre$+$Poder.
   Es decir, la mutación tiene lugar por la adquisición o la
pérdida de una cualidad: el poder.
JANE: Prostituta sin dueño, se convierte en Stella, con dueño
(Max es el dueño), para transformarse en Samantha, prostituta con otro dueño (Jerome es el nuevo dueño). Es decir,
la *mutación* tiene lugar no por una cualidad intrínseca de la
mujer, sino por su condición de propiedad de un sujeto. En
la vida burguesa la mujer es sólo un objeto más.

Como se advierte, hay una oposición directa entre
el zenit de una línea y el acimut de la otra. Es decir,
cuando una roza la línea divisoria entre el nivel Gamma y el Omega y cuando la otra roza la línea divisoria
entre el nivel Gamma y el Beta. Una línea que uniera
dichos momentos culminantes (cima y sima) podría
denominarse como *prueba de dominio*.

La línea de la *dominación* que ejerce un personaje
sobre el otro, cruza siempre la línea de la mujer que
viene a ser el elemento catalizador que hace posible
la mutación de los dos elementos propiamente activos.

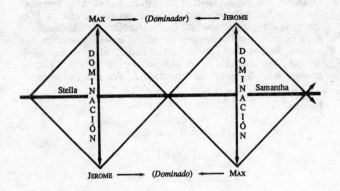

La obra transcurre siempre dentro del *nivel de realidad burguesa individual,* y sólo rozan el nivel Omega cuando uno de los dos personajes se desmaterializa y olvida la realidad por un momento, ante el deleite sibarita que le da el goce del poder. En cuanto al roce con el nivel Beta, éste ocurre cuando el personaje dominador lleva al personaje dominado hacia la sima de su conciencia, en ese punto donde toca el delito social: la muerte de Kate (antiguo amor de Jerome), que se suicidó porque Jerome la rechazó. Max aprovecha esa confesión, extraída a latigazos de conciencia, para ejercer su dominación. Y en el siguiente cuadrante ocurre cuando Jerome orilla a Max a obedecerlo, ante el temor de que se descubra su estafa a la compañía C. B. Jackson, es decir, ante la amenaza de una realidad social: la prisión.

Merced a los momentos de cruce entre Jerome y Max es posible el paso de una cualidad (poder) del que la tiene al que carece de ella. Y es la mujer la que provoca la generación del centro magnético, ya que gracias a su relación con ella los dos personajes masculinos satisfacen sus frustraciones y establecen entre ellos una liga de carácter alterno. Sin Stella, el cruce en las vidas de Jerome y Max habría ocurrido sólo una vez y sus líneas habrían seguido su derrotero en forma de equis, abiertas hacia el futuro. Es Stella quien produce la regresión de las líneas, hasta que éstas llegan a configurar la greca.

Gracias al acto sexual de Stella con Jerome, éste satisface su frustración de clase: hacer el amor con la mujer del poderoso (sea ésta una prostituta o sea la esposa que se casó por conveniencia, lo que es lo mismo) da a Jerome una sensación de compensación que lo hace aceptar la situación patológica que le ofrece Max. Y, ¿por qué le ofrece Max esa situación patológica? Porque gracias al acto sexual de Jerome con Stella, Max puede satisfacer su frustración amatoria; en primer lugar, le estimula morbosamente su deseo sexual, pues sus instintos van en decadencia; en segundo lugar, al identificarse con Jerome puede imaginarse a sí mismo con una capacidad para dar amor, de la que carece. Hace mucho tiempo renunció a amar, desde que su esposa lo dejó. Esa excitación glandular y esa identificación con Jerome no dejan de ser también sólo una compensación. Pero esta compensación de uno y otro será, merced al catalizador que representa Stella, el nudo que los ligue hasta que uno de ellos sucumba bajo el poder del otro, en forma definitiva, es decir, mortal.

Adviértase la curiosa y perfecta estructura temporal de la obra, en relación con el espacio que abarca la greca, en cada uno de los actos. La proporción de cada uno es progresiva:

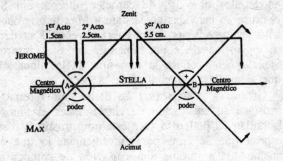

Estando los dos momentos culminantes de la greca a la misma altura espacial, es decir, rozando ambos la línea divisoria entre el nivel Gamma y el nivel Omega, es la progresión temporal lo que da a la obra la tensión creciente en el transcurso de la acción, y al tercer acto su mayor intensidad ya que los sucesos tienen que condensarse, lo que produce ese aumento en la temperatura tan necesario en el desenlace de una obra.

Es en este tercer acto en el que la autora expresa, por labios de Jerome, la más punzante de sus críticas, extrayendo de la obra su valor trascendente: "¿Somos todos arquetipos en la sociedad enajenante?... Resultantes, productos, residuos de la sociedad... ¿Tres en el piso 16 o millones en el mundo?"

MARCELA DEL RÍO

Nada como el piso 16 gana el premio Juan Ruiz de Alarcón, de la Asociación Mexicana de Críticos de Teatro, a la mejor obra de autor nacional en 1975, y el premio Sor Juana Inés de la Cruz, de la Unión de Críticos y Cronistas de Teatro, también a la mejor obra del año.

La pieza se estrena el 7 de noviembre de 1975 en el Teatro de la Universidad de la ciudad de México, presentada por el Departamento de Teatro de la UNAM a cargo del dramaturgo Héctor Mendoza; dirección de escena de la autora, escenografía de Guillermo Barclay, asistente de dirección Isidro España y actuación de Carlos Ancira, Octavio Galindo y Mabel Martín.

Una segunda temporada se presenta en el Teatro del Granero, con patrocinio del Instituto Nacional de Bellas Artes y del productor José Hernández Díaz, en 1976; dirección de escena de la autora, escenografía de Guillermo Barclay y actuaciones de José Gálvez, Luis Velandia y Tina French.

Nothing like the 16th floor (traducción de Keith Leonard y Mario T. Soria) se estrena en 1977 en el Pote Theater, del Blank Performing Arts Center, Indianola, Iowa, con dirección de escena de Keith Leonard.

En Nueva York estrena *Nada como el piso 16* el grupo Nuestro Teatro, dirigido por Luz Castaños, que con la colaboración de The Center for Interamerican Relations presenta varias temporadas en 1978 y 1979.

Atrapados en el piso 16 se presenta en Los Ángeles, con dirección de escena de Daniel Moro, durante temporada que se inicia en 1980.

Por televisión la obra es difundida por el canal 13 de México, dentro de la serie *Los lunes, teatro,* con dirección de Antulio Jiménez Pons.

Entre las principales temporadas en ciudades de provincia, la del grupo Taller de Teatro Universitario de la Universidad Autónoma de Nuevo León, en el Teatro de la República, de Monterrey; estreno en octubre de 1976, con dirección de Rogelio Villarreal y escenografía de Rogelio Lozano.

Nada como el piso 16 ha sido publicada por Joaquín Mortiz (México, serie El Volador, 1977.)

Nothing like the 16th floor (traducción de Edward Huberman) ha sido publicada por *Modern International Drama,* State University of Nueva York at Binghamton, vol. 12, núm. 1, otoño de 1978.

16 ème Étage à Manhattan es traducción inédita de André Camp, París, 1978.

Participan

MAX
JEROME
STELLA

Decorado único: estancia-comedor de departamento en un edificio de Manhattan. Alfombra, cuadros, libros, jarrones, adornos: un lujo hasta cierto punto refinado y, a final de cuentas, burgués.

ACTO PRIMERO

Dulce campanita: llaman a la puerta. Max, *hombrecillo de unos sesenta años, va a abrir. Su amabilidad aparente no lo hace prescindir de cierto tono de superioridad hacia su visitante, quien trae una caja de herramientas en la mano.*

MAX: De manera que usted es. . .

JEROME: El electricista, señor.

MAX: Pase, por favor, pase.

JEROME: Buenas tardes. . . ¡Afuera hace un frío endemoniado!

MAX: El invierno siempre es frío en Nueva York. Por eso tenemos calefacción. Pero quítese la chaqueta, póngase cómodo.

JEROME: Gracias. ¿Qué es lo que tengo que reparar? ¿Dónde está el desperfecto?

MAX: Es un contacto nada más. . . Creo que será muy sencillo. Está en la pared, detrás del mueble. Puede recorrer el mueble, con toda confianza. Está usted en su casa. . . Bonita casa, ¿no?

JEROME: ¿Cómo?

MAX: Digo que éste es un hermoso departamento.

JEROME: Muy hermoso, sí. . . Un departamento de lujo.

MAX: Bueno, no cualquiera puede tener un departamento como éste, en un edificio como éste, en la esquina de una calle como esta calle y en una ciudad como Nueva York. Además, en el piso 16. ¡Y en Manhattan! Nunca me han gustado Brooklyn, Long Island..., nada de eso para vivir. Y tampoco casitas amigables con sus jardincitos: ridículo, ¿no? Nada como el piso 16, ¿no le parece?

JEROME: Pues sí, probablemente...

MAX: No se preocupe por la alfombra: se vende por metros; sólo es cuestión de dinero.

JEROME: Sí, es una alfombra cara. Procuraré no ensuciarla.

MAX: Gracias, joven, muchas gracias. Es usted muy considerado.

JEROME: ... En cuanto al desperfecto, el problema no parece estar en el contacto. ¿De dónde viene esta extensión?

MAX: De la cocina. Pero el contacto de allá funciona perfectamente.

JEROME: Me lo suponía: el cable está roto.

MAX: ¿Roto? Es curioso.

JEROME: Mire usted: aquí... Parece como si alguien lo hubiera cortado.

MAX: ¿Quiere decir: a propósito?

JEROME: Eso lo ignoro. Usted está más calificado que yo para saberlo.

MAX: Por supuesto. Volviendo a lo del departamento, la palabra "lujo" a veces puede resultar un tanto elemental, puede aludir a dinero, a riqueza más que a un determinado ambiente. Y yo, aquí, he tratado de rodearme de un cierto confort digamos... íntimo. Comodidades que me permiten disfrutar al máximo de algunas satisfacciones, e incluso diversiones, sin necesidad de salir a buscarlas fuera de casa. En la oficina me tienen secuestrado entre aparatos de intercomunicación y ejércitos de ayudantes y secretarias, pero aquí sólo cosas que me gustan: libros, cuadros, algún jarrón antiguo... (*Muestra el jarrón.*) Esta pieza es especialmente valiosa. Dos o tres pequeñas estatuas... El Buda es siamés. Vivo sencillamente, ya lo ve.

JEROME: Todo esto ha de costar carísimo.

MAX: Puedo pagármelo. Tengo un importante puesto en una gran empresa. Gano buen dinero.

JEROME: Lo felicito, señor. De todos modos, alguien ha cortado ese cable.

MAX: Una empresa que exporta al mundo entero: La C. B. Jackson Corporation. Usted la habrá oído nombrar.

JEROME: Sí, la he oído nombrar.

MAX: Subgerente: ése es mi cargo. A un paso de la gerencia general. Artículos eléctricos, como usted sabe... ¿Se da cuenta? ¡Artículos eléctricos! Prácticamente, usted y yo somos colegas.

JEROME: ¿Colegas?

MAX: Ya lo ve, yo mismo le he abierto la puerta... A propósito, ¿qué le parece este pedazo de cuarzo? Lo utilizo como pisapapeles. Me lo consiguió la señorita O'Connor. (*Ríe.*) "Su empleo depende de ello", le dije. Y la señorita O'Connor corrió por todo Nueva York —en esta ciudad hay de todo, como usted sabe— La señorita O'Connor es mi secretaria. Mejor dicho, la jefa de mis secretarias. ¿Qué le parece el cristal de roca? ¿Le gusta?

JEROME: Excepcionalmente bello, de veras.

MAX: De manera que le gusta. ¡Magnífico, magnífico!

JEROME: ¿Por qué se alegra tanto?

MAX: Alguien capaz de apreciar la belleza de las cosas no lo encuentra uno cada día. Y mucho menos entre gente de un cierto nivel... Sin deseo de ofender. Sólo quise decir que no me lo esperaba de un electricista.

JEROME: He tenido muchos oficios.

MAX: ¿Muchos oficios? ¡Magnífico, magnífico!

JEROME: ¿Y esta vez por qué está tan contento?

MAX: ¿Contento? Creo que más bien se trata de una especie de costumbre en mi manera de expresarme: "¡Magnífico, magnífico!" Digamos una especie de tic de lenguaje: tengo varios así. Por ejemplo, siempre que me sale bien alguna operación contable —porque soy contador público— o siempre que hago algún buen negocio digo: "¡Magnífico, magnífico!" Espero que no le moleste.

JEROME: Por qué había de molestarme. Yo sólo vine a arreglar un contacto.

MAX: Sí, ¿verdad?

JEROME: Traigo cable de repuesto. Terminaré en seguida.

MAX: ¡Espere! Prefiero que cambie toda la extensión.

JEROME: Si quiere que cambie toda la extensión

tendré que regresar mañana: el cable que traigo no es suficiente.

MAX: Yo tengo más. Mandé comprar un rollo entero.

JEROME: Es usted muy previsor.

MAX: Sí, lo soy.

JEROME: Pidió servicio urgente. En realidad un simple contacto no me parece tan urgente: puede pasarse sin él hasta mañana. Si lo arreglo hoy le saldrá más caro. Cobramos extra fuera de horario.

MAX: Puede cobrar extra. Prefiero que lo arregle hoy.

JEROME: De acuerdo.

MAX: Tengo el rollo de cable en la cocina. Iré por él yo mismo. La dama que hace la limpieza sólo viene por las mañanas... (*Va a salir. Le sonríe a* Jerome, *quien le contesta con otra un tanto forzada sonrisa y vuelve a su caja de herramientas. Pero* Max *regresa.*) Sin criados se disfruta de una mayor intimidad, ¿no le parece?

JEROME: ¿Eh? ¿Es a mí?

MAX: Sí, a usted... ¿Cómo se llama?

JEROME: Jerome. Mi nombre es Jerome.

MAX: ¡Jerome! Increíble. Ni siquiera Jerry, ni Jimmy, o Joe..., sino Jerome. No parece nombre de electricista.

JEROME: No siempre he sido electricista.

MAX: Gracias por haber venido, Jerome. Ha sido muy amable de su parte.

JEROME: Es mi trabajo.

MAX: Bonita vista ¿no es cierto? Desde aquí se disfruta de una bonita vista de la ciudad.

JEROME: Muy bonita, sí.

MAX: Insisto en darle las gracias.

JEROME: Por nada.

MAX: Queda usted en su casa. (*Sale.*)

JEROME: Muy fino, el caballero... (*Ante la ventana.*) Obviamente, desde aquí la vista no es la misma que a ras del suelo. (*Da unos pasos por la habitación, observando los objetos que Max le mostró. Cobra conciencia de que está solo y piensa en robar. Busca dinero. No lo encuentra. Elige entonces el jarrón.*) Ojalá que esto sea de veras valioso... (*Va con su botín hacia la puerta. Pero entra Max, con un gran rollo de cable, y lo sorprende.*)

MAX: Más vale que sobre y no que falte, pensé... ¿Cambiaba usted el jarrón de lugar?

JEROME: No precisamente. Es decir que yo...

MAX: ¿No lo cambiaba de lugar? Lo celebro porque lucía mejor donde estaba. Puede volver a ponerlo en su sitio, si no le molesta. (Jerome *coloca el jarrón.*) ¿Lo ve? Aquí la luz da al jarrón ciertos reflejos, cierto tono magenta sobre los matices rosados... Hermosa pieza, ¿verdad? Definitivamente está mejor aquí.

JEROME: Sí, aquí está mejor.

MAX: Entonces estamos de acuerdo: todo arreglado.

JEROME: No está todo arreglado. Usted sabe que yo no cambiaba ese jarrón de lugar, que iba a llevármelo.

MAX: ¿A llevárselo? ¡Absurdo! ¿Para qué iba a querer llevárselo?

JEROME: Sabe perfectamente que traté de robar. ¿Por qué pretende no darse por enterado?

MAX: En realidad todo esto no me parece tan importante... Usted ha de tener sus motivos.

JEROME: Desde luego que tengo mis motivos: se supone que el jarrón vale dinero.

MAX: Dinero, sí. Yo también soy de los que les gusta tenerlo. ¿Lo ve? Ya volvemos a estar de acuerdo. No te preocupes, muchacho, yo comprendo.

JEROME: ¿Qué es lo que comprende? ¿Que yo haya venido a su casa a robar?

MAX: No viniste a robar. Viniste a hacer tu trabajo como electricista. Mira: por qué no discutimos todo esto con más calma. Te invito un trago.

JEROME: ¿Un trago? ¡Trato de robar en su departamento y me invita un trago! ¿Por qué no hace lo que todo el mundo? ¿Por qué no llama a la policía? Ahí tiene el teléfono: ¿por qué no los llama? De todos modos no me van a encontrar cuando lleguen.

MAX: Si no te van a encontrar no serviría de nada. Además, eso de llamar a la policía es de mal gusto. La mejor solución sigue siendo el trago. (*Prepara las bebidas.*) ¿Scotch and soda?

JEROME: Por qué no. Scotch and soda.

MAX: Pero siéntate, Jerome, siéntate, con confianza... En nuestro país impera la democracia. Puedes tratarme de igual a igual. A solas, puedes llamarme Max.

JEROME: ¿Max?

MAX: Maximilian. Pero más amigos me llaman Max.

JEROME: Creo que ya comprendo. Usted es homosexual.

MAX: ¿Homosexual? No, no lo soy. Lo siento.

JEROME: ¿Se disculpa por no ser homosexual?

MAX: Es de elemental cortesía no contrariar a un invitado. Y a lo mejor tú sí eres homosexual.

JEROME: No. Definitivamente no lo soy.

MAX: ¡Magnífico, magnífico! Pues ahora que sabemos que no somos homosexuales podemos tomarnos ese trago. ¡Cheers!

JEROME: ¡Cheers!... De todos modos yo sólo vine aquí para arreglar... (*Se interrumpe, mudo de sorpresa, al ver entrar a* Stella, *delgada y blanca, vestida de gasa blanca a la moda de los treintas, a la vez sofisticada "vamp" y joven ingenua.*)

STELLA (*A* Max.): Gracias a la calefacción el vestido blanco estará seco en seguida. El que traigo puesto es el otro. (*A* Jerome.) Tengo muchos vestidos iguales: lo mismo pueden ser dos que doscientos.

MAX (*A* Jerome.): En realidad, si los cuentas una sola vez cada uno, nada más son dos.

STELLA (*A* Jerome.): Yo nunca los cuento una sola vez.

MAX: ¡Pero qué distraído soy, no los he presentado! Stella, éste es Jerome. Jerome, ésta es Stella.

STELLA (*A* Jerome.): Me parece que ya nos conocíamos... Estoy segura de que nos hemos visto en alguna parte.

JEROME: ¿En alguna parte? No, no creo que nos hayamos visto, señorita.

MAX: Llámala Stella. Bonito nombre, ¿no? Stella como las estrellas, como la luz, como la belleza, como los ángeles... Una criatura angelical, ¿no te parece?

JEROME: Muy hermosa, sí... ¿Es su hija?

MAX: No.

JEROME: ¿Su mujer, entonces?

MAX: Tampoco. (*A Stella.*) ¡Sencillamente angelical! (*A Jerome.*) Stella es una prostituta que traje del parque.

STELLA: ¡Max, querido, ese asunto del parque te preocupa tanto!

JEROME: Lamento haber preguntado.

MAX: ¿Por qué? Puedes preguntar lo que quieras, muchacho, lo que quieras. Recuerda que eres mi invitado. Stella, atiéndelo como se merece. (*Sale.*)

STELLA: ¡En la playa! Nos conocimos en la playa, el 4 de julio, fiesta nacional.

JEROME: No, no creo. Nunca voy a la playa.

STELLA: Entonces en la feria: cerca del cielo, en la rueda de la fortuna.

JEROME: En ese caso más bien sería tirando al blanco... Pero no, tampoco: hace años que no voy a una feria.

MAX (*Entrando con el hielo.*): Soy muy previsor. Tenía los cubitos preparados.

STELLA (*A Jerome.*): ¡En el bar Phoenix, eso es! Nos conocimos en el bar Phoenix.

JEROME: Mi bar preferido es el Albatross.

MAX: A lo mejor se conocieron en el parque. (*A Jerome.*) Al venir hacia aquí cruzaste un pequeño parque, ¿no? Tienes que haberlo cruzado si viniste por el norte. ¿Viniste por el norte?

JEROME: Me parece que sí, vine por el norte.

MAX: Entonces cruzaste el parque. De ahí me traje a Stella. ¿No es curioso? No la traje de la puerta de un hotel sino de la banca de un parque, ¡en plena naturaleza! Mi pequeña Stella, para mí un hielito nada más.

STELLA: ¿Y Jerome?

JEROME: Para mí también sólo uno... Gracias.

STELLA: Otro para mí.

JEROME: ¿Con un poco de whisky? (*Le sirve a ella.*)

MAX: ¡Magnífico, magnífico! Y ahora que ya son amigos podemos invitar a Jerome a cenar con nosotros.

STELLA: ¡Qué buena idea!

JEROME: Yo sólo vine a arreglar un contacto.

STELLA: ¿A arreglar un contacto? ¡Qué divertido! Te quedas y así lo arreglarás después de la cena.

JEROME (*A Max.*): Después de la cena serán más horas extras.

MAX: No te preocupes, muchacho. Te pagaré tu tiempo completo. Cobrarás lo que quieras.

JEROME: Siendo así, no tengo inconveniente en quedarme.

MAX: El dinero mueve al mundo, sin duda alguna... Aunque Stella no lo hace únicamente por dinero. Es un caso de verdadera vocación.

STELLA (*A Jerome.*): Lo dice porque he tenido

oportunidad de otros trabajos. Empleada de mostrador, pero eso es malo para las piernas. Escribir a máquina, pero eso estropea la figura.

MAX (*A* Jerome.): Recibió una educación esmerada: estudió en un colegio para señoritas. Pero se fugó con el conserje. . . Un caso de vocación muy temprana.

STELLA: ¡Max, querido, ese asunto del conserje te preocupa tanto!. . . (*Sale.*)

MAX: No sabe cocinar. Pero es única para hacer el amor.

JEROME: No lo dudo.

MAX: ¿Te gusta?

JEROME: ¿Stella? Naturalmente.

MAX: ¿Te gustaría acostarte con ella?

JEROME: ¿Cómo? ¡Claro que me gustaría!. . . Pero, un momento, un momento. Yo vine aquí por lo del contacto y entonces usted trajo ese rollo de cable. Después yo traté de robar y usted me sorprendió. Como ladrón pruebo por primera vez. . . De todos modos usted no sabe nada de mí, usted no me conoce, usted no es homosexual, usted se da el lujo de tenerla a ella en casa: ¡le ha de salir caro! Y me invita a tomar un trago, después a cenar y después a acostarme con su mujer.

MAX: Stella no es mi mujer. Es una prostituta que traje del parque.

JEROME: ¿Tiene costumbre de hacer este tipo de cosas? Digo, ¿pertenece quizás a alguna especie de asociación protectora que anda por ahí, recogiendo gente?

MAX (*Observando la mano de* Jerome.): Una mano recia tiene el vaso de Scotch atrapado... Unas uñas sucias sobre el vaso de Scotch. Unas uñas cortas y planas... ¿Te comes las uñas, Jerome?

JEROME: Sí... a veces... ¿Qué tienen que ver mis uñas en esto?

MAX: No, no pertenezco a ninguna asociación protectora. Más bien mis actividades son por cuenta propia. Un trabajo de investigación, en cierta forma, aunque yo prefiero tomarlo como juego. Con lo cual —quiero decir, jugando— los resultados son más excitantes. Siempre es más excitante llegar a cualquier resultado jugando y no trabajando. El trabajo implica un cierto interés, una cierta ambición, en cambio jugar, así nada más, por deporte, es desinterés puro. Yo tengo la afición —me pregunto si podría decirse "practico el deporte"— de estudiar al ser humano.

JEROME (*Irónico.*): ¿En bien de la especie?

MAX: No necesariamente. Si pensara en el bien de alguien ya habría un interés. Además, esto del bien y el mal son términos convencionales. La mente del hombre, como todos sabemos, es algo muy complejo... Imagínate poder estudiar esa complejidad, ese núcleo intrincado; poder desposeerlo poco a poco de su misterio... Supongamos que yo puedo ir descubriendo cómo está hecho un ser humano. Sin lastimarlo, desde luego. Únicamente conversando con él. Únicamente invitándolo, por ejemplo, a tomar un trago...

Supongamos que puedo ir observando cómo responde a mi provocación su engranaje: nervios, reflejos, vísceras, arterias... Tú sabes: el cerebro, por ejemplo, tiene mucho de tu especialidad. Es como un circuito eléctrico: enciendes la chispa y todo el sistema se pone en marcha... Supongamos que yo puedo, por decirlo así, hacer la anatomía de mi invitado. Adentrarme en su cerebro, estudiar sus reacciones. De esta manera estoy ayudando a mi amigo a conocerse a sí mismo. Y yo también salgo ganando, enriquezco mi experiencia, crezco en la aventura... Seguro que tú has leído libros de aventuras.

JEROME: Para serle sincero, he leído algo más que libros de aventuras.

MAX: ¿Sí? ¡Magnífico, magnífico! Pero yo quise decir: "Las minas del rey Salomón" y esas cosas... Bueno, pues explorar en la mente de un ser humano resulta la aventura más fascinante que puedas imaginarte.

JEROME: Si tan fascinante le parece, ¿por qué no explora en su propia mente?

MAX: Ya exploré, muchacho, ya exploré. Casi siempre se empieza por uno mismo.

JEROME: No me gustan los experimentos.

MAX: Pero te gustará acostarte con Stella.

JEROME: ¿De modo que lo de Stella sigue en pie? ¿Va en serio?

MAX: Tan en serio como te puedas tomar a una prostituta. Te la paso por un rato. No tengo inconveniente en hacerte un favor.

JEROME: ¡No me gusta que me hagan favores!

MAX: ¿No?

JEROME: Los favores son como las órdenes. Antes y después de la guerra: todos me han manejado siempre.

MAX: ¿La guerra, dijiste? ¿Estuviste en la guerra?

JEROME (*Natural.*): Sí. Estuve en la guerra.

MAX: ¡Magníf...! Quiero decir, muy interesante.

JEROME: ¿La guerra le parece interesante?

MAX: Como experiencia que indudablemente contribuyó a la formación de tu carácter.

JEROME: Mire usted, señor...

MAX (*Interrumpe.*): Max. Llámame Max.

JEROME: Está bien, Max, como quieras. Todos me han dado órdenes siempre, Max, como tú ahora. Si las cumplo, son muy amables. Si no las cumplo, me echan... Tú también me echarías. Tú no estarías ahora invitándome un trago si yo no te diera por tu lado.

MAX: Me parece que hay en ti ciertas... digamos frustraciones que te impiden disfrutar de una ocasión única como la que hoy se te presenta. Subgerente de la C. B. Jackson Corporation: a un paso del puesto que tiene F. F. Higgings. F. F. Higgings es el gerente general. Es decir, que mi amistad puede serte muy útil. Piénsalo, muchacho, piénsalo.

JEROME: Lo estoy pensando.

MAX: ¿Hace mucho que eres electricista?

JEROME: No, no mucho.

MAX: ¿Y antes?

JEROME: "Un muchacho muy dotado", decían mis maestros. Hasta terminé high school y todo eso... Conseguí un buen empleo en una librería. Pero leía mucho y vendía poco; acabé por perder el puesto. Empecé a tocar jazz en un conjunto. Pero regresó el tipo al que suplía y tuve que irme y acepté un empleo para decorar aparadores... En eso vino la guerra... Después me dio por el whisky. (*Ríe.*) La verdad es que desde entonces mis empleos entraron en un periodo de franca decadencia. Y ahora, termino tratando de llevarme un jarrón... (*Serio.*) A veces te sorprendes a ti mismo haciendo determinadas cosas como si no fueras tú sino otro, y tú únicamente lo observaras, y tú ya no fueras tú mismo...

MAX: Sí, a mí también me ha sucedido. Pero yo y el otro siempre estamos de acuerdo. Sabemos a dónde queremos ir y no nos apartamos del camino. Es cuestión de asepsia mental. "Cueste lo que cueste y caiga quien caiga", nos decimos yo y el otro.

JEROME: ¿Caiga quien caiga?

MAX: Los escrúpulos siempre estorban. Algo que mi ex mujer nunca comprendió. Por suerte ella se volvió a casar y me ahorré la pensión... Hace mucho de eso. Una etapa de mi vida totalmente superada... ¿Te gusta leer, dices? Aquí hay de todo. A un determinado nivel, en un puesto de ejecutivo, hay que saber hablar lo mismo de Proust que de Savonarola. Por fortuna todo libro sobre la faz de la Tierra está traducido al inglés.

STELLA (*Entrando.*): Tengo que ocuparme de los

geranios de la cocina. Olvidé regarlos esta maña-
ña. (*Sonríe a* Jerome, *cruza la escena y sale.*)

JEROME: En realidad no parece una... Quiero decir: es muy hermosa.

MAX: Entonces definitivamente te la paso.

STELLA (*Entrando.*): Regaré los geranios más tarde. Pensé que a lo mejor me necesitaban.

MAX: Te necesitamos siempre, mi pequeña Stella,
siempre... (*Le toma una mano.*) La pequeña
mano blanca sobre el naranja de los geranios...
Cuando ella se ocupa de los geranios la pequeña mano se destaca, resalta sobre el espléndido
color de naranja. Es un contraste único, Jerome, te lo aseguro... Una pequeña mano blanca
que puede volverte loco de tanto mirarla, de
tanto acariciarla... (*Deja de acariciarle la mano y la pone en la de* Jerome.) Te dejo con ella.
Es decir, con la mano de Stella. (*Sale.*)

JEROME: Es increíble cómo se parece a la pequeña
mano de Kate...

STELLA (*Para sí.*): Stella no es mi verdadero nombre.

JEROME (*Para sí.*): Ella era mi mujer. No estábamos casados, pero era mi mujer... Lo malo de
Kate era saberla tan perfecta..., tan increíble
mente perfecta.

STELLA (*Para sí.*): Mi verdadero nombre es Jane.
Terriblemente vulgar. ¡Jane!

JEROME (*Para sí.*): Lo malo de Kate era que tenía
razón siempre.

STELLA (*A* Jerome.): Max me puso Stella. Cuando
me encontró en el parque yo le ofrecí que fué-

ramos a mi hotel pero él quiso traerme aquí. Y de pronto se me quedó mirando y me dijo:

MAX (*Entrando.*): "De ahora en adelante te llamarás Stella." (*A* Jerome.) ¿Acaso no es un bonito nombre? Stella maris, Stella oceanis, Stella coeli...

STELLA (*A* Max.): Visto de blanco porque Max me obliga.

MAX: El blanco es el color de la pureza.

STELLA: Porque me obliga. (*A* Jerome.) Mi verdadero nombre es Jane. Pero debes llamarme Stella. (*Le sonríe y sale.*)

JEROME: ¿Siempre aparece y desaparece así, de repente?

MAX: No siempre. Cuando está aburrida se queda en su cuarto.

JEROME: ¿Crees que podría ser ahora mismo? Quiero decir: lo de Stella. No me gusta hacer el amor después de cenar.

MAX: Entonces que sea antes. En principio no hay inconveniente: de todos modos ella había preparado una cena fría.

JEROME: Voy por Stella.

MAX: ¡Espera! Todavía no.

JEROME: ¿Para qué esperar?

MAX: Nada pierdes con aguardar un poco. Lo mejor en estas cosas son los preliminares: te lo digo por experiencia.

JEROME: Los favores son como las órdenes... Tú eres el que manda. Tú estás en tu nivel. Todo es cuestión de niveles... (*Ante la ventana.*) Aquí estamos al nivel del reloj eléctrico, con sus grandes números luminosos... Alguna vez, pasando por esta calle, me detuve para ver el reloj. Tuve que mirar hacia arriba... Nunca pensé verlo como de igual a igual, desde la ventana de un departamento como éste. Nunca pensé estar tan cerca del hermoso reloj, tenerlo prácticamente al alcance de mi mano.

MAX: Desde aquí se tienen muchas cosas al alcance de la mano.

JEROME: Obviamente desde el interior de un departamento de lujo la perspectiva cambia. Como en un faro...

MAX: Vivir en un determinado ambiente, a determinada hora de la tarde, disfrutando de determinados efectos de luz sobre los objetos que me rodean... Que me rodean porque yo los he elegido.

JEROME: Despertar por la mañana, poco a poco, como quien va zambulléndose en la vida, despacio, sin ruido, saboreando el placer de su tibieza. Tomar conciencia primero de la habitación en la penumbra y después de la presencia de la mujer a mi lado. Olvidar entonces totalmente la sirena de la ambulancia y el altavoz que pasa repitiendo su lección y la gente que por la calle corre hacia lo cotidiano. Olvidarlo todo y mirar hacia el puerto: hacia la bruma de los grandes barcos que parecen pintados en un calendario. El silbato es el del barco, no el de la fábrica. Yo estoy en mi faro. Yo no estoy a ras del suelo mirando hervir el café que Kate prepara cada mañana. Esa mujer que tiene frío no es Kate.

Ella está conmigo, en mi faro. Esa mujer no es Kate... (*Ríe.*) ¿Te das cuenta, Max, de lo que quiero decir? Lo que yo siempre quise es vivir en un faro.

MAX: ¿Vivir en un faro? ¿Para qué?

JEROME: "Un muchacho muy dotado", decían mis maestros. Pero no sirvió de nada.

MAX: ¿Mataste a muchos en la guerra?

JEROME: ¡Maté a los que tenía que matar! (*Una pausa.*) Okey, Max, no sueño siempre. Ya ves, hace unos momentos traté de robar... (*Ríe.*) De pronto sentí que debía llevarme algo de todo eso tan bonito que habías estado mostrándome... Pero Jerome todavía se da el lujo de tener principios. Increíble, ¿no? Jerome no es un ladrón... Bueno, ya que hemos vuelto al plano de la realidad será mejor que cambie ese cable.

MAX: No hay prisa. Lo cambiarás más tarde.

JEROME: Como tú digas.

MAX: Supongo que tendrás que cortar la luz.

JEROME: Supones bien.

MAX: Tengo velas preparadas. Las velas son más amistosas. Claro que las lámparas de petróleo también pueden resultar agradables, hasta cordiales, pero pensé que para una noche... como ésta serían mejor las velas. En fin, quedamos en que cambiarás el cable más tarde.

JEROME: Y también me acostaré con Stella.

MAX: Por supuesto. Te diré lo que vamos a hacer: te tomas otro trago y te vas a la cocina mientras yo le digo a ella lo que pretendes.

JEROME: Soy perfectamente capaz de decírselo yo.

MAX: Te vas a la cocina y vigilas la cena. Hay
alcachofas a la vinagreta: uno de mis platillos
preferidos. ¿Sabías que las alcachofas hay que
comerlas antes de que la flor llegue a desarro-
llarse? Bueno, pues te sientas en la cocina, con
tu vaso de Scotch, y vigilas las alcachofas mientras yo pongo a Stella al corriente.

JEROME: ¿No te parece mucho lío por una prostituta? Al fin y al cabo puedo pagarle sus honorarios.

MAX: ¿Tienes dinero?

JEROME: Lo de todo ese tiempo extra que vas a
pagarme por cambiar el cable... Te va a salir
caro.

MAX: No importa. En cuanto a lo de Stella, es
cortesía de la casa... ¿Quieres servirme un
Scotch también a mí? Un solo cubito de hielo,
poca soda y lo demás de whisky... ¡Muy bien,
muchacho, lo preparaste muy bien!... Subgerente, ¿comprendes? Si algún día F. F. Higgins
renuncia... o si lo echan, yo seré el gerente. Y
ya te anticipo que si con esto de la electricidad
no estás muy contento que digamos puedo tratar de conseguirte algo mejor en mi empresa.

JEROME: ¿De veras, Max, tú me ayudarías?

MAX: Naturalmente. Pasa a verme a la oficina un
día de éstos. Y ahora, toma tu vaso y vete a la
cocina.

JEROME: A la oficina. Toma tu vaso. A la cocina.
Tengo que darme prisa en obedecer tres veces.

MAX: Si quieres plantearlo así... Después de todo,

algunos nacen para dar órdenes y otros para recibirlas. La cocina es por ahí.

JEROME: Sí, ya sé, por donde están las alcachofas. Me voy a vigilarlas. (*Sale. De su cuarto viene* Stella.)

MAX: Iba a llamarte.

STELLA: Siempre adivino tus deseos.

MAX: En cuanto a nuestro amigo, el electricista, fue mejor explicarle lo del parque desde un principio. Para evitar posibles confusiones.

STELLA: ¿Qué clase de confusiones?

MAX: Entre Stella y Jane, por ejemplo.

STELLA: Son la misma persona.

MAX: No exactamente. Stella va y viene por mi casa y arregla mis geranios y yo beso su pequeña mano blanca. Jane se acuesta con el electricista.

STELLA: ¿Te divierte, verdad?

MAX: Te traigo a un invitado: no puedes quejarte.

STELLA: No me quejo. Jerome me gusta.

MAX: No se trata de que te guste o no. Sencillamente forma parte de los servicios que prestas en esta casa. El que te acuestes con Jerome puede ser uno de los medios, pero no la meta.

STELLA: ¿Y no temes que Jerome haga el amor mejor que tú? Al fin y al cabo tiene unos treinta años menos.

MAX: No importa cómo haga el amor Jerome. En este asunto tú solamente eres un instrumento. Digamos que formas parte, para el que llega, del mobiliario del departamento: te hereda junto con la televisión y el teléfono.

STELLA: Entiendo.

MAX: A mí no me satisfacen las insulsas distracciones que suelen complacer al común de la gente: yo necesito divertirme a la manera de los privilegiados. Y no solamente divertirme. Es algo un poco más complicado. Siempre he creído que los mejores instantes de la vida pueden centrarse en ciertos placeres digamos... refinados. Algunos de los cuales pocas veces he podido darme. Por ejemplo, el placer de dominar a un ser humano...

STELLA: Dominas a muchos en la C. B. Jackson.

MAX: Aunque empecé como office-boy, siempre supe que algún día yo iba a mandar... De todos modos, no me interesa la simple satisfacción de dar órdenes a un subordinado en la oficina. A él lo heredo con el engranaje: no soy yo quien lo convierte en vasallo. Además, recobra su libertad a las cinco de la tarde... En cambio presiento que con nuestro nuevo amigo las cosas van a ser diferentes.

STELLA (*Irónica.*): ¿Entonces lo de Jerome no lo haces por perversión sexual?

MAX (*Digno.*): Comprendo tu deformación profesional, querida. Pero no todos los placeres son sexo.

STELLA: ¿Y por qué el electricista?

MAX: Electricistas, plomeros, carpinteros... ¡qué importa el detalle! Jerome pertenece a una clase muy especial. Es de los que pasan hambre. (*Ríe.*) Tenía miedo de ensuciar la alfombra... Creo que vamos a entendernos muy bien: a él no le gusta que le den órdenes y a mí me gusta darlas todo el tiempo.

STELLA (*Divertida.*): ¿Y yo? ¿Qué papel hago en esto?

MAX: Me temo que en relación con el de Jerome tu papel pasa a segundo plano.

STELLA: Pero voy a acostarme con los dos.

MAX: Por turnos, querida. No quiero inmoralidades en casa.

STELLA: Lo tendré en cuenta.

MAX: Tienes que dejar a Jerome complacido. Procura hacer bien tu trabajo, Jane.

STELLA: Siempre lo hago bien.

MAX: Sí, siempre lo haces bien.

STELLA: Te excita saber que voy a acostarme con él.

MAX: Sí, me excita. . . Un vestido de gasa blanca detiene pero no rechaza, separa pero no aísla. . . Un vestido de gasa blanca, cuando unas manos se acercan a un cuerpo. Sobre un vestido de gasa blanca las manos pueden multiplicarse. . . (*La abraza y acaricia. Entra* Jerome *con el vaso en la mano. Por más que trata de hacerse notar,* Max y Stella *pretenden no darse por enterados.*)

JEROME: Espero que no hayas cambiado de opinión.

MAX: ¿Acerca de qué?

JEROME: Acerca de Stella y yo.

MAX: No, no he cambiado de opinión. (*Sigue acariciando a* Stella).

JEROME: Ya vigilé las alcachofas: están frías. Y

ya me terminé el trago... ¡Bueno, hasta cuándo va a durar esto!

MAX: ¿Qué cosa?

JEROME: Será mejor que me vaya.

MAX (*Suelta a* Stella.): ¿Irte? De ninguna manera: ya le di tu recado a Stella.

JEROME (*Irónico.*): Hubiera preferido dárselo yo. Pero me parece bien.

MAX: De todos modos, ella acepta.

STELLA: Encantada.

MAX: ¿Lo ves? Yo la convencí. He sido muy amable contigo, Jerome, muy amable y generoso, tienes que reconocerlo.

JEROME (*De mala gana.*): Lo reconozco.

MAX: Tienes que reconocer que con lo de Stella te he hecho un favor.

JEROME: ¡Okey, okey, me has hecho un favor! Te doy las gracias.

MAX: No lo decía para que me dieras las gracias. Sólo para que tomaras conciencia de que aceptaste un favor. Mi pequeña Stella, espera a Jerome en tu cuarto. Irá en seguida.

STELLA: Lo que tú digas, querido. (*A* Jerome.) Te espero, querido. (*Sale.*)

JEROME (*Fascinado.*): ¡Muy hermosa!...

MAX: Hay algo que quisiera hacerte notar... Después de todo, un favor se hace completo... Hacia esta hora, en el cuarto de Stella, con la luz apagada y la persiana entreabierta, el vestido blanco, el cuerpo blanco cobra un especial significado... Cuando hagas el amor con Stella, apaga la luz y deja la persiana entreabierta. La otra luz, la de la calle, se refleja entonces sobre ese cuerpo blanco. Una luz que es a la vez resplandor y contraste. Oscuridad en la habitación y luz sobre la forma que tienes en tus brazos. . . Te digo todo esto, muchacho, porque me eres simpático.

JEROME: Muy bien, no cerraré la persiana. Te agradezco el consejo. ¡Hasta luego! (*Sale. Una pausa. Morboso,* Max *imagina estar haciendo el amor con* Stella.)

MAX: Y luz sobre la forma que tienes en tus brazos. . . Un vestido de gasa blanca detiene pero no rechaza, separa pero no aísla. Sobre un vestido de gasa blanca las manos pueden multiplicarse. . .

ACTO SEGUNDO

Jerome y Max *ante la mesa, en la que hay un servicio de té.* Jerome *tiene los ojos cerrados. Entra* Stella *con algo que parece un pastel con una velita.*

MAX: Quietecito, muchacho, quietecito... No abras los ojos hasta que yo te avise.

STELLA: ¡Aquí está! (*Lo deja sobre la mesa.*)

MAX: Ya puedes mirar.

STELLA: ¡Flan de naranja a la rusa!

MAX (*A* Jerome.): Para que te sea más fácil puedes llamarlo pastel. Es en tu honor.

JEROME (*Desconcertado.*) ¿En mi honor?

MAX: Atún grillé a la mostaza y flan de naranja a la rusa. Finalmente ella está aprendiendo a cocinar.

STELLA (*A Jerome.*): La velita también es en tu honor. Para celebrar que hace un mes que llegaste.

JEROME: ¿Un mes? Imposible. No llevo un mes aquí.

STELLA: Puse una velita pequeña porque treinta días no es mucho.

MAX: Un mes exactamente, mi querido Jerome. Lo sé por la nota de pago del contacto que finalmente arreglaste. Tiré el comprobante esta mañana. Con el electricista en casa tenemos garantía permanente.

STELLA: Pero, Max, Jerome ya no es electricista.

MAX: Tonterías. Cuando se ha sido electricista una vez se es electricista siempre: es como una marca.

JEROME: Como una marca, sí. . .

MAX (*A* Jerome.): Yo voy a conseguirte algo mejor.

STELLA: En realidad, Jerome, la fiesta es para Max, para celebrar su nombramiento como gerente.

MAX: Gerente general.

STELLA (*A* Jerome.): Pero como Max es muy generoso y te deja compartir todo lo suyo, también es tu fiesta. ¿No vas a dar las gracias?

JEROME: Sí, estoy muy agradecido. . .

MAX (*A* Jerome.): Entonces enciende la vela. (*Jerome se apresura, enciende la vela.*) Ahora pide un deseo.

JEROME: Ya lo pedí.

MAX (*Ríe.*): ¡Ya lo pidió!

STELLA (*Ríe.*): Se dio prisa en pedir su deseo. . .

MAX (*A* Jerome.): Muy bien. Pues ahora sopla. (*Jerome sopla la vela.* Max y Stella *ríen.*) ¡Bravo! La apagaste tú solito.

STELLA: Felicidades, querido. (*Besito. Besito a* Max.) Felicidades querido.

MAX: Yo parto el primer pedazo. Es un postre muy fino. Ojalá le guste a Jerome.

STELLA: Ojalá.

MAX: Seguro que él habría preferido un pastel de verdad, de ser posible con mucho pan y crema.

JEROME: Sí, quizás un poco de crema...

MAX: Era de esperarse. Bueno, termina tú. Sigues partiendo y nos sirves.

JEROME: Parto y sirvo. (*Lo hace.*)

MAX: ¡Con cuidado! Que los pedazos salgan enteros. Mi pequeña Stella, tú ocúpate del té.

STELLA (*A* Jerome.): Es té japonés.

MAX (*A* Jerome.): ¿Has probado alguna vez el té japonés? Espero que sabrás apreciarlo.

JEROME: Espero que sí.

MAX: Vamos a ver, mi querido Jerome: ¿a qué te sabe tu pastel?

JEROME: ¿Mi pastel?... Creo que me sabe a coñac.

MAX: ¡Asombroso! Verdaderamente asombroso para un electricista.

JEROME: ¡No nací electricista!

MAX: Sí, ya estamos al corriente de tus magníficos empleos. Pero el whisky se impuso y un buen día eras... (*Adivinando.*) ¿portero, mozo, cargador?

JEROME: Elevadorista.

MAX: ¡No me digas! En la C. B. Jackson hay muchos elevadores. Quizás fuiste elevadorista en mi empresa. ¿Te das cuenta? Quizás nos cruzamos algún día, yo entrando o saliendo, con alguno de mis ayudantes, y tú abriendo o cerrando la puerta, quizás saludando: "Buenos días, señor subgerente"... Porque seguro que ya para·entonces era yo subgerente. De cualquier manera, lamento no haberme acordado de ti. ¡Claro que hay tantos elevadoristas en el mundo! Imposible recordar los rostros de todos.

JEROME: Yo fui elevadorista en Birmingham, Alabama.

MAX: Y yo nunca he estado en Alabama. Así es que uno de esos rostros que olvidé no fue el tuyo. Lo celebro. Porque habría sido una incorrección no reconocerte y no me gusta cometer incorrecciones con nadie: mozos, elevadoristas, a todos los saludo al llegar a mi despacho cada mañana. ¡Buena idea: podríamos buscarte algo en la portería, por ejemplo! O en la sección de los encargados de la limpieza.

STELLA (*A Jerome.*): Comprenderás que tiene que ser algo modesto para empezar.

MAX: Pero dinos, muchacho: ¿qué deseo pediste al soplar la velita? Si no es un secreto.

JEROME: No es un secreto. Deseé irme pronto. Irme pronto de aquí.

STELLA: ¿Irte? ¡Qué absurdo!

MAX: Seguro que no piensa realmente en lo que dice. ¿Por qué iba a querer irse?

STELLA: ¿Por qué ibas a querer irte? Aquí tienes de todo. (*En tono "sexy" inicia un "comercial".*) Alfombra y calefacción. Televisión y teléfono. Radio y tocadiscos. Refrigerador. Lavadora, aspiradora, licuadora, batidora, extractor... Todos los artículos eléctricos que fabrica la C. B. Jackson.

JEROME: ¡Eso es: vivimos en pleno lujo americano!

STELLA (*A Jerome.*): No pareces apreciarlo.

MAX (*A Jerome.*): Vivimos en un país desarrollado.

JEROME: Desarrollado gracias a que otros son subdesarrollados.

STELLA: ¡Dios mío, es comunista!

MAX: ¿Eres comunista?

JEROME: No.

MAX: Menos mal. No quiero inmoralidades en casa.

STELLA: Max es muy religioso.

JEROME (*Divertido.*): ¡Religioso, Max!

STELLA: El primer día, mientras me desnudaba, me hacía repetir pasajes de la Biblia.

JEROME: ¡Me imagino la escena!

MAX: No veo por qué contarle a un extraño nuestras intimidades.

STELLA: Pero, querido, Jerome ya no es un extraño. (*A* Jerome.) ¿Verdad que ya no eres un extraño, querido?

JEROME (*Serio.*): No. Ya no lo soy.

STELLA: Seguro que no piensas realmente en irte. ¿A dónde irías sin empleo?

JEROME: Sí. A dónde iría. A buscar a quién. Quién me reconocería...

MAX: Quedamos en que me ocuparé de conseguirte trabajo en cualquier momento. Mientras tanto, ¿quieres traerme los cigarrillos? Los dejé sobre aquel mueble. (Jerome *duda. Pero se levanta y va por los cigarrillos. Regresa con ellos.*) ¡Qué le vamos a hacer, tuviste que levantarte!... Pues sí, muchacho, como íbamos diciendo: ven a verme a mi oficina un día de éstos.

JEROME: Ya fui.

MAX: ¡Ya fuiste! ¡No me digas!

JEROME: Hace tres semanas que te estoy yendo a ver a tu oficina. No he logrado que me recibas.

MAX: ¿No? ¿Creerás que no estaba enterado?

STELLA: Con tanta gente que se anuncia, Max no puede estar al corriente.

JEROME: Lo más lejos que he llegado es al escritorio de la señorita O'Connor.

MAX: ¡Ah, sí, la señorita O'Connor! Supongo que ahora que soy gerente tendré que subirle el sueldo. Hoy en día todo el mundo se siente con derecho a que le suban el sueldo. En fin, no te desanimes: sigue anunciándote. Mi pequeña Stella, pasemos al salón. (*Le ofrece el brazo.*) De mi brazo, como una dama.

STELLA: ¡Si me viera ahora mi hermana!... Ella dejó de escribirme debido a mis costumbres "ligeras". Cree que soy modelo en una casa de alta costura. Si me viera en un departamento como éste, del brazo del gerente general, pasando al salón como una dama...

MAX: Stella es una pueblerina. Nació en algún lugar cerca de Springfield, Illinois... ¡Muchacho, ya puedes recoger la mesa! (Jerome *no se mueve.*) ¡Vamos, qué esperas! Stella ha trabajado mucho para nuestra fiesta. Lo menos que podemos hacer es colaborar un poco con ella. Yo también colaboraría, con mucho gusto, pero resulta un tanto fuera de tono, ¿no crees?, el gerente general recogiendo la mesa... En cambio tratándose del electricista no hay problema.

STELLA (*A* Jerome.): Todo lo que se te pide es que

te lleves los platos a la cocina. Solamente unos cuantos platos y tres tacitas, ¿sí? Please.

JEROME: Está bien, está bien, recojo los platos.

MAX: Es un buen muchacho... Viéndolo así, recoger la mesa, nadie diría que estuvo en la guerra, ¿verdad?

STELLA: Nadie lo diría.

MAX: A ver, a ver, mi pequeña Stella, tú ven aquí. Junto a tu gerente consentido... (*Ríen, coquetean*, Max *le quita un zapato*.)

STELLA: ¡Ay, ay, ay, Max, no me hagas cosquillas!

MAX: Uno, dos, tres, cuatro, cinco... ¡Cinco deditos tiene el pequeño pie blanco de la putita!... ¿No es maravilloso? ¡Cinco deditos en cada pie!... (*Se pone libidinoso con el pie de* Stella, *la pierna.* Jerome *está a punto de romper la vajilla.*) ¡Cuidado, muchacho, cuidado con los platos!

STELLA (*Poniéndose el zapato.*): El trato fue un día con cada uno y hoy le toca a Jerome... ¿No es terrible? Le toca a Jerome hoy que es la fiesta de Max.

JEROME: También es mi fiesta.

STELLA: Tiene razón. Por un día, podría estar un ratito con cada uno. A mí no me importa.

MAX (*Muy digno.*): Pero a mí sí. Cuando se hace un trato hay que respetarlo. Hoy le toca a Jerome.

STELLA: Lo dices como si te diera gusto.

MAX: Me da gusto. Así podré mirar por el ojo de la cerradura.

STELLA (*Escandalizada.*): ¡Max, serías capaz!

MAX: Estoy en mi casa y la cerradura es mía. Puedo servirme de ella como mejor me parezca. ¿No es cierto, muchacho? ¿Has terminado ya de recoger los platos?

JEROME: Sí, he terminado. Me los llevo. (*Sale.* Max y Stella *ríen.*)

MAX: ¡Se lleva los platos!... Estaba seguro de que resultaría divertido... ¡No, no te muevas mi pequeña Stella! Quédate así. (*Melodramático.*) A contraluz. Necesito ese resplandor en tu cabello para tomarte una foto.

STELLA: ¡Una foto! ¡Qué bien!

MAX (*Divertido.*): "La dama de blanco". Con el jarrón antiguo como fondo. El jarrón que nuestro invitado iba a llevarse... (*Ríe con* Stella, *enfocándola con una cámara. Entra* Jerome.) ¡Ah, qué bueno que regresaste! ¿Qué te parece Stella en traje de novia?

STELLA: Max va a tomarme una foto.

MAX (*A* Jerome.): ¡Mira esto, qué perfil! (*A* Stella.) ¡No te muevas, no respires...! (*Le toma la foto.*) Ya está. Podremos verla en unos segundos.

STELLA: Estas cámaras modernas son increíbles.

JEROME (*Irónico.*): Nada como los adelantos de la técnica moderna.

MAX (*Esperando el revelado de la foto.*): La imagen va surgiendo, se va formando... Como por arte de magia la silueta se integra, las líneas se definen, la sonrisa se marca, se fija la mirada...

¡Y aquí está! Es nuestra pequeña Stella de recién casada.

STELLA (*Viendo la foto.*): Soy yo...

MAX: Quién más sino tú, querida.

JEROME (*Viendo la foto.*): Ridículo, esto de los trajes de novia... (*Serio.*) A Kate no le parecía ridículo... (*Ríe.*) Es porque nunca me casé con ella. Es porque ella nunca tuvo un traje de novia.

STELLA (*Sigue sin reconocerse en la foto.*): Quién más sino yo...

MAX: Vamos a dejarla aquí para que termine de secarse. (*Deja la foto. A* Jerome.) De manera que Stella sigue gustándote.

JEROME: Mucho. (*La abraza.*)

MAX: Abrázala, muchacho, abrázala... Hagan como si yo no estuviera... Blanca como un terroncito de azúcar, ¿no es cierto? Hoy te toca a ti. Esta noche podrás saborear tu terroncito de azúcar.

STELLA: Me parece que ya lo está saboreando.

MAX (*Viendo que* Jerome *la acaricia.*): Acaríciala, muchacho, acaríciala... ¿No resulta excitante acariciarla?

JEROME: Sí, resulta excitante. (Max *los observa con placer morboso.* Jerome *se da cuenta y suelta a* Stella.) ¡Basta! Tendrás que pagar tu entrada a la película pornográfica.

MAX (*Irónico.*): ¿Qué te pasa?

JEROME (*A* Max.): Todavía no me tienes en una jaula.

MAX: Todavía no.

STELLA: ¡Vaya, pues ya se estropeó todo!

JEROME: Un mes... Pastel conmemorativo. Perdón, flan conmemorativo... Esta mañana hice algo digno de mis compañeros de cuarto.

STELLA: ¿De nosotros?

JEROME: Lo alarmante es que reaccioné como ellos lo habrían hecho.

STELLA: ¿Como nosotros? ¿Estás seguro?

JEROME: Un individuo me pidió un níquel para hacer una llamada por teléfono. Yo tenía la moneda en el bolsillo, la sentía al alcance de mi mano. Pero no se la di.

STELLA: Hiciste muy bien.

MAX: La gente siempre va y viene, unos en una dirección y otros en dirección contraria. Y no estamos para detenernos a ayudar.

STELLA: Nunca hay que ayudar a nadie.

JEROME (*Divertido.*): Max y Stella: tal para cual... Es algo más complicado que tratar de llevarse un jarrón. Y mucho menos inocente... (*Serio.*) Pero yo no voy a llegar a eso. Yo no voy a renunciar.

MAX (*Irónico.*): ¿Llegar a qué? ¿Renunciar a qué?

JEROME: Es como toda una actitud ante la vida, ¿no se dice así?, cómo explicarles... Yo creo en los demás y también en mí mismo. Yo no tengo nada en especial contra la gente... Las calles de Nueva York, a veces. Y los árboles de Washington Square, en la madrugada, cuando la luz del día empieza apenas a marcarlos... La oportunidad de encontrarme con algún profesor de matemáticas capaz de morir aplastado por el autobús si en ese momento está dando con la ecuación indicada: Quiero decir, cosas de ésas que te hacen confiar en el ser humano. Yo confío... Una noche, al salir del teatro, una puerta con visillos y campanitas que suenan al entrar y detrás el viejo del bazar que vende alambiques de todas clases y que te vigila porque en todo el día no ha vendido. Y tú le compras esa pipa que no te sirve para nada y te quedas sin cenar pero te dices que encuentros como ése vale la pena recordarlos... Yo soy capaz de eso. Creo en los demás. Es como una actitud ante la vida, ¿no?, una actitud... Creo que estoy hablando de amor.

STELLA (*Suspira.*): ¡Ah, sí, el amor! Ya sé de qué se trata.

MAX (*Ríe.*): ¡El amor!

JEROME: Pero me iré de aquí un día de éstos.

STELLA: ¿Te irás? Espero que no sea pronto.

JEROME (*Ante la ventana, ríe.*): ¿Hay algo más feo que un reloj eléctrico? A veces resulta decepcionante ver las cosas a su mismo nivel. A veces es necesario vivir en el piso 16 para comprender que se está mejor a ras del suelo.

MAX: ¿Pretendes que estabas mejor en el pequeño cuarto?

JEROME: A Kate le gustaba el pequeño cuarto. Ella seguía viviendo allí después de la guerra. Pero yo le dije que todo había terminado... (*Ríe.*) Toma nota para mi expediente, Max, para mi expediente de la C. B. Jackson. Kate quería unos zapatos de plataforma de manera que aquella tarde la llevé al Village y recorrimos la calle Ocho. Por fin le compré los zapatos y Kate iba feliz, con el paquete bajo el brazo. No quería que la ayudara. Como si fuera yo a quedarme con ellos. Nos paramos en el self-service para comer un steak y fue entonces cuando le dije: "Se ha terminado —le dije—, de verdad y para siempre." Y ella creía que yo me había enojado porque los zapatos eran muy caros, no comprendía nada aunque gritaba y gritaba y ya parecía que estuviéramos casados. Así es que yo también le grité: "¡Se ha terminado!" Y entonces Kate lloraba y el empleado del mostrador nos miraba y nos miraba. Tuve que sacar a Kate de ahí y los steaks se desperdiciaron... (*Una pausa.*) Ella me amaba.

STELLA: ¿Y tú?

JEROME: ¿Yo?... Yo la amaba también.

MAX: Pero la abandonaste.

JEROME (*Ríe nervioso.*): ¿Nunca les he contado de la uña de Kate?

MAX: No, nunca.

JEROME: Fue al principio de conocernos. La uña de Kate quedó ahí, desprendida sobre la mesa, y yo reía porque de veras era muy cómico: una pequeña uña sangrante, tan sola y desamparada sobre la mesa de la cocina... Yo reía pero Kate estaba muy asustada y lloraba porque yo reía... (*Serio.*) Después los dos callamos. Se estaba haciendo oscuro y el dedo de Kate, ahí, sangrante... Ella me amaba.

STELLA: ¡Ah, sí, el amor! Ya sé de qué se trata.

MAX (*Ríe.*): ¡El amor!

JEROME: Pero me iré de aquí un día de éstos.

MAX (*A* Jerome.): ¿Y qué fue de Kate?

JEROME: ¡Olvídalo!

STELLA: Entonces síguenos contando de tus empleos. Después del elevador qué hiciste.

JEROME: Nada. Durante un tiempo no hice nada... Después me fui a trabajar a un circo.

MAX (*Divertido.*): ¡A un circo! ¿Dijiste a un circo?

JEROME: Eso dije.

MAX: ¡Es lo mejor que he oído en toda la noche! Ha de haber sido sensacional. ¡Saltar del trampolín dentro del círculo en llamas! Momentos de gran tensión. El público no chista. Resuenan los tambores mientras el equilibrista se prepara. Y de pronto, los platillos. ¡Gran salto mortal! La multitud aplaude, enloquecida.

JEROME: Sólo que no me aplauden a mí. Yo no era el equilibrista. Yo vendía dulces y cacahuates.

MAX: ¡Cacahuates! ¿Oyes esto, mi pequeña Stella? Nuestro amigo vendía cacahuates. ¿Te lo imaginas, con su mercancía, saltando entre el graderío?... (*Pregona.*) ¡Cacahuates, dulces, chocolates!...

STELLA (*Ríe.*): ¡Cacahuates!... Saltando entre el graderío.

MAX: En fin, unos nacen para aplaudir y otros para ser aplaudidos.

JEROME: Supongo que así es. (*Sale.* Max y Stella *ríen.*)

STELLA: Tenías razón. Está resultando muy divertido.

Max: ¿Verdad, mi pequeña Stella?... ¿O quizás debería llamarte mi pequeña Jane?

Stella: A Jane le gustaban las faldas de olanes, largas y negras, y enredarse con collares de los pies a la cabeza... Unos botines y una falda larga de olanes: eso me quita el sentido en este instante. Daría mi alma por unos botines y una falda negra.

Max: Pero ahora eres Stella y vistes de blanco. Stella es blanca y pura. Stella es mucho peor que Jane.

Stella: Jane no existe. Jane murió poco a poco en esta casa.

Max: Su muerte fue entonces el placer de los largos días contigo, de las noches a tu lado... (*Le desabrocha el vestido.*) Jane ha muerto y la tengo en mis brazos. Tiene, Stella, el cuerpo como el tuyo, cubierto de miradas lascivas, y heridas, y gemidos excitantes... (*Encuentra la mirada de Stella. Deja de acariciarla; ríe. Le cierra el vestido. Le toma la mano.*) La pequeña mano blanca... Un día, de niña, Jane rompió una taza. Jane lloraba en el comedor. Y recogiendo la taza la pequeña mano se confundía con los pedacitos de porcelana... Desde que me contaste esa historia decidí que ella se quedaría a vivir en esta casa. La pequeña mano, de una blancura inmaculada... (*Jugando con la mano de Stella, le acerca un cigarrillo encendido y la quema. Stella grita de dolor.*)

Stella: ¡Animal! ¡Suéltame!

Max (*Sin dejarla ir.*): Sobre la blancura inmaculada, una pequeña señal. (*La suelta, rechazándola.*)

STELLA: ¿Estás loco? Me quemaste. Lo hiciste a propósito.

MAX: Naturalmente, querida. Nunca me dejo llevar por impulsos irracionales. Nunca hago nada que no sea a propósito.

STELLA: ¿Pero por qué? Hago todo lo que tú quieres.

MAX: Así seguirás portándote bien.

STELLA: Nunca se te ocurra volver a empezar con algo semejante.

MAX: Resultó agradable. Este pequeño incidente me ha dado ciertas ideas que en lo sucesivo podrán enriquecer nuestras relaciones... Pero no te preocupes: con quemadas tu tarifa será más alta.

STELLA: No estoy segura de que me convenga.

MAX: Jane podría no estar de acuerdo. Pero Jane no vivía en un hermoso departamento, rodeada de cosas bellas. Jane andaba en hoteles de segunda y bancas de parque. Jane era una romántica. En cambio Stella sabe lo que quiere: Stella le da gusto a Max siempre.

STELLA: Ahora soy Stella. Le doy gusto a Max.

MAX: ¡Magnífico, magnífico! Te compraré otro vestido blanco.

STELLA: Prefiero el abrigo que vimos en la Quinta Avenida.

MAX: También el abrigo. Te lo pondrás y te llevaré a cenar a "Chez François".

STELLA: De tu brazo, como una dama.

MAX: ¡Y sin embargo, sigues teniendo tanto de Jane!

STELLA: ¿Te parece?

MAX: Me consta. (*Ríen. Ella sale. Una pausa. De la cocina viene* Jerome.)

JEROME: ¿Y Stella?

MAX: Iba riendo. Pero apuesto a que más bien estaba disgustada.

JEROME: ¿Pelearon?

MAX: Nunca peleo con mujeres. Una mujer sencillamente te gusta o no te gusta. Si no te gusta, no hay discusión. Si te gusta, la compras —pasando por los requisitos legales, si es necesario— y te la traes a vivir a casa. Desde luego, en sociedad no podemos expresarnos tan claramente. Tenemos que hacerles creer que nos tragamos lo de la liberación femenina y esas cosas.

JEROME: Yo creo que hay mujeres capaces de participar lo mismo en un mitin que en una puesta de sol.

MAX: ¿Sí? ¿Cómo es eso?

JEROME: Kate pudo haber sido una mujer así... Lo que pasó fue que yo no le di oportunidad. Sencillamente me aburrí de ella. Por eso la dejé.

MAX: Sólo en la guerra te realizaste plenamente, Jerome. Allí encontraste tu vocación.

JEROME: ¿Mi vocación?

MAX: La vocación de matar. No vas a negar que te gustaba.

JEROME: ¿Me gustaba? Yo era un simple soldado.

MAX: Sabías a lo que ibas.

JEROME: En la guerra no te preguntas a dónde vas

ni de dónde vienes. Sencillamente estás en la
guerra.

MAX: Estás. Y cuando disparas, otros mueren. La
decisión final es tuya , ¿no? Me refiero al momento de apretar el gatillo. Me refiero al placer
de matar.

JEROME: Eran ellos o yo. Era en defensa propia.

MAX: Y al mismo tiempo era como un acto de con-
firmación, de reafirmación de tu importancia
como ser humano... Desde luego, yo nunca he
matado a nadie. Pero me imagino que la sensación tiene que ser parecida a la del acto sexual.
En cierta forma, matar tiene que ser como un
acto de posesión, ¿no es cierto?

JEROME: No lo sé. No me interesa.

MAX: Pero los mataste.

JEROME: ¡Sí, los maté! A la guerra va uno a matar, ¿no? Todo el mundo lo sabe.

MAX: Quise decir que la muerte suele dar a las
cosas su dimensión justa, su justo significado. Al
fin y al cabo, ante la muerte lo demás sale so-
brando... Pero seguramente tú sabes de la muerte más que yo. Muchas veces la habrás tenido
cerca. Has de conocerla bien.

JEROME: ¿Conocerla?... Sólo en una ocasión me
pareció conocerla.

MAX: ¿En el campo de batalla?

JEROME: En un campo, al amanecer... Era vera-
no y hasta había flores. Los soldados mascaban
chicle y contaban chistes. Y las cigarras canta-
ban. Y entonces salió una muchacha, hacia un
pozo, a buscar agua. Auténtico: iba por agua

al pozo, como en los cuentos de hadas... Al poco rato la vi, a la misma muchacha, inclinada sobre un hombre muerto. Una mano de ella le apretaba el brazo: se veía que se lo apretaba porque tenía los músculos tensos. No lloraba: miraba al hombre, se despedía de él. Y los dos tenían el mismo color de cabello. Y el cabello del muerto, igual que el de ella, también se movía un poco con el viento...

MAX (*Burlón.*): Pero muchacho, si estás temblando.

JEROME: Necesito ese empleo, Max, ¿comprendes? Tengo que probarme a mí mismo que todavía valgo algo, que alguien puede confiar en mí, que me dirijo hacia alguna parte. Necesito conseguir ese empleo, ¿comprendes?

MAX: Comprendo.

JEROME: ¿Vas a darme trabajo en la C. B. Jackson, sí o no?

MAX: ¿Es un ultimátum?

JEROME: No, no lo es.

MAX: ¿Tratas de exigir algo?

JEROME (*Impaciente.*): ¡No, no trato de exigir!

MAX: Entonces me lo vas a pedir amablemente. Me lo vas a pedir por favor.

JEROME: De acuerdo, Max, te lo pido amablemente. Te lo pido por favor.

MAX: Siendo así, trataré tu caso ante el consejo.

JEROME: ¿El consejo para un encargado de la limpieza?

MAX: Claro que mi recomendación sería decisiva... Te diré lo que vamos a hacer: te consigo ese empleo si me lo pides más que amablemente. Si me lo suplicas.

JEROME (*Después de una pausa.*): ¡Está bien, Max, está bien! Necesito ese empleo. Te lo suplico.

MAX (*Ríe.*): ¿Me lo suplicas?... Es cómico. Me lo suplicas.

JEROME: No reías así el primer día, cuando cortaste el cable eléctrico para atraerme aquí, para atraparme.

MAX: ¿Atraparte, yo? ¿Y para qué iba a querer atraparte?

JEROME: No reías cuando llamé y se oyó la dulce campanita y fuiste a abrir, tan amable...

MAX: Era amable porque necesitaba que arreglaras ese enchufe. Pero ahora eres tú el que necesita de mí. El secreto consiste en hacer que los demás necesiten de nosotros: que nos necesiten hasta el grado de la súplica... Bien, te conseguiré el empleo. ¿Conforme? ¿Qué se dice?

JEROME: Gracias, Max, te lo agradezco.

MAX: Así estamos de acuerdo. Y ahora, yo también quiero pedirte un pequeño favor. A mí no me molesta que me hagan favores... (*Se desata el zapato.*) Sucede que se me desató el zapato.

JEROME: ¿El zapato?

MAX: ¿Quieres atármelo?

JEROME: De manera que tengo que atarte los cordones de los zapatos.

MAX: Podría atármelos yo. Pero ya que se trata de hacernos favores el uno al otro...

JEROME: Crees que me tienes en tus manos. Pero ten cuidado, Max.

MAX: ¿Yo? ¿Que yo tenga cuidado?

JEROME: Puedo no necesitarte. Puedo prescindir de ti.

MAX: Pues prescinde, muchacho. Prescinde.

JEROME: ¡Está bien, levanta el pie! ¿No puedes levantar el pie?

MAX: ¿No puedes tú arrodillarte?

JEROME: ¿Qué pretendes?

MAX: ¿Yo? Nada. No pretendo nada. Un favor se hace completo, ¿no?... Gracias, muchacho: te doy las gracias por anticipado. (Jerome *duda. Se decide a arrodillarse para atarle el zapato. Max entonces se divierte escamoteando el pie de un lado a otro.* Jerome, *a cuatro patas, trata de atraparlo.* Stella *entra y ríe con* Max, *presenciando la escena.*) ¡Toma, perrito amaestrado, aquí está tu hueso!... Agujetas de zapato, empleo en la C. B. Jackson. ¡Peanuts, perrito amaestrado, perrito de circo! ¡Toma tu hueso!...

STELLA: ¡Tu hueso, perrito, alcánzalo, atrapa tu hueso!... (Jerome *consigue asir el zapato y atar los cordones.*)

MAX: ¡Lo atrapaste, muchacho, lo atrapaste!

STELLA: ¡Perrito amaestrado! (*Ríe con* Max.)

JEROME: No debí haberlo hecho. ¡No debí haberlo hecho!

MAX: ¿Tu número de circo? ¿Por qué no? Te salió muy bien. Me parece que los empresarios no supieron apreciar tu talento. En realidad, habrías hecho un buen perrito, quiero decir, un buen equilibrista.

STELLA (*Ríe.*): ¡Cacahuates!... ¿Y qué opinaba

Kate de ese empleo, Jerome, ella qué opinaba de tu empleo en el circo?

JEROME: Nada. Ella no opinaba nada.

MAX (*Con burla.*): Seguro que no. Ella lo amaba. ¡Y Jerome la amaba también!

JEROME: Sí, la amaba.

MAX: ¿Y qué fue de ella?

JEROME: Y la amo todavía. ¿Lo oyen? Amo el recuerdo de Kate.

MAX: ¿Su recuerdo? ¿De manera que murió?

JEROME: ¿Se dan cuenta? Yo tengo capacidad de amar, todavía. ¿No es maravilloso? Me voy de aquí ahora mismo.

MAX: ¿Te vas? Sin embargo, perteneces a este lugar.

STELLA: Eres como nosotros.

JEROME: ¡No! Yo no soy como Max y Stella. Yo no voy a ser como ellos.

MAX: Sin embargo, no era precisamente "amor" lo que sentías en la guerra. Disparabas por el placer de matar.

JEROME: ¿Matar? ¿Placer? Eran sólo rostros... Bultos sin nombre de la guerra.

STELLA: Eran hombres como tú. Estabas consciente de lo que hacías.

JEROME: Bultos uniformados que quedaron en los campos un día, al amanecer, quedaron en el suelo en posiciones grotescas... La luz de la mañana les fue iluminando los rostros, ¿comprendes, Max? Stella, ¿comprendes? Los fue iluminando poco a poco, como un reflector que alguien graduara. Hasta que los rostros fueron máscaras resplandecientes. (*Ríe.*) Resplandecientes y sin vida, sólo que tenían ojos de muerto... (*Serio.*) En los campos un día, con los ojos abiertos...

MAX (*A* Stella.): Pobre muchacho. Sufre, indudablemente.

STELLA: Sus recuerdos lo atormentan.

JEROME: Eran ellos o yo. Ellos tuvieron su oportunidad... (*Ríe, nervioso.*) Tuvieron su oportunidad y ahora todos están muertos... Sacos y más sacos llenos de rostros de soldados muertos. Yo tengo que atar cada saco con una cuerda para que ningún rostro se escape, rodando por el suelo. Siempre hay más sacos que atar: se multiplican los sacos. Yo tengo que darme mucha prisa en atarlos y por más prisa que me doy siempre hay más. Más rostros para llenar más sacos que me acorralan, no me dejan mover, me sepultan, me invaden... (*Ríe.*) A través de los sacos, todos los rostros me miran... (*Serio.*) Kate no tenía los ojos abiertos... Cuando me llevaron al lugar donde ella estaba, el lugar donde tenían su cuerpo, ella no me miraba, ella no me echaba la culpa... (*Ruido del metro que se acerca. Sólo* Jerome *lo oye. No quiere que llegue.*) ¡No! ¡No!... (*El ruido aumenta.* Jerome *grita.*) ¡Kate! (*El metro se aleja. Una pausa.*) Se tiró al subway de Christopher Street. Hacía tiempo que yo no la veía, pero fue como si la hubiera empujado bajo las ruedas. Kate se tiró al subway porque yo no quería ya nada con ella. Cuando fueron a avisarme, esa sensación de culpa, ese dolor, más aún que por la muerte de Kate por la culpa. Sí, fue culpa mía. Y ahora nada la salvará. Y ahora está muerta.

MAX (*Feliz de su hallazgo.*): ¡Muy bien, Jerome: fue culpa tuya! Eso es lo que queríamos oírte decir.

JEROME (*Lejos de la realidad.*): Está muerta...

MAX (*Divertido.*): Desarmar el juguete lentamente... Dominar a un hombre hasta anular en él toda resistencia, toda fuerza de voluntad. Placer del que sólo pueden disfrutar los privilegiados... Resulta que el mecanismo nos reservaba sorpresas, tenía engranajes ocultos... Pero la aventura consiste en avanzar en el subconsciente hasta encontrar la verdadera causa del miedo del hombre. Avanzar hasta descubrir a partir de quién o a partir de qué en ese subconsciente la lucha se efectúa... (*Ríe.*) Yo investigaba en el placer de matar. (*Feliz.*) ¡Y di con la muerte de Kate!... (*Cariñoso.*) Ven aquí, Jerome... ¡La pobre Kate!... Pero nosotros vamos a ayudarte. (*Firme.*) Sólo que tendrás que obedecer en todo, de ahora en adelante. Obedecer sin discutir, ¿entiendes?

STELLA: ¿Lo oyes, Jerome? Obedecer.

MAX (*Cariñoso.*): Estás enfermo, Jerome. Acércate. (*Sin mirarlos,* Jerome *se acerca. Sigue ausente.* Max *adelanta una silla.*) Aquí tienes una silla.

STELLA (*A* Jerome.): Obedecer en todo, de ahora en adelante.

MAX: Obedecer siempre. Para empezar, vas a sentarte como un niño bueno. (*Autoritario.*) ¿Lo oyes? (*Cariñoso.*) Aquí está tu sillita. Siéntate. (Jerome *no se mueve.* Max *ordena, autoritario.*) Dije ¡siéntate! (*Despacio, como pelele,* Jerome *se sienta.*)

ACTO TERCERO

MAX *lee.* Stella *cose.* Jerome *desenrolla el cable eléctrico del primer acto.*

MAX (*Fingiendo leer en voz alta, inventa.*): "El cuento del hombre embotellado." Érase que se era un respetable caballero que vivía dentro de una botella y que invitó a un amigo a visitarlo. El caballero era tan generoso que le permitía al amigo hacer el amor con la estatua de una blanca princesita virgen que tenía, para su recreo personal, en su cuarto. Pero una mañana se marcha y se lleva la llave, dejando encerrado al otro que se ve ridículo golpeando el vidrio de las paredes sin poder escapar. Día y noche golpea. El hombre encerrado muere. Se pudre. Lo devoran los gusanos. Pasan los años y desaparece: de él no queda nada. Y cuando regresa el dueño de la botella ve que está vacía y sonríe complacido. Y la devuelve a su repartidor de refrescos.

JEROME: Se tomó demasiado trabajo. Le bastaba con echar al otro de casa.

MAX (*Confidencial.*): En realidad eso fue lo que hizo.

STELLA: Es un cuento muy bueno.

JEROME: ¡Conmovedor! Papá Max lee y la putita cose.

MAX: De un tiempo a esta parte se está volviendo chistoso.

STELLA (*A Max.*): Ahora se da el lujo de hablar como tú.

JEROME: Dos meses. El ex electricista, para entretenerse, desenrolla el cable eléctrico. (*Lo enrolla.*) Y vuelve a enrollarlo.

STELLA: Dos meses y una semana. Pero esta vez no quise hacerle pastel de cumpleaños.

MAX (*Impaciente.*): Si has terminado con ese cable puedes llevártelo a la cocina.

JEROME (*Irónico.*): Obedezco. (*Sale.*)

STELLA: Creo que yo también terminaré después. (*Guarda la costura y suspira.*) ¿No es una lástima? Hoy en día ya a nadie le interesa el punto de cruz.

MAX: Seguir sin empleo lo tiene mal de los nervios.

STELLA: Está muy extraño.

JEROME (*Entrando.*): Otra vez los tres en casita. ¡Qué ternura!

MAX: Está inaguantable.

JEROME (*En mundo aparte, ríe, nervioso.*): No puedo, Kate, yo no soy un héroe... Me temo que no voy a elegir el camino del bien precisamente.

STELLA (*A Max.*): ¿Qué dice? ¿Con quién habla?

JEROME (*Ríe.*): Es que por las noches, después de hacer el amor, Kate me leía historias de héroes mitológicos.

MAX: ¿Qué te parece, mi pequeña? Podríamos probar.

STELLA (*A* Max.): ¿Leerte historias después de hacerte el amor?

MAX: Ya ves: siempre se aprende algo nuevo.

JEROME (*A* Stella.): Podrías leer para los dos. Sería más divertido. Y yo también quiero divertirme. Ahora me toca a mí reír.

MAX: ¡Quién lo hubiera dicho! El muchacho se vuelve ambicioso.

JEROME: Reírme de Max, por ejemplo.

STELLA: ¿Reír tú de Max? Imposible.

JEROME (*Llevándose a* Stella.): Mi pequeña Stella, ¿sabes lo que hago contigo?

STELLA (*A* Max.): ¿Te das cuenta? Me llamó "mi pequeña Stella".

JEROME: Te llevo donde Max tiene todos esos libros que nunca lee. Elijo el más grueso... éste. Y te meto dentro. Ahora lo cierro. ¡Así! (*Cierra el libro con gran ruido, en las narices de* Stella.) ¡Quedaste atrapada!

MAX: ¡Es suficiente! Terminó la farsa.

JEROME: Muy bien. Terminó.

STELLA (*A* Jerome, *muy digna.*): Voy a arreglarme el rímel. (*Sale. Un silencio.*)

JEROME: Y, sin embargo, hace unos días aún había esperanza para mí.

MAX: Sí. Hace unos días aún "amabas" el recuerdo de Kate. Pero lograste que ella se tirara al subway.

JEROME (*Seguido.*): Hace unos días yo aún sentía nostalgia por mis amigos, los cargadores de los muelles. (Max *ríe.*) Buenos muchachos, Max, no te rías. ¿Conoces a alguno de los cargadores?

¿Te has dado una vuelta por los muelles alguna vez, temprano por la mañana?

MAX: Jamás me acerco a los muelles. Yo llevo una vida higiénica. Temprano por la mañana sigo ante la televisión mi clase de gimnasia.

JEROME (*Ríe.*): ¡Su clase de gimnasia! ¡Jamás se acerca a los muelles!... Embebido, desde su más tierna infancia, en todo el esplendor del "american way of life" que ya, desde que nació, le vendió a su mamá sábanas que no se planchan.

MAX (*Irónico.*): ¿Ahora te da por la "crítica social"?

JEROME: Higiénico y aséptico. En una palabra: desechable. Hoy en día todo es desechable, Max. Hasta los ciudadanos, a veces.

MAX (*Irónico.*): Y yo soy un ciudadano desechable.

JEROME: Puedes juzgar por ti mismo. (*Anuncia.*) ¡El ciudadano desechable! (*Asume el papel.*) Escucho con curiosidad estimulante la sirena de la ambulancia cuando viene a llevarse a la del quinientos tres que se ahogó en la tina de baño. Voy por la calle con los bolsillos llenos de cuchillitos afilados: al que se cruza en mi camino, disimuladamente se los clavo. Paseando, romántico, por Central Park, espero a que el policía no me vea y mato a tiros a esas estúpidas palomas. Mato a tiros a todas las estúpidas palomas que en el día encuentro. Firmo todo el día peticiones en favor de la fumigación de mis semejantes. Y regreso a casa con la satisfacción del deber cumplido. Me pongo las pantuflas y me siento ante la televisión como todo ciudadano respetable. (*Vuelve al papel de* Jerome.) ¿O desechable? (*Ríe.*) ¿No es cierto, Max? ¿No es cierto que el retrato se te parece terriblemente?

MAX: Ten cuidado. Entre mayor es la euforia inicial la depresión posterior resulta más angustiante.

JEROME: Sin embargo, no voy camino de la crisis final, Max, sino más bien del principio. He tomado una decisión.

MAX (*Con burla.*): ¡Tú has tomado una decisión!

JEROME: ¡Y pensar que luché desesperadamente porque no sucediera! (*Ríe.*) Llegue hasta a atarle los cordones de los zapatos. Estuve suplicándole... (*Serio.*) Pero después de suplicar me dediqué a algo más práctico. Ahora tengo armas en la mano. Y voy a utilizarlas.

MAX: ¿A qué armas te refieres? (*Burlón.*) ¿Tratas de amenazarme?

JEROME (*Ante la ventana.*): El reloj es inocente. El reloj no tiene nada que ver en esto. Obviamente un reloj puede ser objeto de muy distintos enfoques. Un reloj o una vida. O la anatomía de una conciencia. O una taza de té... (*Serio.*) Creer en Dios quizás me salvaría... Me salvaría pero no creo... De modo que nunca más el jazz. Nunca más Kate... (*Ríe.*) Es como si estuviera diciendo adiós a la vida antes de colgarme.

MAX: Definitivamente se trata de una crisis. (*A* Stella, *que entra.*) ¡Ah, mi pequeña Stella, el rímel te quedó perfecto!

STELLA (*Pestañea.*): ¿De veras, querido? ¿Y Jerome qué opina? (*Pestañea para él.*)

JEROME: ¡Jerome inicia el ataque! Vamos a ver, Max, cuéntanos cómo conseguiste echar a F. F. Higgings para quedarte con su puesto.

STELLA (*Escandalizada.*): ¡Jerome!

MAX (*Irónico.*): ¿Echar a F. F. Higgings?... Yo no lo eché.

JEROME (*Irónico.*): ¿No?

MAX: F. F. Higgings —una vida al servicio de la empresa, honorabilidad impecable y esas cosas— cometió una estafa. Que yo descubrí. Pero no lo eché yo, sino el consejo.

STELLA (*A* Jerome.): Mientras F. F. Higgings estaba de viaje.

JEROME: Al regresar se llevó la gran sorpresa. Se encontró con que habían nombrado a Max en su lugar.

MAX: Ahora hay un proceso contra el pobre hombre.

JEROME: ¿Cómo lograste que el consejo se reuniera en ausencia del jefe para dar tu pequeño golpe de Estado?

MAX: Ni tan pequeño. En la C. B. Jackson hay algunos millones de por medio.

STELLA: Max es muy inteligente.

MAX: Seguro que sí. Soy blanco, sajón y protestante. Es decir: persona decente.

JEROME: Habrías hecho un político brillante.

MAX (*Entusiasmado.*): ¿Tú crees?

JEROME: Presidente de la Unión, por lo menos. Y

no de los que mueren asesinados: de los que se reeligen.

MAX: No hablemos de política, es de mal gusto.

JEROME: Y ahora que eres gerente no te puedes comprometer.

MAX: Estás adjudicándote un tono que no te corresponde... (*Ríe.*) Perdona, muchacho, pero lo único que consigues es hacerme reír.

JEROME: Puedes reír con confianza, Max, es muy cómico.

MAX: ¿A dónde tratas de llegar? ¡Suéltalo de una vez!

JEROME: Muy cómico... Pero el que atesora bolitas de mierda... el que las atesora después tiene que vigilar que nadie se las arrebate.

STELLA (*Ríe.*): Bolitas de mierda...

JEROME (*A* Max.): Y, vigilando, vigilando, te vuelves esclavo de ellas. Es decir, esclavo de otros coleccionistas que quieren quitártelas.

MAX: Bolitas de mierda... Coleccionistas... ¡Qué ingenioso!...

JEROME: ¿De veras te parezco ingenioso, Max, mi anfitrión, mi maestro, mi hermano?

MAX: ¡De prisa! Termina con lo que tengas que decirme.

STELLA: Con Max no vas a poder, Jerome.

JEROME: La increíble manita blanca... Max le hizo esta pequeña señal... (*Divertido.*) Jane, que no supo ejercer honestamente su oficio de prostituta y se prostituyó deshonestamente convertida en Stella. (*A* Max.): Y el gran Max, que no llega a lo máximo en nada. No llega a sádico, no llega a homosexual, no llega a culto, no llega a asesino declarado.

MAX: ¿Y cómo sabes tú hasta dónde llego? ¿Qué sabes tú de mí?

JEROME: Pero no lo subestimemos: resulta de cuidado. Cínico, egoísta, mezquino, hipócrita, advenedizo, arribista, falsocreyente y, por supuesto, desmesuradamente ambicioso. (*Divertido.*) ¡Todo un hijo de su puta madre!

MAX (*Risita forzada.*): ¡Eso sí! ¡Eso es muy cierto!

JEROME: Todo un tipo, ¿no? ¿O digamos, mejor, un arquetipo? ¿Somos todos arquetipos en la sociedad enajenante?... Resultantes, productos, residuos de la sociedad... ¿Tres en el piso 16 o millones en el mundo?... Historia, esta nuestra, muy interesante para la C. B. Jackson.

STELLA: ¿Para la C. B. Jackson? ¡Ah, bárbaro!

MAX: Puedes contarles lo que quieras a los de la C. B. Jackson. Ellos también tienen sus pequeñas... aventuras.

JEROME: Pero tu pequeña aventura está instalada en tu casa. Estamos instalados. En cambio F. F. Higgings vive con su anciana madre.

MAX: ¿Cómo lo sabes?

JEROME: Y la muy anciana madre de Max está en un asilo. Desde luego que nada hay de malo en ello. Al fin y al cabo, los asilos se han hecho para las ancianas madres.

MAX: ¿Has estado investigando mi vida?

JEROME: Pensé hacerlo. Pero me di cuenta de que con las pruebas de lo que pasa aquí es más que suficiente.

MAX: ¿Pruebas de lo que pasa aquí?

JEROME: Yo no retraté a Stella en traje de novia. Preferí tomarla desnuda y contigo.

STELLA (*A* Max.): ¡Qué horror, querido, nos está haciendo chantaje!

JEROME: Sólo a Max, mi pequeña.

MAX (*A* Jerome.): No está mal. ¡Pero mientes!

JEROME: Y no sólo fotos. Cintas grabadas de nuestras conversaciones en esta casa. Un Watergate completo.

STELLA: Con razón, Max... Con razón cada día se iba pareciendo más a ti.

JEROME (*A* Max.): Los documentos están a tu disposición.

MAX: Suponiendo que lo que dices fuera cierto, eso no bastaría para hacerme perder mi puesto. Mi vida privada nada tiene que ver con mi trabajo.

JEROME: Al contrario: la vida privada del gerente general de la C. B. Jackson Corporation tiene mucho que ver con su trabajo. Pero además podemos hablarles de tu vida pública. (*Agresivo.*) Por ejemplo, qué sucedería si llegaran a descubrir que F. F. Higgings no cometió esa estafa. Si llegaran a descubrir que fuiste tú.

MAX: ¿Yo? No sabes lo que dices.

JEROME: Falsificaste la firma de F. F. Higgings y alteraste los libros de contabilidad para embolsarte el dinero.

STELLA (*Escandalizada.*): ¡Max! ¡Tú hiciste eso!

MAX: De manera que el engendrito neurótico, mi pequeño amigo ex electricista-ex soldado-ex probador-de-todos-los-oficios-actualmente-sin-empleo, cree que va a poder con el gerente general. ¿Y piensas que eso es fácil?

JEROME: No, no es fácil. Me ha costado más de un mes reunir las pruebas.

MAX: ¡Ve por tu caja de herramientas y lárgate! (Jerome, *sonriente, no se mueve.*) ¿Qué clase de pruebas?

JEROME: Efectivas, por suerte. Me las dio la señorita O'Connor. Ella y yo nos entendemos muy bien.

STELLA (*Escandalizada.*): ¡Así que me eres infiel con la señorita O'Connor!

JEROME: Nuestro pequeño vodevil progresa. No lo vas a creer, Max, pero todo empezó frente a la puerta de tu despacho, haciendo antesala para que me recibieras. En fin, no te lo reproches, son cosas del destino. Toma: los datos verdaderos de los libros.

MAX: No puede ser. Destruí estos papeles.

JEROME: La señorita O'Connor te vio y logró reconstruirlos. Fotostáticas, desde luego: conservo los originales. Peligrosa, la señorita O'Connor... Y a ti podrían mandarte a la cárcel. (*Ríe.*) ¿Te imaginas? En la cárcel Max, el caballero tan sensible a todas las comodidades, a determinadas luces, a ciertos ambientes... tan sensible al claroscuro de las habitaciones y a las persianas entreabiertas... ¿Te imaginas, Max en la cárcel?

STELLA: ¡Max en la cárcel! (*A* Jerome.) ¿Tú lo lograrías, querido?

JEROME: ¡Claro que lo lograría! ¿No es cierto, Max?

MAX: No sé... No me parece necesario llegar a esos extremos... Estoy seguro de que todo puede arreglarse.

JEROME: De ti depende.

MAX: Podemos discutirlo con más calma.

JEROME: No hay nada que discutir. Lo que quiero es divertirme. Aplaudir yo también un numerito de circo. Circo de verdad, no como mi chistecito con el zapato. Esta vez, Max, tú serás la estrella. ¿Te gusta la idea? Tiene que gustarte. ¿Acaso no has querido siempre ser la estrella, tú, el gran paranoico?

MAX: Sí. Siempre he querido ser yo la estrella. Y siempre lo he conseguido.

JEROME: Entonces estamos de acuerdo. Stella, ve a poner este disco. Lo sueltas cuando te avise.

STELLA: Lo que tú digas. (*Va poner el disco.*)

JEROME: Quien baila el último baila mejor, Max. Encontré un excitante solo de batería y lo tenía guardado especialmente para ti. Es algo único para que bailes. ¿Comprendes? Ahora vas a bailar un poco.

MAX: ¿Bailar?... ¿Yo? (*Ríe.*) ¡Que ocurrencia!

JEROME (*Ríe.*): ¡Qué ocurrencia, verdad, qué ocurrencia!... (*Autoritario.*) ¡Bailarás, lo oyes!

MAX (*Sin perder la calma.*): Aceptaría con mucho gusto. Pero no sé bailar.

JEROME: Te diré lo que vamos a hacer. Subes a esa silla y de ahí a la mesa... Con cuidadito, en atención a tu edad. Subes a la mesa y Stella suelta el disco y tú bailas, ¿comprendes? Bailas ahí arriba y tu público te admira. (*Anuncia.*)

¡La estrella de la noche en su show único, internacional!... Señoras y señores: ¡El gran oso Max!

MAX (*Enojado.*): Y he aquí su frustrada vocación de payaso de feria.

JEROME (*A* Max): Un oso siempre es más grande que un perrito, ¿de acuerdo? Ocupa más espacio, por lo menos. (*Autoritario.*) ¡Vamos, qué esperas! El público aguarda. Sube a la mesa.

MAX: ¡Basta ya! ¿Qué estupideces son éstas?

JEROME: No pongas esa cara... Un poco más de sentido del humor. Sube a la mesa y baila, te lo pido amablemente. (*Burlón.*) Te lo suplico... (*Agresivo.*) ¿Lo oyes? ¡Sube a la mesa! (*A empujones, lo obliga a subir. Max está muerto de miedo, Jerome ríe.*) Un poquito de violencia no viene mal, de vez en cuando. Muchas discusiones pueden abreviarse mediante la violencia. (*Fuerte puñetazo sobre la mesa. Ríe y anuncia.*) ¡Y aquí está ya! ¡El gran oso en su número estelar! (*A* Stella.) Sale el disco.

STELLA: En seguida. (*Pone el disco. Empieza la batería.*)

JEROME (*Agresivo.*): ¡Vamos, no oyes la música! ¡Baila!

MAX (*Aterrado y ridículo, da unos pasos tratando de llevarle al otro la corriente. Ríe.*): No puedo... Te digo que no sé bailar.

JEROME: Es muy fácil: yo te enseñaré. (*Se quita el cinturón y da latigazos sobre la mesa, junto a los pies de* Max.) ¡Vamos, mueve los pies! Lo único que tienes que hacer es mover los pies...

El gerente general en acción. (*Latigazo.*) ¡Muévete!... Eso es, ya vas aprendiendo... ¡No te detengas! ¡Levanta esos pies! ¡De prisa, lo oyes! ¡De prisa! (*La música es cada vez más rápida y más frecuentes los latigazos.* Max *acelera.*) ¡Eso es!... ¡Muy bien!... ¡No te detengas!

STELLA: ¡Muy bien, Max, lo estás haciendo muy bien!

JEROME: ¡No te detengas! ¡De prisa! ¡Baila! ¡Baila más! (Max *mantiene un ritmo desenfrenado.*)... ¡Ahora salta, lo oyes! (*Anuncia.*) ¡El gran oso termina con un salto mortal! (*A* Max.) ¡Al suelo, lo oyes! ¡Salta, Max! ¡Salta! ¡Salta! ¡Salta! (*Con la música que termina en clímax,* Max *salta. Cae al suelo, jadeante.* Jerome y Stella *ríen.*)

STELLA (*A* Max.): Estuviste de apoteosis.

JEROME: Y a continuación, el azúcar. Para los ositos buenos y los gerentes diabéticos, nada como un poco de azúcar... Toma: te guardé un sobrecito. (*Imponiéndosele por la fuerza.*) No es necesario que te molestes en quitarle el papel. Trágatelo.

MAX (*Con rabia, pero apenas puede hablar.*): Déjame, suéltame...

JEROME: Dije ¡trágatelo! (*Lo obliga a engullir el sobre.* Max *jadea lastimosamente.* Jerome y Stella *se desternillan.*)

JEROME: ¡Bravo! ¡Bravo, Max!

STELLA: El rey ha muerto. ¡Viva el rey! (*Ríen. Una pausa. Poco a poco,* Max *se recupera.*)

MAX: El organismo humano es susceptible de al-

terarse con mucha facilidad. Pero una mente
fuerte todo lo equilibra... (*Logra ponerse en
pie.*) Unos minutos tan sólo... Perdí el control
pero fue sólo por unos minutos... Ya pasó. Terminó. Lo olvidamos.

JEROME: Me temo que no vamos a poder olvidarlo todavía.

MAX (*Cada vez con mayor control.*): ¿Lo ves, mi
pequeña? Las cosas vuelven a su curso normal.
Soy el mismo Max de antes. El mismo Max de
siempre.

JEROME: Pero yo no soy el mismo Jerome. Y no
voy a conformarme con el circo. En el fondo,
Max, tú resultaste un romántico.

STELLA: ¡Max romántico!

JEROME: Yo voy a necesitar algo más real, más
concreto. Después de todo esos datos que tengo
en mi poder valen lo suyo, ¿no?

MAX: Está bien: valen lo suyo. Dime cuánto quieres por ellos.

JEROME: ¿Cuánto?

MAX: Fija tu cantidad.

JEROME (*Irónico.*): Es cierto, eres rico. Tienes mucho dinero... El tuyo y el de la C. B. Jackson.

MAX: No vas a decirme que no quieres dinero.

JEROME: Precisamente: lo quiero. Pero el dinero
suele terminarse demasiado pronto. Y cuando se
termina hay que reponerlo. Por eso lo que yo
necesito no es una "cantidad", sino algo más
estable. Algo con miras al futuro.

MAX (*Irónico.*): ¿Es decir?

JEROME: Es decir que esa sección de los encarga-

dos de la limpieza no acaba de convencerme.
Prefiero un puesto que requiera un poquito más
de responsabilidad en la C. B. Jackson. Digamos
que me nombras algo así como... asesor. Eso
siempre está bien pagado.

MAX (*Irónico.*): ¿Asesor? ¿Nada más?

JEROME: Me nombras y te ayudo a arreglar esa contabilidad.

MAX: Tendré que pensarlo.

JEROME (*Mostrándole las fotostáticas.*): ¡No estás
en condiciones de pensarlo! Decides ahora mismo.

MAX: Asesor. ¿No te parece un tanto exagerado,
dadas tus "facultades"?

JEROME: Decides antes de que sea demasiado tarde.

STELLA (*A* Max.): Me parece que sería mejor que
lo nombraras, querido.

MAX: Desde luego. No tengo otro interés que el
de arreglar las cosas amistosamente.

JEROME: ¿Aceptas, entonces?

MAX (*Recalcando.*): Acepto con mucho gusto.

JEROME: ¡Magnífico, magnífico!... Desde luego,
conservo las pruebas en mi poder. En espera de
que se firme mi nombramicnto.

MAX: Se firmará.

JEROME: Iré mañana a la oficina para que me pre-
sentes a nuestros colaboradores.

MAX: Puedes ir cuando quieras.

JEROME (*Divertido.*): Esta vez me recibirás. Me
anunciaré con la señorita O'Connor.

MAX: La señorita O'Connor, sí... Esta vez te recibiré... Bueno, pues trato hecho, muchacho. (*Le tiende la mano.*)

JEROME: Trato hecho. (*Sale, sonriendo.*)

MAX: ¡No me ha vencido! Lo nombro todo lo que quiera pero nó me ha vencido. ¿Te das cuenta? Él tiene unas pruebas de mierda pero yo, mi cerebro. El muchachito se inspiró en Max, ¿no es cierto? Es mi criatura. Yo le enseñé a dar sus primeros pasos y yo voy a hacerlo retroceder hasta el principio.

STELLA: De manera que no tenemos nuevo rey.

MAX: Ni mucho menos, mi pequeña, ni mucho menos.

STELLA: Estar al día de esta situación va resultando difícil.

MAX: ¿Desde cuándo Max hace las cosas a medias? El asesinato, eso sí me falta. Pero tampoco me parece una laguna irremediable. (*Ríe.*) La basurita me acusa de romántico. ¡Yo voy a enseñarle quién es el iluso! (*Despectivo.*) No soporto a los principiantes.

STELLA (*Suspira.*): No sé qué daría por saber cómo va a terminar esto. (*Sale.*)

MAX: ¡Qué sabe él de cómo se maneja la C. B. Jackson! Será "asesor". Y si de firmas se trata, lo haré rubricar su propia sentencia. (*Feliz de su descubrimiento.*) ¡Ahora es cuando el caso Jerome vale la pena! Pero esta vez, cuando termine con él será para siempre. (*Suspira, falso.*) ¡Lástima! Había llegado a quererlo como a un hijo. (*Entra Jerome y lo encuentra pensativo.*)

JEROME (*Irónico.*): ¿Triste?

Max (*Divertido.*): Sí. Pensaba en que había llegado a quererte como a un hijo. Con un amor hasta cierto punto... incestuoso. La verdad es que entre tú y yo nunca hubo nada... físico. Pero sí mental. Lo cual puede llegar a ser mucho más fuerte, más definitivo, estarás de acuerdo.

Jerome (*Cínico.*): Más definitivo, indudablemente.

Max: Es lo único que quería precisar.

Jerome (*Burlón.*): ¿Debo tomarlo como una "declaración de amor"?

Max: Más bien como una declaración de principios. (*Ríe.*) Esta noche nuestra querida Stella se acuesta conmigo, si mal no recuerdo. (*Sale.*)

Jerome (*Divertido.*): ¡El muy puerco!

Stella (*Entrando.*): ¿Te refieres acaso a papá Max?

Jerome: Mi pequeña Stella, ¿qué te parecería llamarte Samantha?

Stella: ¡Samantha!

Jerome: Trato de encontrar un nombre menos "angelical" que Stella. ¿Qué te parecería llamarte Samantha y vestirte de rojo escarlata?

Stella (*Feliz.*): ¡De rojo escarlata! El color me favorece.

Jerome: Entonces queda aprobado.

Stella: Tienes una pícara mirada, mi querido Jerome. Me gusta más esta pícara mirada de ahora que la que tenías antes. Por una mirada como ésta sería yo capaz de bajarme del tren antes de llegar a Oklahoma City.

Jerome: Pero no de enamorarte.

Stella: Pero no de enamorarme. (*Ríen. Un si-*

168

lencio.) Sí, Stella era peor que Jane. (*Otra vez alegre.*) No me arrepiento. Samantha será peor todavía. Le diré a Max que quiero cambiar de nombre.

JEROME: No necesitas decírselo a Max. Con mi autorización será suficiente, de ahora en adelante. . . Todos me manejaron siempre. ¡Pero ahora a Max voy a manejarlo yo! ¡Voy a terminar con él!

STELLA (*Sexy.*): ¿Y quién terminará con Jerome?

JEROME (*Divertido.*): Mi pequeña Samantha, a quien yo habría podido amar. . .

STELLA (*Sexy.*): Jerome es muy inteligente.

JEROME: "El placer de dominar." Lo he probado y me gustó tanto que voy a saborearlo siempre.

STELLA: ¿Siempre? ¿Crees que podrás?

JEROME: Le tengo el pie al cuello y no lo suelto. Yo voy a destruir al viejo exquisito. No me quedo a medio camino. Para empezar, voy a ser yo el gerente general. Y también el dueño del departamento.

STELLA (*Lo abraza.*): ¿Sabes que lo que me estás diciendo es muy interesante?

JEROME: Por supuesto que podré. Hay que tomar modelo de los que aquí habitan y superarlo. Ser más sinvergüenza que Max y tener por lo menos la misma capacidad de prostitución que tú. Okey, es lo que he estado haciendo. Es lo que voy a seguir haciendo.

STELLA: Llegar a esto te ha de haber costado mucho.

JEROME (*Serio.*): Sí. Me costó renunciar.

STELLA: Te salió caro ¿no?

JEROME: Muy bien, me salió caro. Estoy consciente de ello. Pagué el precio. ¡Elegí renunciar!
(*Serio, para sí.*) Uno puede renunciar a amar
tomando una decisión simplemente. Una mañana, en un campo en la guerra. Una noche, en un
departamento de lujo... (*Divertido, a* Max *que
entra.*) ¿Oyes esto, Max? Renuncié al "amor".
¡No, no me felicites! No vale la pena.

MAX: Te equivocas, mi querido Jerome. Sí vale
la pena. En el mundo muchos no han renunciado. Pero tú sí. Tú renunciaste a amar y per-
diste tu identidad en la aventura.

JEROME: ¿Mi identidad?

MAX: Ahora sí eres como nosotros. Ahora sí perteneces a este lugar.

JEROME (*Serio.*): Ahora sí. (*Un silencio. Pero
reacciona y ríe.*) ¿Y qué hay con eso? Ha dejado
de preocuparme. Ahora soy otro, ¿entiendes?

MAX: Entiendo perfectamente. Tú me hiciste bailar sobre una mesa pero yo inicié el proceso de
tu metamorfosis y te hice llegar hasta el final.
Yo te transformé en otro. Dime, muchacho,
¿cuál de los dos crees que ganó?

JEROME: El Jerome de antes habría dudado. El de
ahora te dice que te ha vencido y no retrocede.

MAX: Entonces mi triunfo es definitivo.

JEROME (*Irónico.*): ¿Tu triunfo?

MAX: Al Jerome de antes, en cierta forma, de una
manera hasta cierto punto inconsciente, alguna
vez casi llegué a envidiarlo... Quería irse de
aquí. Tenía capacidad de amar... Pero ya no.

Ahora has renunciado. Cruzaste por fin la barrera que yo dejé atrás hace. . . ¡tanto tiempo! Y ya no eres sino una mala imitación mía. Aquí se acaba lo mejor de tu personaje. Ahora yo soy el epónimo y tú mi caricatura.

JEROME: Muy interesante. Pero el vencedor no es remedo del vencido. Y el que gana siempre tiene razón. (*Irónico.*) La fuerza da la razón siempre.

STELLA: Yo quisiera decir algo. ¿Puedo opinar?

JEROME: ¿Opinar?

MAX: Qué extraño. Siempre prefiere escuchar.

STELLA (*Dulce.*): Yo sólo soy una mujer, sí, y los he estado escuchando. Pero resulta que estos cambios de situación han provocado en mí algo como. . . una toma de conciencia.

MAX (*Burlón.*): ¡Tú, una toma de conciencia!

STELLA (*Inocente.*): Mi sincera vocación por mi trabajo me impulsa a no conformarme con que otros decidan por mí. He pensado. . .

MAX (*Burlón.*): ¡Has pensado!

STELLA (*Sin perder su dulzura.*): Que podría ser dueña de mi propia prostitución.

JEROME (*Divertido.*): ¿Dueña de qué?

STELLA: No inclinarme hacia Max o hacia Jerome, según el curso de los acontecimientos, sino elegir yo a cuál de los dos prefiero.

MAX (*Ríe.*): ¡A cuál de los dos! ¡Elegir ella! (*A Jerome.*) ¿Qué te parece?

JEROME: Querida: tenernos a los dos contentos ya es bastante para ti.

STELLA: Sin embargo, mi toma de conciencia me

171

hizo descubrir que puede llegar el momento de sacar mis cartitas de debajo de la manga.

JEROME (*Divertido.*): ¿Tus "cartitas"?

MAX: ¿Y a quién vas a proponer tu juego? ¿A Jerome o a mí?

STELLA: A los dos. Creo que tengo material que puede interesarles a los dos.

MAX (*Feliz.*): ¡Chantaje, mi pequeña! ¡Vas a hacernos chantaje!

STELLA: Todavía no, queridos. Comprenderán que no voy a poner tan pronto mis cartas boca arriba. (*Les sonríe y sale.*)

MAX (*Ríe.*): Y yo que pensaba que boca arriba era su posición preferida.

JEROME (*Ríe.*): Ahora ella también tiene su palabrita que decir. El mal cunde.

MAX (*Feliz.*): He hecho proselitismo. ¡He creado toda una escuela!

JEROME: La hemos creado.

MAX: Sus "cartitas" bajo la manga... (*Ríe.*) Para lograr que la tome en cuenta habrá de mostrarme pruebas que valgan la pena.

JEROME: A mí también. En eso estamos de acuerdo.

MAX: ¿No es cierto? (*Ríen, cómplices.*)... Y si nuestra querida Stella se pone impertinente, podemos traer a otra.

JEROME: De la puerta de un hotel o de la banca de un parque, sí.

MAX: Da lo mismo.

JEROME: Da lo mismo. (*Ríen.*)

STELLA (*Entrando.*): ¿Hablaban de mí?

JEROME: ¡Whisky! Lo único que falta en la velada en familia es el whisky. (*Sale.* Max *lo sigue con la mirada. Después, a* Stella.)

MAX: Pero no te preocupes, querida. Abundan los electricistas. Después de todo, Jerome no es único en la ciudad de Nueva York.

STELLA (*Lo abraza.*): ¡Oh Max, querido Max! ¿Quieres decir que me traerías a otro invitado?

MAX: Quizás el próximo no sería tan amable contigo como lo fue Jerome.

STELLA: O quizás sería más amable.

MAX (*Con intención.*): De cualquier manera, tú mereces eso y más, Stellita.

JEROME (*Entrando con tres vasos de whisky.*): Soy muy previsor. Tenía los tragos preparados.

MAX: Brindemos por Jerome: para darle la bienvenida entre nosotros... ¡Felicidades, muchacho!

JEROME: ¡Gracias, mi viejo!

STELLA: Brindemos por el gerente.

JEROME (*Con intención, adjudicándose el brindis.*): ¡Por el gerente, mi pequeña Samantha!

MAX: ¿Samantha? ¿Dijo Samantha?

STELLA: ¿Eso dijo? ¿No es chistoso?

MAX (*Adjudicándose el brindis.*): De acuerdo: ¡por el gerente!

STELLA (*Choca su vaso con los dos, lo levanta y brinda sola.*): ¡Por el gerente! (*Beben.*)

MAX: Scotch and soda. Como el primer día.

STELLA: ¡Viejos tiempos!

JEROME: No precisamente como el primer día, Max. Ahora soy yo el que manda.

MAX: En fin, tienes esos papeles, sí... Eso no puedo negarlo.

JEROME: No te hagas ilusiones. He renunciado a todo estúpido escrúpulo de una vez y para siempre. ¿Te das cuenta? ¡Nada como el reloj eléctrico con sus grandes números encendidos! ¡Nada como el piso 16!

MAX: Mi querido Jerome, creo que lo lograste. Ahora sí eres como yo: ¡todo un hijo de su puta madre!

JEROME (*Ríe.*): Todo un hijo, sí... Ahora ya somos dos. Dos hijos de su puta madre. (*Ríen.*)

STELLA (*Dulce.*): Tres, contándome a mí.

JEROME (*Riendo cada vez más fuerte.*): Tres hijos de su puta madre.

MAX (*Riendo.*): Hijos de su puta madre los tres. (*Ríen los tres a carcajadas, ríen desenfrenadamente. De pronto, un silencio.*)

STELLA: ¿Y ahora?

MAX (*Serio.*): Ahora, entre nosotros. Entre iguales. Ahora es cuando el juego se pone interesante.

JEROME: Entonces, ¿empezamos?

MAX (*Aceptando el desafío.*): Empezamos.

STELLA: Si es el principio podemos ponerle música.

Cambia el disco. Romántica, surge la voz. "Love is a many splendored thing..." Stella, que en este final ha ido tomando fuerza, mira a los dos hombres mientras, enigmática, fuma con larga boquilla. Max y Jerome tienen sus vasos en la mano. Con

heladas sonrisas, en civilizadas actitudes de "cock-
tail party", los tres se observan. Nadie se mueve.
Sigue la esplendorosa melodía.

OSCURO

HISTORIA DE ÉL

(obra en 17 cuadros)

El tiempo aparente de *Historia de él* transcurre en cualquier gran ciudad del siglo xx. Es la biografía de un recorrido en ascenso, inexorable, vengativa, sórdida. En constante contrapunto están los seres que la rodean, los que se quedan a la mitad del camino o los que acompañan a él en el último peldaño.

Tiempo lineal y circular, es la historia de la ambición sin linderos y sin escrúpulos. Es ironía; es burla y tragedia. Al tiempo predestinado del personaje central le corresponde una multitud de personajes en constante transformación que alteran franqueza y violencia, hipocresía y denuncia.

Sin concesiones, yendo de la interioridad a la simulación —en una constante fuerza dramática—, las voces adquieren diversos tonos: oscilan de la sinceridad a la adulación, del fracaso a la rigidez. Así, las máscaras se adueñan del escenario. En *Historia de él* —tema universal, presente y de raíces antiguas— la ambición no termina: es apocalíptica.

Arturo Azuela

En esta obra Maruxa Vilalta encara otro tipo de realismo, distinto al que ya nos tenía acostumbrados. Esta pieza es una denuncia, una protesta, escrita sin el amor que uno suele sentir por lo que hace: es una obra escrita con un rechazo por las cosas que tiene que contar; escrita sin esperanza previsible.

Al mismo tiempo, Maruxa Vilalta plantea el tema del hombre (de los hombres) que renuncia al amor:

su triunfo, como el triunfo del protagonista de *Nada como el piso 16,* será en realidad su derrota. Sólo que en el caso de *Historia de él* la derrota de este hombre es prácticamente la de todo un pueblo que permite que el fraude, la inmoralidad, el engaño, la demagogia, la trampa, las complicidades culpables se hayan enseñoreado.

Usted podrá identificar a los personajes pero en el fondo importa muy poco el nombre que les dé; lo que cuenta es la exposición objetiva y crítica en miras a un mensaje constructivo.

MIGUEL GUARDIA

(De los programas de mano de la temporada de estreno en el Teatro de la Universidad.)

Historia de él obtiene el premio Juan Ruiz de Alarcón, de la Asociación Mexicana de Críticos de Teatro, a la mejor obra de 1978. En el mismo año gana también el premio del semanario *El Fígaro* a la mejor obra de autor nacional.

Historia de él se estrena en el Teatro de la Universidad de la ciudad de México, el 14 de julio de 1978, dirigida por la autora, con escenografía de Lydia Elizalde, musicalización de Luis Rivero, coreografía de Joan Mondellini y Nicole Rovere, asistente de dirección Gerardo Mechoulan y actuación de Javier Marc, José Luis Castañeda, Enrique Castillo, Juan Stack, Fernando Ferrer, Francisco del Toro, Gerardo Mechoulán, Laura Azpeytia, Margarita Castillo, Patricia Palestino y Marta Serret.

Una segunda temporada se presenta en el Teatro del Granero, con producción de José Hernández Díaz, la Universidad Nacional Autónoma de México y el Instituto Nacional de Bellas Artes. Estreno el 18 de enero de 1979 con dirección de escena de la autora, escenografía de Lydia Elizalde, musicalización de Luis Rivero, coreografía de Joan Mondellini y Nicole Rovere, asistente de dirección Gonzalo Yáñez Vilalta y actuación de Luis Miranda, Adalberto Parra, Enrique Castillo, Fernando Ferrer, Luis Mercado, Laura Azpeytia, Lucía Paillés y Suely Béchet.

The Story of Him se presenta en Nueva York en marzo de 1984 (Commons Theater), con patrocinio de la YWCA y del Departamento de Español de Drew University, New Jersey; grupo Threshold Theater Company, con dirección de escena de Pamela Caren Billig.

Entre las representaciones de *Historia de él* en ciudades de provincia, la temporada en Mexicali, Teatro del Estado, 1980, con el grupo Teatro Joven, de la Universidad de Baja California, dirigido por Miguel Cetto.

Entre las funciones con grupos no profesionales, la temporada en el auditorio del Bufete Industrial de la ciudad de México, en mayo de 1985, con dirección de escena de Alfonso Barclay.

Historia de él ha sido publicada por Difusión Cultural de la UNAM, Textos de Teatro núm. 12, México, 1979 (responsables de la colección Hugo Gutiérrez Vega y Ludwick Margules).

The Story of Him (traducción de Edward Huberman) fue editada asimismo por *Modern International Drama,* State University of New York at Binghamton, vol. 4, núm. 2, otoño de 1980.

Personajes

Los 88 están resueltos en el curso de la obra a base de 11 actores, 7 hombres y 4 mujeres. Para la segunda temporada en México el montaje se hizo con solamente 8 actores, 5 hombres y 3 mujeres. Con el gato no hay problema: nunca lo vemos. Aparecen:

EL LECTOR
ÉL
UN MENDIGO
DANZANTE PRIMERO
DANZANTE SEGUNDO
UNA DANZANTE
EL QUE BESA
LA QUE BESA
UN TRANSEÚNTE
UNA TRANSEÚNTE
EMPLEADO PRIMERO
(después ASISTENTE
PRIMERO)
EMPLEADO SEGUNDO
EMPLEADO TERCERO
LA QUE ESCRIBE LENTO
LA QUE LEE LA FOTONO-
VELA (después LA RES-
BALOSA)

UN CLIENTE
ASISTENTE SEGUNDO
DOS SECRETARIAS
ASISTENTE TERCERO
CUATRO NUEVOS
EMPLEADOS
DOS NUEVAS
SECRETARIAS
ACTOR PRIMERO
ACTOR SEGUNDO
ACTRIZ
ESTUDIANTE PRIMERO
ESTUDIANTE SEGUNDA
ESTUDIANTE TERCERA
ESTUDIANTE CUARTO
ELLA
EL AMIGO
DOS MESEROS
INDUSTRIAL PRIMERO

INDUSTRIAL SEGUNDO
INDUSTRIAL TERCERO
ABOGADO PRIMERO
ABOGADO SEGUNDO
ABOGADO TERCERO
DOS EMPLEADOS DE
  LA SUCURSAL
LA PERIODISTA
LA FOTÓGRAFA
EL MINISTRO
FUNCIONARIO PRIMERO
FUNCIONARIO SEGUNDO
EQUIS
LA VIDENTE
DOS HOMOSEXUALES
TRES PUTAS
UN NEGRO

UN NIÑO
LOS MÚSICOS (TRES
  Y EL NEGRO)
LA BAILARINA DE JAZZ
LAS PERSEGUIDAS (tres)
EL PERSEGUIDO
LOS DE LAS
  METRALLETAS (tres)
LOS CIUDADANOS (cinco
  hombres y tres
  mujeres)
LOS DE LAS MÁSCARAS
  (seis hombres, entre
  ellos EL LECTOR, y
  tres mujeres)
UN LOCUTOR
UNA NIÑA

Para el estreno en el Teatro de la Universidad los
personajes se repartieron así:

ACTOR PRIMERO: Él.
ACTOR SEGUNDO: Mendigo / Empleado (después Asistente primero) / Nuevo empleado / Actor / Industrial / Abogado / Ministro / Equis / Homosexual / Músico / Perseguido / Cuidadano / Máscara.
ACTOR TERCERO: El que besa / Asistente tercero /
  Amigo / Industrial / Abogado / Funcionario / La
  vidente / Primero con metralleta / Ciudadano /
  Máscara.

ACTOR CUARTO: Danzante / Empleado / Nuevo empleado / Estudiante / Mesero / Empleado de la sucursal / Negro / Ciudadano / Locutor / Máscara.

ACTOR QUINTO: Danzante / Empleado / Asistente segundo / Nuevo empleado / Estudiante / Industrial / Empleado de la sucursal / Niño / Músico / Tercero con metralleta / Cuidadano / Máscara.

ACTOR SEXTO: Transeúnte / Cliente del banco / Empleado / Actor / Mesero / Funcionario / Homosexual / Músico / Segundo con metralleta / Ciudadano / Máscara.

ACTOR SÉPTIMO: Lector / Máscara.

ACTRIZ PRIMERA: Ella.

ACTRIZ SEGUNDA: Transeúnte / La que escribe lento / Secretaria / Nueva secretaria / Actriz / Periodista / Prostituta / Bailarina de jazz / Perseguida / Ciudadana / Máscara / Niña.

ACTRIZ TERCERA: Danzante / La que lee la fotonovela (después La resbalosa) / Estudiante / Prostituta / Perseguida / Ciudadana / Máscara.

ACTRIZ CUARTA: La que besa / Secretaria / Nueva secretaria / Estudiante / Fotógrafa / Prostituta / Perseguida / Ciudadana / Máscara / Transeúnte.

Para la segunda temporada, en el Teatro del Granero, con 8 actores, 5 hombres y 3 mujeres, no hubo corte alguno en el texto. Se prescindió de los Actores cuarto y sexto y de la Actriz cuarta y se repartieron sus líneas entre los demás intérpretes. Los personajes se redujeron así:

En el cuadro II solamente hay un Danzante y prescindimos del Transeúnte y de Los que se besan; cuadro III, prescindimos de Los que se besan y de La que escribe lento; hay solamente tres Nuevos empleados y dos Secretarias, incluyendo La resbalosa; IV, un solo Actor (además de la Actriz) y una sola mujer Estudiante; VIII un solo Empleado de la sucursal y prescindimos de La resbalosa; XI, solamente dos Prostitutas; XII, solamente tres Músicos, incluyendo al Negro; XIII, solamente dos Perseguidas; XIV, solamente tres Ciudadanos y dos Ciudadanas; XV, solamente seis Máscaras, incluyendo al Lector; XVI, solamente un Danzante y prescindimos del Transeúnte.

Los papeles quedaron repartidos así:

ACTOR PRIMERO: Él.

ACTOR SEGUNDO: Mendigo / Empleado (después Asistente primero) / Nuevo empleado / Actor / Industrial / Abogado / Ministro / Equis / Homosexual / Músico / Perseguido / Ciudadano / Máscara.

ACTOR TERCERO: Empleado / Asistente tercero / Amigo / Industrial / Abogado / Funcionario / La vidente / Primero con metralleta / Ciudadano / Máscara.

ACTOR CUARTO: Danzante / Empleado / Asistente segundo / Nuevo empleado / Estudiante / Abogado / Funcionario / Niño / Homosexual / Músico / Segundo con metralleta / Ciudadano / Locutor / Máscara.

ACTOR QUINTO: Lector / Nuevo empleado / Estudiante / Mesero / Empleado de la sucursal / Negro / Tercero con metralleta / Máscara.

ACTRIZ PRIMERA: Ella.

ACTRIZ SEGUNDA: Transeúnte / Cliente del banco / La resbalosa / Nueva secretaria / Actriz / Mesero /

Periodista / Prostituta / Bailarina de jazz / Perseguida / Ciudadana / Máscara / Niña.

ACTRIZ TERCERA: Danzante / La que escribe lento /
Secretaria / Nueva secretaria / Estudiante / Fo-
tógrafa / Prostituta / Perseguida / Ciudadana /
Máscara.

Escenografía

Se trabajará a base de trastos (entre menos, mejor, colocados por los mismos actores), de manera que los cuadros queden lo más unidos posible (a veces hasta integrados) el uno al otro. Los cambios serán los indispensables y se harán a la vista del público. Sin que nos demos cuenta de lo que sucedió ya tenemos que estar en otro cuadro y con los actores convertidos en otros personajes.*

* Para el estreno en México la puesta en escena se resolvió a base de una estructura de fondo (puede también utilizarse un ciclorama), cuatro mesas y siete bancos.

El montaje para la segunda temporada fue en teatro-círculo, sin ciclorama.

Hubo un intermedio de 10 minutos entre los cuadros nueve y diez.

Cuadro I: Pasillo y departamento. *Escenario vacío.*
Música concreta: algo enervante, pero sin suspense.
Un chorro de luz, de extremo a extremo, marca un
pasillo *que se pierde hacia lo que sería la puerta*
del departamento. *Luz en otro extremo sobre* El
lector, *entre estudiante y bohemio, inteligente y*
pobre en todo caso. En sus intervenciones traerá
un script de esta obra y leerá en voz alta para el
público, a la vez que seguirá también el curso de
la acción.

EL LECTOR (*Entra leyendo.*): El pasillo es estrecho
y tiene poca luz. Llega hasta la puerta del fondo,
a la izquierda. Se detiene, termina ante la puerta.
Donde el pasillo termina, hay un gato negro.
Es un gato como dibujado. Su silueta, con las
patas tiesas y largas, más largas de lo normal;
con la cola levantada y la punta enroscada, se
destaca, se recorta como un cartón frente a los
colores huidizos, grises, de las paredes sucias del
pasillo; se destaca la silueta, mucho más oscuro,
negro el color del gato. . .
Ahora tiene la cabeza un tanto inclinada. Mira hacia un lado, al ángulo interior izquierdo del
fondo del pasillo, arista que baja del techo y
se pierde en el suelo, suelo cubierto con una alfombra usada, desteñida y rasposa como la len-
gua del gato, arista que corre paralela al marco
de la puerta del departamento. . .

¡Ahora gira rápido y sale por el enrejado que da a la escalera de hierro y se desliza hasta la calle!... Ahora el gato mira hacia arriba, hacia el departamento...

Se esfuma el pasillo al ir subiendo la luz en el escenario. Es el interior del departamento, de mañana. Predominan los colores grises. Hay una pequeña ventana. Él entra por un extremo y se acerca a la ventana. De espaldas al público, mira hacia abajo.

EL LECTOR: El departamento está en el tercer piso. El edificio es viejo. El departamento es viejo y los muebles, dentro, son de los mismos colores grises que las paredes del pasillo. La ventana es pequeña y abajo, junto a la escalera de hierro, hay unos botes de basura... Él ve al gato junto a los botes de basura, mirando hacia su departamento...

Una pausa. Él se adelanta y va a mirarse a un espejo imaginario de cara al público. Es joven.

ÉL: Cuando tenga dinero, me cambiaré a otro edificio. Pero antes, pagaré a mis criados para que envenenen al gato.

EL LECTOR: Un departamento protege de la gente... Es como un refugio. Como el vientre materno...

Por la mañana, él sale de casa. Se aparta de la ventana y se acerca a la puerta. (*Él hace lo que*

El lector *indicó*.) Alarga el brazo y hace girar la manija. (Él *lo hace*.) Abre.

Él hace ademán de abrir la puerta. Inmediatamente, luces intermitentes, predominando el rojo. Estrépito del metro que pasa, haciendo trepidar el suelo.

Cuadro II: Calle primera, de día. *Ruido de autos, claxons, voces. En un extremo,* Un mendigo *ciego, con anteojos oscuros, canta una canción popular, acompañándose de un pequeño acordeón.** *Más allá,* Los que se besan —*sin procacidad, tiernamente todo el tiempo*—. *En otro extremo,* Los danzantes, *grupo de seguidores de Krishna, ellos con el cabello rapado dejando únicamente una mecha y todos vestidos con túnicas, bailan y cantan al son de sus instrumentos —tamborcillo de cuero, flauta de carrizo, crótalos—* ante Los transeúntes, *que se detienen para verlos. Al rato,* Los danzantes *terminan su número y reparten folletos de propaganda, venden incienso.* El mendigo *cuenta su dinero, revisa el acordeón.*

EL LECTOR (*Entrando.*): La ciudad es cualquier ciudad del mundo. Hay quienes sostienen que esta acción transcurre en Londres, por ejemplo. Otros pretenden que es Nueva York, París, Es-

---

* En la temporada de estreno en México el actor tocó una redova.

tambul... México, dicen otros. Sólo porque algún político hace demagogia... Sólo porque los personajes —¡voy, voy!...— hablan a veces como mexicanos.

Esta calle y su gente pueden surgir en cualquier momento del relato. Por ejemplo, ahora.

El protagonista es él. (*Aparece* Él, *en un extremo.*) El que sabe a dónde va.

Él *consulta su reloj. Avanza entre la gente, sin fijarse en los demás. Es el típico capitalino atareado, retrasado y nervioso. Va derecho a cruzar la calle, en el proscenio. Se oye un frenazo: por poco lo atropellan.*

EL LECTOR: ¿Lo sabe?... Ésta es su historia, que hoy aquí empieza.

Él *recobra compostura; cruza, decidido, el escenario y sale. Salen también* Los transeúntes *y* Los danzantes *vuelven a bailar y a cantar.* El mendigo, *contrariado de que su música se mezcle con la de* Los danzantes, *trata de imponerla, va hacia ellos tocando, los agrede con su canción.* Los danzantes *salen, dejándole el campo libre. Entonces el ciego, que no lo es, se quita los lentes y se aleja; sale cantando. Sólo quedan* El lector, *en un extremo, y* Los que se besan, *que siguen besándose, integrados al cuadro siguiente.*

Cuadro III: Oficinas del banco. *Música ambiente. (Música cretina: v.gr., alguna estación de frecuencia modulada.) Todo en el banco es plateado y brillante. Suenan, insistentemente, varios teléfonos a la vez. El lector parece alarmado: está perdido en el script. Por fin encuentra la página y lee.*

EL LECTOR: Salieron a comer... (*Al público.*) ¿Alguna vez ha llamado usted a una oficina donde no hayan salido a comer?

Sale, al mismo tiempo que entran tres Empleados *y dos* Empleadas: La que escribe lento —*como gotera, ante una máquina imaginaria*— y La que lee la fotonovela —*con esporádicas exclamaciones admirativas para sus héroes*—. *También* Él, *que es cajero. Descuelga un teléfono.*

ÉL: Salieron a comer. (*Cuelga.*)
EMPLEADO PRIMERO: Salieron a comer. (*Cuelga. Se dirige a* Los que se besan *y los separa.*) ¿Qué no oyen el teléfono? ¿Por qué no contestan?
LA QUE BESABA: ¿El teléfono? ¿Cuál teléfono?
EL QUE BESABA: Ya ni en la oficina lo dejan a uno descansar. Vámonos.

Salen. Empleados y Empleadas *descuelgan teléfonos.*

EMPLEADOS (*Voces varias.*): Salieron a comer. Salieron a comer.

Salieron a comer. (*Cada uno colgó su teléfono. Ya no suenan.*)

LA QUE ESCRIBE LENTO: Qué lata dan.

LA QUE LEE LA FOTONOVELA: Es que la gente no entiende.

EMPLEADO PRIMERO (*A* Él.): En fin, podríamos estar peor. Este puesto de cajero es bueno.

ÉL: ¿Bueno? Yo en cajero no me quedo.

Entra Un cliente, *que ahora se le acerca.*

EL CLIENTE: Buenos días, señor...

ÉL (*Sin dejarlo hablar.*): Siguiente ventanilla. (*En la misma forma todos* Los empleados *se sacuden, rápido, a* El cliente.)

EMPLEADO PRIMERO: La siguiente.

EMPLEADO SEGUNDO: La siguiente.

EMPLEADO TERCERO: La siguiente.

LA QUE ESCRIBE LENTO: La siguiente.

LA QUE LEE LA FOTONOVELA: La siguiente.

Recorriendo ventanillas, El cliente *acaba por salir de escena.*

LA QUE LEE LA FOTONOVELA: Es que la gente no entiende.

EMPLEADO PRIMERO (*Sigue conversando con* Él.): ¿Y qué piensas hacer?

ÉL: Progresar, naturalmente. No terminé una carrera para quedarme en esto.

EMPLEADO PRIMERO: Progresar no es fácil.

ÉL: Algo de inteligencia y mucha política.

EMPLEADO PRIMERO: A ver, a ver, más despacito.

ÉL: Halagar a los de arriba y aplastar a los de abajo. ¡Elemental, mi hermano! Es el secreto de cualquier dictador. Mira, yo para este negocio del banco tengo algunas ideas que... (*Los interrumpe el* Empleado segundo.)

EMPLEADO SEGUNDO (*A* Él.): Te llama el jefe.

ÉL: ¿El jefe? ¿Qué querrá ese buey?

Sale. Los empleados siguen "trabajando".

EMPLEADO TERCERO (*Al teléfono.*): No... No... No... Nada... No... No... ¿De qué?... ¿Pero de qué?... Con razón... Con razón... ¡Ah, qué bueno!... Sí... Sí... ¿Cómo ves?... ¡Ah, qué bueno!

ÉL (*Entra de espaldas, saliendo de la oficina del* (*jefe.*): Sí, señor. Sí, señor, inmediatamente. Para servirlo, señor... (*Regresa a su lugar.*) ¡Pinche buey!

EMPLEADO TERCERO (*Al teléfono.*): ¡Mamacita!...

Suena un timbre. Los empleados salen, menos La *que lee la fotonovela. Ella coloca un trasto que hará las veces de escritorio, con su banquito y dos teléfonos. Toma bloc para notas y lápiz y se pone en pose, convertida en* La resbalosa. *Suena el mismo timbre y* Los empleados *regresan a sus puestos. Empieza a correr el chisme.*

EMPLEADOS Y EMPLEADAS (*Voces varias.*): El ascenso.

Ya le dieron el ascenso.
¡Ah bárbaro!
Ya se lo dieron.

Entra Él y La resbalosa *va a recibirlo. Le muestra el escritorio.*

LA RESBALOSA: Su nueva oficina.
ÉL: Gracias, señorita.
LA RESBALOSA (*Suspira.*): ¡Señor!... (*Van hacia el escritorio. Entre* Los empleados *sigue el chisme.*)
EMPLEADOS (*Voces varias.*): Su nueva oficina.
Le dieron una oficina para él solo.
Una oficina con dos teléfonos. Y una secretaria.
¡Resbalosa!
¡No es para tanto!
ÉL: Señorita, hay muchos ruidos molestos aquí. Cierre la puerta.

LA RESBALOSA: En seguida.

Va a cerrar. Cada uno con su frase, Los empleados *salen.*

EMPLEADO PRIMERO: ¡Uy, ya se le subió!
EMPLEADO SEGUNDO: Ya va a empezar a fregar.
EMPLEADO TERCERO: Mejor vámonos.
LA QUE ESCRIBE LENTO: ¡Ay, pues si yo escribo más rápido que ella!

Recorriendo con las manos las aristas del escritorio, como tomando posesión de su .puesto, queda Él *con* La resbalosa.

LA RESBALOSA: Afuera hay gente que espera desde hace tiempo (*Suspira.*), ¡señor!

ÉL (*Muy serio.*): Señorita, tome nota. Primera norma de nuestro decálogo: el público siempre es culpable.

LA RESBALOSA: ¡Sí, señor...!

ÉL: Tenemos que estar conscientes de que este ascenso representa... ¿Pero qué le pasa, señorita? ¿Tiene ganas de hacer pipí?

LA RESBALOSA: No, no, señor... De veras que no.

ÉL: Vamos, vamos, cálmese... Todo a su debido tiempo, Lucy, todo a su debido tiempo.

LA RESBALOSA: Sí, señor.

ÉL: Como le decía, mi nuevo puesto representa hacerme cargo de un servicio al público. Todo aquel que tiene un problema que un simple cajero —como yo era antes— no puede resolver, llega aquí. Para eso estoy yo ahora: para ayudar a los clientes a resolver sus problemas. Y la mejor manera de ayudar a alguien a resolver un problema es creándole otro. Empezaremos por crearles el problema de no recibirlos... Por favor, señorita, no es necesario que tome nota de eso.

LA RESBALOSA: No, no, señor...

ÉL: Tranquila, Lucy, tranquila. Todo a su debido tiempo... Por ejemplo, ¿qué le parecería cenar hoy conmigo?

LA RESBALOSA (*En pleno éxtasis.*): ¡Cenar con usted! ¡Oh, señor...!

ÉL (*Se la lleva del brazo.*): De acuerdo, querida, vámonos... No, por aquí no, por aquí están los que esperan... Por aquí.

Salen. Entra el Empleado primero, *convertido en* Asistente primero, *y coloca otros trastos pegados al escritorio. Éste crece. Sobre él hay ya cuatro teléfonos. Entra* Él.

ASISTENTE PRIMERO: Su nueva oficina.

ÉL: Bien, bien... ¿Cómo me dijo que se llamaba?

ASISTENTE PRIMERO: Soy su asistente. Me llamo Juan, señor... (*Confianzudo.*) Juanito... ¿No te acuerdas, mano?

ÉL: ¿Cómo?

ASISTENTE PRIMERO: Quiero decir, ¿no se acuerda, señor subgerente? Empezamos juntos como cajeros... ¡Uy, hace tiempo!... Creo que hace ya...

ÉL (*Interrumpe.*): Tres años. Nada más tres.

ASISTENTE PRIMERO: Sí, señor.

ÉL: Conque Juanito, ¿eh?... ¡Claro que me acuerdo, mi cuate, cómo no voy a acordarme!

ASISTENTE PRIMERO: ¡Te volaste la barda!

ÉL: Basta de comentarios. A trabajar, mi amigo, a trabajar.

ASISTENTE PRIMERO: Sí, señor.

ÉL: Antes que nada, pedirá usted más teléfonos.

ASISTENTE PRIMERO: Sí, señor.

ÉL: Voy a necesitar cerca a alguien muy eficaz... ¿Te interesa progresar? (*Sin dejarlo contestar.*) Progresarás, te lo garantizo. Pero tendrás que colaborar en todo. Incondicionalmente. En ocasiones, hasta tendrás que firmar algunos documentos. Firmar por mí.

ASISTENTE PRIMERO: ¿Firmar por usted? Digo, ¿por tú, por ti?

ÉL (*Frío.*): ¿Algún problema?

ASISTENTE PRIMERO: No, no, ninguno. . .

ÉL: Serás mi hombre de confianza. Muchos quisieran el puesto. ¿Te das cuenta?

ASISTENTE PRIMERO: Sí, sí, me doy cuenta.

ÉL: Mi querido Juanito: supongo que habrás notado que esto es un banco y que aquí se maneja mucho dinero. . . Ajeno, pero es dinero. Si en vez de dejar que solamente pase por nuestras manos logramos detenerlo por un tiempo. . ., tan sólo por un tiempo, para invertirlo acertadamente. . . Cantidades importantes, quiero decir. Si las invertimos acertadamente, no sólo le devolvemos lo suyo al banco sino que nos hacemos ricos, ¿no es cierto?

ASISTENTE PRIMERO: ¡Nos hacemos ricos!

ÉL: ¿Entiendes?

ASISTENTE PRIMERO: No.

ÉL: Déjame a mí la parte intelectual. Te lo daré todo hecho: tú sólo tendrás que firmar. Seremos socios.

ASISTENTE PRIMERO: ¡Socios!

ÉL: Quiero ayudarte porque empezamos juntos y somos amigos. Pero ni una palabra a nadie, ¿entendido?

ASISTENTE PRIMERO (*Que sigue sin entender.*): Entendido. (*Suena un teléfono.*)

ÉL (*Dándose importancia.*): La red. Me llaman por la red. (*Descuelga.*) Sí, señor. Sí, señor. En seguida, señor. (*Cuelga. Solemne.*) Acompáñeme. Vamos al despacho del gerente.

ASISTENTE PRIMERO (*Entusiasmado.*): ¡Vamos!

Salen. Entra el Asistente segundo *con más trastos para hacer crecer el escritorio. También aumentan los teléfonos. Entra* Él.

ASISTENTE SEGUNDO: Su nueva oficina, señor gerente.

ÉL (*Inspeccionando.*): Desde luego, hacen falta más teléfonos.

ASISTENTE SEGUNDO: Me ocuparé de eso.

ÉL: Gracias, mi estimado. ¿Y qué ha sabido de su antecesor, nuestro pobre Juanito? ¿Sigue en la cárcel?

ASISTENTE SEGUNDO: Me temo que sí, señor.

ÉL: Me gustaría ayudarlo, pero el sujeto cometió una estafa y aquí nuestra norma principal es la honestidad... ¿Dónde están mis tres secretarias?

Sin dar tiempo al Asistente *de contestar, entran* La resbalosa *y dos* Secretarias *más, resbalosas también.*

LAS SECRETARIAS (*En pose, suspiran hacia* Él.): ¡Señor...!

ÉL (*Sangrón.*): Pueden retirarse. Sólo quería saber dónde estaban.

LAS SECRETARIAS (*A coro.*): Okey, darling. (*Salen.*)

ÉL (*Las sigue con la vista, pero recapacita.*): Como le decía, la honestidad aquí es lo primero. Usted será ahora mi hombre de confianza, pero tendrá que merecerla.

ASISTENTE SEGUNDO: Sí, señor; por supuesto, señor.

ÉL (*Solemne.*): Acompáñeme al despacho del presidente y director general.

ASISTENTE SEGUNDO: ¡Al despacho del director! ¡Vamos!

Salen. Entra por otro extremo el Asistente tercero *y se dirige a gente fuera de escena.*

ASISTENTE TERCERO (*Joto y con acento francés.*): Soy Pierre, el nuevo asistente. Dense prisa...

Entran cuatro Nuevos empleados, *dos* Nuevas secretarias —*éstas tipo eficaz, serias y estiradas, solteronas probablemente*— y La resbalosa, *que sigue resbalosa. Entre todos hacen crecer el escritorio. Entran también más teléfonos.*

ASISTENTE TERCERO: Por aquí... Allez, allez, allez... Los teléfonos por aquí... (*Regañando a un empleado*) No, no, no... En el despacho sólo quiere un teléfono.

LA RESBALOSA: Con varias líneas.

ASISTENTE TERCERO: En su despacho particular.

UN EMPLEADO: ¡Ya llegó!

LAS SECRETARIAS (*A coro.*): Llegó el director.

LA RESBALOSA (*Suspira.*): ¡Llegó mi director general!

Entra Él.

EMPLEADOS (*Voces varias.*): ¡Felicidades! ¡Felicidades! ¡Felicidades!

203

LAS SECRETARIAS (*A coro.*): ¡Felicidades, señor!

LA RESBALOSA (*Suspira, adoptando poses de vampiresa.*): ¡Felicidades, querido. . .!

ÉL: Gracias, gracias. . . He decidido improvisar. (*Desdobla un rollo de papel y lee.*) Como todos saben, yo subí desde abajo. . . No halagando a los jefes, sino protegiendo a mis subalternos. (*Demagogo.*) Los humildes son los que dan fuerza a nuestra empresa. Seguiré sirviendo siempre con limpieza, siempre con honradez, a este banco. ¡A la nación! (*Los empleados aplauden.*)

EMPLEADOS (*Voces varias.*): ¡Bravo!

¡Bravo!

¡Viva el presidente y director general!

LA RESBALOSA: ¡Arriba mi director!

ÉL: Y ahora, vamos a celebrar con música nuestra. ¡Música nacional!

UN EMPLEADO (*Hacia el lugar que en el teatro ocuparía la orquesta.*): Música de acá, ¿ya oyeron? Maestro, reviéntese un danzón.

Grabación del danzón Almendra. *Todos gritan, ríen, bailan.* Él *con* La resbalosa.

OTRO EMPLEADO (*A la orquesta.*): ¡Enough! ¡Enough! (*Cesa el danzón.*) Local music. Local music, he said!

Un swing. Todos bailan.

ASISTENTE TERCERO: Assez! Assez! (*Calla el swing.*) ¡De la musique locale, il a dit, de la musique locale!

Un baile apache, en París. Las parejas se enlazan.

OTRO EMPLEADO (*Con acento español.*): ¡Suficiente! ¡Suficiente!... ¡Rediez, hombre, os han dicho que música local!

Palmadas de los que están en escena y surge la música española, con castañuelas. El baile termina en plena euforia.

TODOS (*A coro.*): ¡Y olé!

Cuadro IV: El café. *Ante tres mesas están sentados: en una, Él, Ella, y El amigo; en otra, dos Actores y una Actriz y en otra cuatro Estudiantes, dos hombres y dos mujeres.*

ACTOR PRIMERO: ¡No, no, no, no! El teatro es otra cosa, mi querido señor —fue lo que le dije—. Si cree usted que voy a dejarme prostituir... Yo soy un actor con años de experiencia... Bueno, pocos años, pero suficientes. Soy un actor y no voy a interpretar un papel cualquiera en cualquier obrita amable: "Con permiso", "pase usted", la tía de las muchachas y todos platicando en la salita de la casa. (*Sexy.*) Usted querido —le dije—, usted será el empresario. Pero yo soy un artista.

ACTRIZ (*Tipo estúpida-glamorosa.*): Yo, si encontrara alguien con quien acostarme... Un productor, de preferencia...

ACTOR SEGUNDO (*Al* Actor primero.): ¿Y qué dijo tu empresario?

ACTOR PRIMERO: Tampoco vaya usted a malinterpretarme —añadí—. Tampoco voy a trabajar en uno de esos bodrios dizque de vanguardia para representar el papel de rama de árbol. Ni voy a ser un paraguas que se encuentra con su máquina de coser. He superado el surrealismo. He superado todos los ismos. Yo soy un actor, ¿comprende?

ACTRIZ: Yo, si encontrara un productor con quien acostarme...

ACTOR SEGUNDO (*Al* Actor primero).: Te pregunté lo que dijo tu empresario, no lo que dijiste tú.

ACTOR PRIMERO: Qué más da lo que él dijo. Lo que yo dije es lo importante.

ACTRIZ: Si lo encontrara, me acostaría con él ahora mismo.

ACTOR PRIMERO: Querida: desde que todo el mundo se acuesta con todo el mundo ya no se consiguen papeles acostándose.

ACTRIZ (*Escandalizada.*): ¿Quieres decir que pones en duda mi talento?

Quedan discutiendo.

ESTUDIANTE PRIMERO: ¿Y saben lo que me dijo el cabrón del maestro?

ESTUDIANTE SEGUNDA: Siempre dicen lo mismo. Alguna mamada.

ESTUDIANTE PRIMERO: Que estoy muy bien dotado. ¿Cómo la ves? Estás hablando con un chavo muy bien dotado.

ESTUDIANTE TERCERA: Pues a mí me está yendo mal. Me tocó una ticher menopáusica.

ESTUDIANTE CUARTO: Yo, al de física me lo traigo dormido con mi "caída" de ojos.

Siguen hablando.

ÉL: No acabo de acostumbrarme a este sitio.

ELLA: A mí me gusta.

ÉL (*Irónico.*): La maestra de literatura es una extraña muchacha.

EL AMIGO: Es una hermosa muchacha.

ÉL: También hermosa. Mi pobre Frank, ¿estás enamorado de mi novia?

EL AMIGO: Quizás.

ÉL: ¡Magnífico! Haremos un trío interesante.

ELLA: Prefiero los duetos.

ÉL (*Al amigo.*): No puede evitarlo: es anticuada. Bueno, Frank, ¿qué resuelves de tu sociedad con el banco?

EL AMIGO: No... Definitivamente no sabría cómo hacerlo.

ÉL: Es muy sencillo: Tú respondes por la compañía constructora; el banco, por mi conducto, te financia; y de lo que te sobre vamos a medias. Un negocio clarísimo. Mi equipo de contadores lo arreglará todo para que sobre bastante.

EL AMIGO: Creo que no me interesa. Prefiero seguir como estoy.

ÉL (*Divertido.*): ¿Seguir como estás? Un pequeño arquitecto, eso es lo que eres... De todos esos años en que te arrastraste por las bancas de la escuela sólo ha quedado un pequeño arquitecto... En cambio yo terminé mi carrera y me dediqué a hacer dinero. Ahora manejo más del que tú podrás soñar en tu vida.

ELLA: Frank no sueña con dinero.

ÉL: Pero el dinero a nadie le hace daño, ¿no es cierto? Ya estuvo bien de diseñar casitas, Frank. Yo tengo fraccionamientos enteros para ti. Y para mí.

EL AMIGO: No sé cómo decirte... Sería perder mi independencia. Además, siempre he sido honesto.

ÉL: ¡Su independencia! ¡Es honesto!... Pero si estás muerto de hambre.

EL AMIGO: Y tú estás atrapado.

ÉL: ¿Atrapado? Me he propuesto una meta. Y voy a llegar a ella.

EL AMIGO: Creí que habías llegado.

ELLA: Está empezando.

ÉL: No me quedo en director presidente. Seré el principal accionista y me extenderé a toda una cadena de bancos. Una cadena nacional, primero; después, un consorcio en el mundo entero.

EL AMIGO: ¿Nada más?

ÉL: Sí. Quizás más. Mucho más.

EL AMIGO: Comprendo. Pero prefiero no participar.

ÉL: No todos tenemos las mismas ambiciones.

EL AMIGO: No todos.

ÉL: Ni la misma capacidad para realizarlas.

EL AMIGO: Ni la misma capacidad.

ELLA (*A* Él.): ¿Es verdaderamente indispensable que llegues tan lejos? Que tengas que renunciar a otros valores para. . .

ÉL (*Interrumpe.*): ¿Otros valores?. . . Definitivamente piensas como Frank. Te entenderías mejor con él que conmigo.

ELLA: Sí, me entendería mejor con él. Pero estoy enamorada de ti.

ÉL: ¿En serio?

EL AMIGO: Yo los dejo.

ÉL (*Burlón.*): ¿Tan pronto?

EL AMIGO: Gracias otra vez. . . Si puedo serles útil como amigo. . . Hasta luego.

Sale.

ÉL (*Ríe.*): Definitivamente, está enamorado de ti.

ELLA: Lo está. Y yo. . . te amo.

ÉL (*Divertido.*): Me amas. Pero no logro que te acuestes conmigo. Seis meses, ¿no?. . . Es la primera vez que hago el ridículo con una mujer durante seis meses seguidos.

ELLA: ¿Crees que es hacer el ridículo?

ÉL: ¡No, qué va! Es amor platónico.

ELLA: La verdad es que. . . no quería por no estropearlo todo. ¿Comprendes? No quería acostarme contigo por no estropearlo todo.

ÉL: ¿Cómo? No "querías". (*Feliz.*) ¡No "querías", dijiste!

Quedan hablando.

ACTOR PRIMERO: ¡Orgasmos tampoco!, eso fue lo que le dije. Nadie va a hacer un solo estando yo en escena. ¡Es una obra en la que yo trabajo, si hay algún orgasmo corre de mi cuenta!

ÉL: Este ruido es insoportable.

ESTUDIANTE PRIMERO: ¡Ah, pero eso no le quita que siga siendo un cabrón! El otro día, cuando lo vi entrar a la clase. . .

ELLA: Vamos a mi casa.

ÉL: Estás segura.

ELLA: Cuando quieras.

ÉL: En seguida.

Deja un billete sobre la mesa y salen, mientras:

ACTOR PRIMERO: Que si el "Actor's Studio", me dijo.

ACTOR SEGUNDO: Ya, ya está bien, ya cállate. (*Va hacia la mesa de* Los estudiantes.)

ACTOR PRIMERO (*Agarrándose, entonces, de la* Actriz.): Mire —le dije—, el Actor's Studio está superado. Y aquí tiene su porquería de contrato. Puede metérselo por donde le quepa.

ACTRIZ: Yo, si encontrara un productor. . .

ACTOR SEGUNDO (*Para la* Estudiante segunda, *canta.*): "Hey, there, you with the stars in your eyes. . ."

ESTUDIANTE SEGUNDA: ¡Qué mamada!

Se reintegran cada uno a su grupo, donde las discusiones siguen por unos momentos, y cambio de cuadro.

Cuadro V: Casa de ella. *Escenario vacío*. Él y Ella *llegan. Entran.*

ELLA: Es aquí... Pasa.

ÉL: Pensé que nunca vendríamos

ELLA: ¿Por qué no? Soy libre. Vivo sola... (Él *la abraza, pero* Ella *se separa.*) No eres el primero con el que me acuesto.

ÉL (*Divertido.*): ¿No? Qué le vamos a hacer.

ELLA (*Seria.*): Hubo otro... Otro nada más, pero murió.

ÉL: Otro. Y murió... De modo que no soy el primero con el que te acuestas... Pero todavía no nos acostamos. (*La abraza.* Ella *se aleja.*)

ELLA: No lo imaginé así.

ÉL: ¿Qué cosa?

ELLA: No lo imaginé así, entre nosotros.

ÉL: Tienes razón... Supongo que debí empezar por preparar unos tragos, o algo por el estilo... Pero no estoy acostumbrado a los preámbulos. Cuando una mujer me gusta, le propongo hacer el amor.

ELLA: Hablas de hacer el amor como de hacer gimnasia.

ÉL (*Divertido.*): Más o menos es lo mismo.

ELLA (*Seria.*): Más o menos.

ÉL: Si no hay más remedio, prepararé los tragos. ¿Dónde están?

ELLA: No hay tragos.

ÉL: No hay tragos. Tendremos que platicar a secas... (*Divertido.*) Literatura inglesa, ¿no es cierto? ¿Qué te parecen, como tema, tus clases de literatura inglesa? (*La abraza.*) Para que no creas que tu trabajo no me interesa.

ELLA (*Se separa.*): Todavía tengo que decirte algo.

ÉL: ¿Es indispensable?

ELLA: A mí la gimnasia no se me da fácil... No puedo acostarme con un hombre sin estar enamorada de él.

ÉL: Pero estás enamorada de mí.

ELLA: Sí, lo estoy.

ÉL: Entonces, no hay problema. (*La abraza.*)

ELLA (*Lo aparta.*): Necesito que me digas si tú estás enamorado de mí.

ÉL (*Impaciente, se aleja.*): ¡Está bien! No estoy enamorado de ti. Te deseo locamente, pero no estoy enamorado. Ni de ti ni de nadie. Nunca he estado enamorado, ¿entiendes? No sé qué es estar enamorado, ni me interesan esas tonterías. Tú eres una mujer distinta de las que he tenido, eso es todo. Eres distinta y tengo unos deseos locos de hacer el amor contigo, pero no estoy enamorado. (*Un silencio.*) Lo siento.

ELLA: No siempre se puede elegir, supongo... Eres tan diferente de lo que yo había esperado... No tenemos nada en común. Sé que no voy a ser feliz contigo. Quererte es como cometer suicidio... Pero te voy a querer.

Va hacia él. Se abrazan. Se besan. Se acuestan. Hacen el amor. Terminan. Un silencio.

ELLA: Teresa, Germaine, Alejandra, Sofía... Da lo mismo que yo sea Isabel o Rosi... Hay tantas Sofías y Rosies... Da lo mismo que tú seas Enrique, Iván, Tomás o Jim... Hay tantos Jim... Hay tantos como nosotros, en tantos cuartos como éste...

ÉL (*Ríe.*): Maestra de literatura inglesa... (*Declama, burlón.*) "¡Oh, cómo corréis tras de los dólares...!" No, no va así. (*Declama.*) "Your dollar is your only word..." (*Ríe.*)

ELLA (*Triste.*): Es un poema de Robinson.

ÉL: Lo aprendí de memoria en la escuela. (*Declama.*) "Your dollar is your only word..." (*Ríe.*) ¡Maestra de literatura inglesa!...

Las carcajadas de Él *con la mirada triste de* Ella.

Cuadro VI: *El Royalty. El piano del Royalty. Los terciopelos rojos y espejos con marcos dorados.* Los meseros *estirados del Royalty, con sus chaquetillas blancas y sus servilletas al brazo. Son dos* Meseros, *pendientes de la mesa de los hombres de negocios:* Él *y tres* Industriales, *todos conscientes de su importancia y esclavos de los cuellos de sus camisas. Los meseros* colocaron platos y cubiertos imaginarios y ahora vigilan, impacientes.

INDUSTRIAL PRIMERO (*Acento inglés.*): Por supuesto, usted maneja el capital del banco como si fuera suyo.

ÉL: Casi como si fuera mío, mister Dalton, casi.

INDUSTRIAL SEGUNDO: Es el principal accionista.

ÉL: El cincuenta más uno, señor Solís. Somos una sociedad anónima.

INDUSTRIAL PRIMERO: En la cual usted lleva la batuta. Hablando en plata.

ÉL: Hablando en plata... (*Al* Industrial tercero.) Pero dígame, herr Schrügger, ¿cómo va eso de los automóviles?

INDUSTRIAL TERCERO (*Acento alemán.*): Mejor cada día. A pesar de los sindicatos.

INDUSTRIAL SEGUNDO: Mister Dalton y yo tampoco podemos quejarnos de los productos lácteos.

ÉL: Mi banco sólo trata con empresas prósperas.

Ríen, quedando bien. Se disponen a comer. Pero entra música acelerada y, a ritmo superveloz, muy correctos, Los meseros *retiran los platos, que nadie ha probado. Van y vienen, sirven otros.*

UN INDUSTRIAL (*Viendo irse su plato.*): Los camarones a la rusa estaban excelentes.

OTRO INDUSTRIAL (*Viéndolos desaparecer.*): Muy sabrosos, sí.

ÉL (*Ve volar su plato.*): Siempre puede uno confiar en el Royalty.

Se alejan Los meseros *y termina la música.*

INDUSTRIAL PRIMERO: En cuanto a la inversión de nuestra compañía, debemos obtener las mejores condiciones en el mercado. La cantidad que colocaríamos es muy considerable.

INDUSTRIAL SEGUNDO: Como usted sabe, somos un grupo transnacional.

ÉL: Mis preferidos, señor Solís, mis preferidos.

INDUSTRIAL PRIMERO: En suma, un trato "oficial" no nos interesa. Eso puede ofrecerlo cualquier banco.

ÉL: No tendrán un trato oficial sino especial, señores, muy especial, no faltaba más. Mi equipo de contadores ya está trabajando en el asunto.

INDUSTRIAL PRIMERO: En ese caso, estoy seguro de que nos entenderemos.

ÉL: Estaré mañana en su despacho, mister Dalton. En cuanto a su empresa, herr Schrügger, en principio no hay ningún inconveniente en el préstamo.

INDUSTRIAL TERCERO: Lo celebro. Nuestras plantas armadoras...

ÉL (*Interrumpe.*): Lo sé, lo sé, están en plena expansión. Sin embargo, quisiera precisar... Pero, por favor, señores, la comida se enfría.

Van a comer. Pero quedan llevándose los tenedores a la boca porque, con la música acelerada, regresan Los meseros, retiran los platos, van y vienen, limpian las migas y sirven el postre. En manos de Los meseros, Él ve volar su plato.

ÉL: ¿Qué me dicen de ese soufflé de espinaca?

UN INDUSTRIAL (*Ve volar su plato.*): Excepcional, mi querido amigo.

OTRO INDUSTRIAL (*Mismo juego.*): Un platillo en verdad fino.

OTRO INDUSTRIAL (*Mismo juego.*): Y el filete estaba en su punto.

Los meseros *se alejan y termina la música.*

ÉL: El Royalty siempre ha tenido un servicio excelente... Como le decía, herr Schrügger, habría que precisar que parte de mi capital, independientemente del préstamo, ingresaría a su empresa como una inversión personal. Y esa inversión se beneficiaría de repartos de utilidades; quiero decir, que el rendimiento que yo obtendría sería más alto que el de un simple préstamo bancario.

INDUSTRIAL TERCERO: De manera que insiste en la inversión personal.

ÉL: Tengo fe en su empresa, herr Schrügger, no me lo reproche. Las armadoras de automóviles son en nuestros días un negocio muy próspero... Gracias, en gran parte, a la publicidad que tan acertadamente están manejando.

INDUSTRIAL TERCERO: Sí, la publicidad siempre es útil.

ÉL: ¡Cómo que útil! Es indispensable. Gracias a ella hoy en día todo el mundo necesita un automóvil... Lo necesitan casi tanto, señor Dalton, como una taza de su café con leche.

INDUSTRIAL PRIMERO: Casi tanto.

Sonrisas. Van a comer, pero, con la música acelerada, Los meseros *empiezan a llevarse todo.*

ÉL (*Viendo irse su plato.*): Estos postres nadie los prepara mejor que el Royalty.

INDUSTRIAL SEGUNDO: Y el tinto está... (*Iba a be-*

ber pero ve desaparecer su copa.) estaba en su mejor año.

Raudos, Los meseros *disponen el servicio de café y se alejan.*

INDUSTRIAL TERCERO (*A* Él.): Entonces debo entender que si mi empresa no entra en sociedad con usted no habrá préstamo del banco.

ÉL: Digamos que... de todos modos, el banco o yo... todo queda en casa.

INDUSTRIAL PRIMERO (*En conversación con el* Industrial segundo.): ¡Ah, pero lo puse en su lugar! Le dije: Mi querido señor, I speak only English!

ÉL: Nosotros también, mister Dalton; nosotros también ya solamente hablamos inglés.

INDUSTRIAL PRIMERO: ¿Cómo?

ÉL: Quiero decir, que también pensamos operar a nivel internacional. En un futuro muy próximo... Resumiendo, mister Dalton, señor Solís, herr Schrügger: lo mejor que pueden hacer es entrar en negocios conmigo.

Con la música acelerada, la taza de café que iba a tomar desaparece en manos eficaces, que recogen el servicio.

ÉL: Una demi-tasse siempre pone a tono, ¿no es cierto?

Se alejan Los meseros. *Los comensales se ponen en pie.*

ÉL: Gracias por aceptar mi invitación, señores.

INDUSTRIAL TERCERO: Por favor.

INDUSTRIAL PRIMERO: Ha sido un placer.

INDUSTRIAL SEGUNDO (*A* Él.): ¿Y qué hay de cierto en esos... rumores? He oído mencionar su nombre con relación a un cargo de senador.

ÉL: ¿Senador?... ¡Oh, no, no hay nada en concreto!... Algunos amigos se empeñan en eso, pero no estoy seguro de poder aceptar un cargo político... Me distraería de mis obligaciones en el banco.

INDUSTRIAL TERCERO: Quizás no lo distraería tanto.

INDUSTRIAL PRIMERO: Y en cambio podría hacer mucho bien al pueblo, a las masas...

ÉL: La verdad, mister Dalton, usted sabe que en las sociedades modernas las masas no tienen vida propia. No pueden actuar si no es a través de grupos que las manejen... Y para eso estamos usted y yo..., nosotros, al frente de esos grupos directores... (*Sonrisas, intercambio de cortesías; hace salir a* Los industriales *por delante.*) Por favor... (*Ademán hacia un* Industrial, *que sale.*) Después de usted. (*Sale otro* Industrial.) No faltaba más...

El tercer Industrial *sale. Veloces como nunca, con su música,* Los meseros *presentan la cuenta y se despepitan dando vueltas alrededor de* Él. *Se detienen, vigilantes, al verlo sacar la cartera. Paga.*

ÉL: Pueden quedarse con el cambio. Hemos estado muy bien atendidos.

Sale. Los meseros *se reparten la propina.*

MESERO PRIMERO: Mita y mita, ya sabes.

Toman botella y copas —reales, esta vez— y, acompañados por el piano del Royalty, ya sin ninguna prisa, van a instalarse ante la mesa, con los pies sobre el mantel.

MESERO SEGUNDO: Un día tranquilo, ¿no?
MESERO PRIMERO: Sí, aquí la cosa es calmada. (*Se sirven.*) ¡Salud!
MESERO SEGUNDO: ¡Salud! (*Beben.*)
MESERO PRIMERO: El tinto de veras está en su mejor año. . .

Siguen paladeando el vino mientras el piano llega a brillante final.

Cuadro VII: El banco. *Todo vuelve a ser de plata. En un extremo un solo escritorio pequeño, con su silla. Un solo teléfono, con muchos botones. Se oye una vez impersonal a través de un micrófono.*

VOZ: Cheque número mil setecientos treinta y siete, caja número tres. . . Uno, siete, tres siete. . . Caja tres, caja tres. . .

Entran Los abogados, *con sendos expedientes, y forman grupo hablando entre ellos.*

ABOGADO PRIMERO: Fue una junta fructífera.

ABOGADO SEGUNDO: Muy fructífera. Pagará bien.

ABOGADO PRIMERO: El hombre es importante y paga. Lo demás no nos interesa.

ÉL (*Entrando.*): Señores abogados, perdonen la interrupción.

ABOGADO TERCERO: No faltaba más, señor senador.

ÉL: Por favor, mi cargo político no tiene importancia.

ABOGADO PRIMERO: La política siempre tiene importancia.

ÉL: Eso sí, señor licenciado. Creo que mis excelentes relaciones con nuestras máximas autoridades no estarán de más.

ABOGADO SEGUNDO: Eso nunca está de más.

ÉL: En realidad, cuento mucho con ello para la prosperidad creciente de nuestro grupo bancario... Por aquí, señores, por favor... Los espero mañana, con los documentos para firma.

ABOGADO PRIMERO: Todo está listo. El cuarenta y nueve por ciento restante de las acciones ha quedado con los prestanombres; quiero decir, con las personas que usted indicó. En esta forma la sociedad sigue siendo anónima, lo cual legalmente nos conviene, pero en la práctica, todo es suyo.

ÉL: Muy bien.

ABOGADO PRIMERO: Nos permitiremos traerle el expediente donde se desglosan los honorarios de nuestro bufete, según lo convenido. Nadie le habría cobrado tan barato por este tipo de servicios.

ÉL: A propósito de servicios. . . Aquel otro pequeño asunto, molesto, por cierto, sigue preocupán-
dome.

ABOGADO PRIMERO: Déjelo en nuestras manos.

ABOGADO TERCERO: Se resolverá como otros problemas. Puede confiar en nosotros.

ÉL: Confío. Pero en ese asuntito hay algunos millones de por medio y no me agradaría perder-
los. Si la verdad llegara a descubrirse. . .

ABOGADO SEGUNDO: Hasta ahora, la verdad nunca
se ha descubierto.

ABOGADO TERCERO: No con nosotros de por medio.

ABOGADO PRIMERO: Hay muchas maneras de interpretar la verdad.

ABOGADO SEGUNDO: Usted lo sabe mejor que nadie.

ÉL: Veo que me han entendido.

ABOGADO PRIMERO: Para eso estamos. Le daremos
al asunto el aspecto legal que usted ordene.

ÉL: Me han entendido perfectamente. Hasta mañana.

Los abogados *salen* y Él *va hacia el escritorio. Descuelga el teléfono y oprime un botón.*

ÉL: ¿Smith? Dígales que no puedo recibirlos. ¿Las
viudas y los huérfanos? ¿Se ha vuelto loco? ¿Cree
que las viudas y los huérfanos van a sostener a
nuestro grupo bancario? ¡Elimine a las viudas y
a los huérfanos! ¡Tache a las viudas y a los huérfanos! (*Cuelga. Se controla, descuelga y oprime*

otro botón.) ¿Pasteur?... (*Feliz.*) ¡No!... ¡Pasteur, cómo lo logró?... ¿El automóvil que le regalamos?... ¿El secretario particular está de acuerdo? ¡El ministro está de acuerdo! ¡Ah, pero eso es una excelente noticia, mi querido Pasteur, me da usted una excelente noticia! Si el ministro me inaugura la sucursal del norte tenemos la cadena completa. ¡Abrimos con ministro, periodistas y fotógrafos! Su gestión ha sido muy eficaz, Pasteur, muy eficaz... ¿Cómo? No, participación no puedo ofrecerle. No, ni por el ministro... Hablaremos de eso más tarde. ¡Más tarde! (*Cuelga. Descuelga y oprime otro botón.*) Señorita, cancele el desayuno de mañana. ¿Smoletti? Sí, tomo la llamada. (*Oprime un botón.*) Amigo Smoletti, estoy absolutamente seguro. Comprobado. Sí, absolutamente. Venda con toda confianza. Hoy mismo. Yo estoy vendiendo... No tiene nada que agradecer, Smoletti, nada que agradecer; es un favor de amigo. Hasta pronto. (*Oprime un botón.*) ¿Hans? Smoletti va a vender. ¡Cayó en la trampa! Compre inmediatamente todo lo que él venda. Compre a morir, ¿entendido? (*Cuelga. Algo se le ocurre. Oprime un botón. Habla con amabilidad fingida.*) ¿Señor Rosales? ¡No, no me diga nada, no me diga nada, no me interrumpa, señor Rosales! Jamás permito que mis empleados me interrumpan. A las siete de la mañana, ¿se entera? A las siete ya estoy yo cada día en mi oficina. Y por la noche me llevo trabajo a casa... ¿Su vida familiar? ¡Pues olvídela, señor Rosales, olvídela! Yo nunca he tenido vida familiar. Cuando se trabaja no se tiene vida familiar. La puntualidad es algo... ¿Cómo?... ¡Mi carácter anal! ¿La puntualidad es una obsesión de mi carácter anal? ¡Señor Rosales, queda usted despedido! (*Cuelga. El rostro le cambia: complacido escucha las notas de una triunfal "Diana", música situada ya en el cuadro siguiente.*)

Cuadro VIII: Nueva sucursal. *También aquí el decorado brillante. Un grupo aplaude: son dos* Empleados de la sucursal, La resbalosa y Una periodista *lesbiana con su joven* Fotógrafa. Él *va hacia sus admiradores mientras los trastos en escena desaparecen.*

ÉL: Muy amables, señores, muy amables. (*Consulta su reloj; pasea, nervioso.*) El señor ministro vendrá.

LA PERIODISTA: ¿Seguro que vendrá?

ÉL: Absolutamente seguro. Permaneceremos todos aquí esperando al señor ministro.

LA PERIODISTA (*Con su cuaderno de notas.*): Yo necesito des déclarations pour mon journal.

ÉL: Después, más tarde, señor... señora.

LA PERIODISTA (*Agresiva.*): ¿Cómo que más tarde? ¡Right now! (*En paréntesis amoroso, a* La fotógrafa.) Betsy, darling.

LA FOTÓGRAFA: Ready, Sue.

Rápido, La periodista *se coloca junto a* Él. *Flash de* La fotógrafa, *que los retrata.*

LA PERIODISTA: Gracias, querida. (*A* Él, *severa.*) Well? I'm waiting!

ÉL: Qué le puedo decir... Con esta sucursal que hoy inaugura el señor ministro completamos en el país una cadena institucional...

LA PERIODISTA: ¡No, no, no, no! That's not what I need! Je vais vous poser de questions. ¡Conteste claramente y sin ambigüedades! ¿Trabaja mucho?

ÉL (*Quedando bien con* Los empleados.): Eh... Pues... mucho, no, creo que no... Trabajo lo necesario..., lo normal... También disfruto de la vida.

EMPLEADO PRIMERO: ¡Disfruta de la vida!

EMPLEADO SEGUNDO: ¡Qué inteligente!

LA RESBALOSA (*Suspira.*): ¡Disfruta de la vida!

LA PERIODISTA: ¿Fue difficile arriver hasta el puesto que tiene?

ÉL (*Falso.*): ¿Difícil?... No..., no fue difícil... Fue como un juego.

EMPLEADO PRIMERO: ¡Como un juego!

EMPLEADO SEGUNDO: ¡Qué inteligente!

LA PERIODISTA: ¡Mamma mía!

LA FOTÓGRAFA: Faitez vos jeux.

LA PERIODISTA: L'argent, money, ¿lo es todo para usted?

ÉL: Pues... ¡Oh, no no! El dinero no lo es todo.

LA PERIODISTA (*Severa.*): ¿Entonces qué pone en primer lugar? What's before money?

ÉL: ¿Antes que el dinero?... Pues yo diría que...
(*Inventa.*) ¡La felicidad, por supuesto! Antes que
el dinero está la felicidad.

EMPLEADO PRIMERO: ¡La felicidad!

EMPLEADO SEGUNDO: ¡Qué inteligente!

LA RESBALOSA (*Suspira.*): ¡La felicidad!

EMPLEADO SEGUNDO: ¡El ministro!

Solemne entrada de El ministro, *acompañado de dos*
Funcionarios. Él *se precipita a atenderlos. Flashes
de* La fotógrafa.

ÉL: Señor ministro... Señores funcionarios... Por
aquí, por favor, por aquí...

EL MINISTRO: Gracias. Buenos días.

ÉL: Señor ministro, señores funcionarios... Su presencia es un gran honor para mis empleados y
para mí... Aquí las... "señoritas" son de la
prensa.

La periodista y La fotógrafa *se precipitan hacia* El
ministro, *pero* Él *se los arrebata.*

ÉL: Venga conmigo, señor ministro... Señores,
tengan la bondad... La ceremonia será en la
habitación de al lado.

LA PERIODISTA: ¡One momento! ¡One momento,
mister ministro! Yo necesito des déclarations
pour mon journal. Betsy, chérie...

LA FOTÓGRAFA: Ready, Sue.

Rápida, La periodista *se coloca junto al* Ministro
y La fotógrafa *los retrata.*

FUNCIONARIO PRIMERO: (*A* La periodista.): Por favor, señora. . ., señor. El señor ministro no puede hacer declaraciones.

FUNCIONARIO SEGUNDO: El señor ministro sólo dirá las palabras de inauguración.

LA PERIODISTA: Pues yo necesito des déclarations antes de que llegue la TiVí. O me dice algo, o me lo invento.

EL MINISTRO: No es necesario. . . "señorita". No es necesario que invente. Le contestaré con mucho gusto.

FUNCIONARIO PRIMERO: Una pregunta. Nada más una.

FUNCIONARIO SEGUNDO: En mexicano, por favor.

LA PERIODISTA: Okey, en mexicano. Una pregunta. Señor ministro (*De corrido.*): ¿Qué opina de la actual economía de nuestro país. (*Un aparte para contestarse a sí misma.*) —desastrosa— y qué futuro ve para las inversiones de capitales extranjeros (*Contestándose.*) —¿cuáles— y es acaso la CIA (*Contestándose.*) —por supuesto— la que tiene la culpa de todo, y cómo está eso de que van a caer muchas cabezas (*Contestándose.*) —¿más?— y qué me dice de la estabilidad (*Contestándose.*) —ja, já— de nuestra moneda? (*Toses entre los asistentes. Disimulan. La periodista* empuña el cuaderno de notas. El ministro *se dispone a adoptar su tono oficial.*)

EL MINISTRO: Eh. . . Bueno. . . Yo diría que el panorama reviste aspectos de un definitivo optimismo. . . Los capitales extranjeros. . . vendrán, por supuesto que vendrán. ¿Acaso no han venido siempre? (*Demagogo.*) Como ha dicho el primer mandatario de nuestro país, nuestra economía está en vías de franca expansión. El proceso de desarrollo, basado en los lineamientos de nuestra Revolución, habrá de derivar en una estabilización de los precios y en una mayor participación del tercer mundo en el mercado internacional. (*Aplausos.*)

EMPLEADO PRIMERO: ¡Qué bien habló!

EMPLEADO SEGUNDO: ¡Qué documentado!

LA PERIODISTA: Pero no me contestó lo de la CIA.

ÉL: Señora, por favor, no insista.

LA PERIODISTA: ¿Y usted, como banquero, qué opina?

ÉL: Yo opino... lo que opina el señor ministro. Yo apoyo todo lo que dijo el señor ministro.

EMPLEADO SEGUNDO: ¡Muy documentado!

LA FOTÓGRAFA: He is a big man, Sue.

LA RESBALOSA (*Con acento latino.*): ¡Un gorgeous man!

LA PERIODISTA (*Hombruna.*): C'est mon homme!...
(*Al* Ministro.) Monsieur le ministro, une photo for my paper.

Todos rodean al Ministro, *quieren retratarse junto a él, empujan a* Los *funcionarios; todos empujan a todos.*

LA FOTÓGRAFA (*Retrocede, enfocándolos.*): Momentito, momentito... Más a la destra, más a la destra... Good, very good. Danke schön, danke schön...

Él *sonríe, feliz al lado de* El ministro, *donde logró colocarse. Flash final. Todos, hasta* La fotógrafa, *quedan inmóviles, como fijados en el grabado.* La resbalosa *es la única que recobra movimiento.*

LA RESBALOSA (*Suspira, ahora hacia* El ministro.): Gorgeous!...

Cuadro IX: Casa de ella. *Quedo, suave, como de otro mundo, llega una bella voz.* Ella *tararea una canción de cuna: es en realidad un antiguo romance catalán, "El Mariner", cuya letra dice: "A la vora de la mar / n'hi ha una donzella..." Tararea mientras un cenital se enciende poco a poco:* Ella *está sentada y lo tiene a* Él *en sus brazos, en una figura plástica que en algo recuerda "La Piedad", de Miguel Ángel. Sólo que los dos personajes están totalmente desnudos, en el desnudo más puro que imaginarse pueda.* Él *está cansado.* Ella *canta y le acaricia el rostro.*

ÉL: No fue fácil... No fue un juego.
ELLA: Hay que saber detenerse a tiempo...

Canta y lo acaricia mientras la luz baja poco a poco. Se alargan hasta esfumarse las notas de la canción.

OSCURO

Cuadro X: Un parque. *Ambiente de "naturaleza": aire libre, pajaritos. Acostado en una banca está* Equis. *Hombrecillo extraño y extrañamente vestido, como vagabundo. Homosexual, además. Se incorpora y se despereza. Escucha a los pájaros. Les silba, contestándoles. Sentado en la banca, empieza a deshojar una margarita.*

X: Me quiere, no me quiere, me quiere, no me quiere...

Entra Él, *muy bien vestido y, como de costumbre, apresurado. Cruza el parque sin fijarse en* Equis, *que le mete zancadilla y lo hace caer. Se levanta, furioso.*

ÉL: ¿Cómo se atreve?
X: Me quiere, no me quiere...
ÉL: ¡Me metió zancadilla!
X: Perdone, caballero, ¿es a mí?
ÉL: ¡A usted, claro que es a usted! Me hizo caer.
X: Yo no lo hice caer. Usted se cayó solito.
ÉL: Si cree que va a burlarse de mí...

Le suelta un directo a la quijada. Pero el golpe se pierde en el aire y es Él *quien retrocede, llevándose la mano a la cara, como si hubiera recibido el puñetazo.*

ÉL: ¡Ay!... ¿Qué pasó?... ¿Cómo lo hizo?
X (*Divertido.*): ¿Hice qué?
ÉL: Devolverme el golpe. Me contestó con una rapidez increíble.

X: Yo no le devolví ningún golpe. Usted se pegó solito.

ÉL: Le advierto que esto no va a quedar así. (*Se lanza contra* Equis *que se escabulle, divertido.*)

X: Cálmese, caballero, cálmese... Recuerde que usted empezó. Me tiró un directo a la quijada... Del lado derecho, para ser exactos.

ÉL (*Llevándose la mano a la cara.*): Sí, del lado derecho... Le tiré el golpe, pero lo recibí yo, en mi cara... Me interesa su técnica. Explíqueme cómo lo logra.

X (*Sexy.*): ¿Es una invitación al diálogo?

ÉL: ¿Pero qué le pasa? ¿Quién es usted?

X: Un desconocido. Llámeme... Equis.

ÉL: Está bien, está bien, llámese como quiera, no me importa. Pero explíqueme el truco.

X: ¿Qué truco?

ÉL: Es un truco, ¿no? (*Amenazador.*) ¡Va a explicármelo!

X: De acuerdo, de acuerdo, no tengo ningún inconveniente, voy a explicárselo.

ÉL: Que sea rápido.

X. En realidad, es muy sencillo. Verá (*Confidencial.*): Todo empezó esta mañana, hacia las doce... Yo nunca me levanto antes de las doce; no es sano... Como le decía, todo empezó esta mañana, cuando aparecieron llenas de hipopótamos todas las jaulas de los canarios.

ÉL: Tú te lo buscaste.

Le envía un golpe al estómago, pero es él mismo quien lo recibe; le mete una llave, pero es él quien

resulta con el brazo doblado atrás de la espalda
y retrocede, trastabillando.

X (*Ríe.*): No debiste hacer eso... Estuviste a punto de volverte a caer.

ÉL (*Recobrando compostura.*): Está bien... Te lo compro. Tu sistema bumerang... Tengo dinero. Te lo compro. (*Se dispone a sacar la cartera.*)

X: ¡Oh, no es cuestión de dinero!

ÉL (*Extrañado.*): ¿No? ¿De qué es cuestión entonces?

X: Más bien es un asunto de tiempo. Golpe que das, golpe que te devuelven... Lo único que yo hice fue acelerar el proceso para que el golpe te fuera devuelto antes de llegarme a mí. ¿Comprendes?

ÉL: No estoy seguro.

X: En realidad, dominar el tiempo es más fácil de lo que la gente cree... ¿Tú crees en el tiempo lineal o en el tiempo circular?

ÉL: Mi querido... Equis, yo no creo en el tiempo. ¡Lo cotizo!

X (*Muy interesado.*): ¿En dólares?

ÉL: ¿En qué otra cosa si no?

X (*Suspira.*): Tienes razón. ¡Nada como el dólar!

ÉL: Menos mal. Ya vamos entendiéndonos.

X: Pero no es necesario que me compres el truco. Te lo regalo.

ÉL: ¿De veras?

X: Sólo que para entender mi sistema tienes que conocerme mejor. (*Coqueto.*) Y conocerme no es fácil. Tengo muchas personalidades.

ÉL (*Burlón.*): ¿Ah, sí?... Dime una, por ejemplo.

X: Por ejemplo, soy tú.

ÉL: ¿Yo?

X: Tu otro yo.

ÉL (*Ríe.*): Pero si no tienes nada en común conmigo. ¡No hay más que vernos! ¿Te has mirado en un espejo?

X: Precisamente, precisamente...

ÉL (*Tajante.*): Mi otro yo no confunde los hipopótamos con los canarios.

X: Los confunde... Todos los confundimos.

ÉL: ¡Mi otro yo no es marica!

X: Lo es... Todos lo somos... En el subconsciente.

ÉL: ¡Yo no tengo tiempo de tener subconsciente! (*Saca la cartera y le da un billete.*) Toma. Cien dólares por la verdad.

X: Si te empeñas en pagar... (*Toma el billete y lo guarda en un bolsillo del pantalón.*) Pero hay muchas verdades.

ÉL: La primera. ¿Quién eres?

X (*Inventa.*): Soy... una raíz de árbol... Una raíz, que crece en este parque.

ÉL (*Divertido.*): No está mal. Tienes pinta de raíz de árbol.

X (*Serio.*): Es una historia lúgubre. Soy la Mandrágora.

ÉL (*Divertido.*): ¡La Mandrágora!

X (*Sexy.*): Hermafrodita, por supuesto.

ÉL: Ése es tu problema.

X: Nací en una noche de luna. Broté, así nada más, de la tierra. Cuando me arrancaron del sue-

lo, mis gritos se oían a leguas a la redonda...
Mis gritos han vuelto locos a muchos hombres.
Nací del semen de un ahorcado.

ÉL: Conozco la leyenda. Eso no vale cien dólares.

X (*Divertido.*): Te ha salido gratis. El billete lo
tienes tú.

ÉL: ¿Cómo? (*Va a sacar la cartera.*)

X: No, en la cartera no. En el bolsillo.

ÉL: Nunca guardo dinero en el bolsillo.

X: En ése no... En el otro. Me lo guardé en el
otro.

ÉL (*Encuentra el dinero.*): ¡Sensacional! No solamente los golpes; ¡también el dinero me regresa!... Te doy lo que quieras por este otro truco.
(*Le ofrece el billete.*) Toma. Hazlo más despacio.

X: No vale la pena: llegaríamos a lo mismo. Guarda tu dinero; te dije que te iba a salir gratis.

ÉL (*Guarda el billete.*): Te escucho entonces.

X: Mira, la verdad es que ni tú ni yo estamos
aquí... ¿Cómo ibas a estar tú en un parque,
paseando, perdiendo el tiempo con un tipo como
yo?... Absurdo, ¿no? La verdad es que los dos
estamos en tu departamento. (*Sexy.*) Porque tienes un departamento, ¿no es cierto?

ÉL (*Impaciente.*): ¡Todos tenemos un departamento!

X (*Muy digno.*): Todos no. Hay quien prefiere
vivir en casa sola.

ÉL: ¿Y qué más?

X: Tú estás en tu departamento. Dormido. Y yo
soy tu pesadilla.

ÉL (*Ríe.*): ¡Eso sí! Tienes cara de pesadilla.

X: No es culpa mía, si me elegiste... Yo hubiera preferido que soñáramos con ella.

ÉL: ¿Con ella?

X: La única. Teresa-Germana-Alejandra-Sofía... La tenemos un poco descuidada, ¿no te parece? En cambio Sofía nos es fiel.

ÉL: ¡Claro que nos es fiel! Digo, me es fiel. ¡No faltaba más!... ¿Pero qué sabes tú de Sofía?

X (*Deshojando la margarita.*): Me quiere, no me quiere... (*Divertido.*) Coqueteo con la vida... Es un ejercicio que te recomiendo. Coquetear con la vida deshojando una margarita... Me quiere, no me quiere... ¿Por qué no vas a que te adivinen el futuro? Conozco a una vidente que...

ÉL (*Interrumpe.*): ¿Una vidente? No creo en supersticiones.

X: ¿No?...

En el lugar donde se encendió el cenital y Él *y* Ella *formaron, en el cuadro nueve, la estatua de "La Piedad", hace un ademán de magia. Se oye la voz de* Ella, *tarareando la canción.* Equis *acaricia el cabello de la mujer imaginaria. Diríase que entre* Él *y* Equis, *separándolos, se levanta la estatua que* Él *mira, como hipnotizado.*

ÉL: No fue fácil. No fue un juego.

X: Hay que saber detenerse a tiempo.

ÉL: ¿Qué dijiste?

X: Sofía te habla con la verdad. Pero tú no la crees.

ÉL: ¿Cómo puedes repetir las palabras de ella?

X (*Serio.*): Y ahora, escúchame. Cuando prefieras lo valioso a lo importante... Cuando elijas la belleza. Cuando pienses en el mar. Cuando necesites un poco de magia. Cuando prefieras el amor...

ÉL: ¡Nunca!

X: Entonces tendrás mi secreto. Entonces te habrás encontrado a ti mismo. (*Ríe y, con ademán brusco, destruye la estatua.*)

ÉL: ¡No!

X (*Pisando el lugar donde estuvo la estatua, va hacia* Él.): Cuando la ciudad te canse, por puta, ven conmigo a la naturaleza. (*Retrocede, divertido.*) Me voy a oír cantar a mis hipopótamos. Me voy a desayunar una de mis aves enlatadas... Si alguna vez te decides a optar por las regiones del aire, no hace falta la mota... Yo te llevo.

ÉL: ¡Estás loco!

X: Con tu dinero también podrías comprar tiempo.

ÉL: ¡No tengo tiempo para comprar tiempo! (*Da unos pasos, alejándose en sentido contrario. Se detiene y voltea.*): ¡Oye!

X (*Deshojando la margarita.*): Me quiere, no me quiere... Recuerda, la vidente... (*Desaparece.*)

ÉL (*Hacia donde* Equis *salió.*): ¡Nunca! Yo no necesito mentiras para vivir. Una vidente, ¡nunca!

Sale, a la vez que por el otro extremo entra La vidente.

Cuadro XI: Casas de La vidente, de las putas y de los homos. *Cortinas transparentes (pueden ser de cuentas, como collares; también pueden ser imaginarias) dividen el escenario.* Él *volvió a entrar en seguida, para dirigirse a casa de* La vidente. *Al mismo tiempo entró también* El lector.

EL LECTOR: La vidente, envuelta en un chal y con una falda larga que deja asomar calcetines y zapatos de hombre, es un hombre. . .

La vidente, *definitivamente personaje de caricatura, entró a su casa y se sentó frente a* Él, *ante una mesa con carpeta de colores sobre la que hay una esfera de cristal.*

EL LECTOR: Las cortinas son misteriosas, libidinosas y con reminiscencias orientales. La vidente es de las clásicas: de las que todavía trabajan con esfera de cristal. . .

Entran dos Putas *y dos* Homosexuales; *se colocan cada uno tras la cortina de su casa.*

EL LECTOR: Las putas son las putas. Y las locas son las locas.

Sale El lector *mientras, en sus respectivas casas, ellos y ellas se exhiben, se peinan, se acicalan.*

UN HOMO (*Viéndose al espejo.*): Así me gustan las mujeres.

Entró a su casa la Puta tercera *con* Un negro. *Empiezan a hacer el amor, vestidos y de pie. Entra* Un niño: *un adulto vestido de niño, con tobilleras blancas y piernas al aire.*

EL NIÑO: ¡Mamá, mamá!...
PUTA TERCERA: ¡Cállate!

Sin dejar a su pareja, se estira y le mete al niño *una paleta en la boca. El niño, con los ojos muy abiertos y chupando la paleta, cruza el escenario llorando.*

EL NIÑO: ¡Abuelita, abuelita!...

Sale. La mujer y El negro *siguen moviéndose y llegan al clímax.*

ÉL (*A* La vidente.): ¡Claro que seguirán los buenos negocios! ¡Claro que haré más dinero todavía! Para eso no hay que saber predecir el futuro.
LA VIDENTE: No sólo dinero. Tendrás poder.
ÉL: Sí, el dinero da poder.
LA VIDENTE: Otro tipo de poder... Veo... un poder muy grande.
ÉL: Esto me interesa.
LA VIDENTE: Llegarás a ser... No, no es posible. Llegarás a... (*Se interrumpe.*)
ÉL: ¡Sigue, sigue! ¿Qué más?
LA VIDENTE: Lo siento. Ya no veo nada.
ÉL: ¿Cómo que no ves? ¡Sigue, trata! (*Le da dinero.*)

LA VIDENTE (*Enfrascada en su esfera, mientras con la mano pide más dinero.*): Sigo sin ver nada. (*Él le da más billetes que* La vidente *se apresura a guardar.*) Ahora sí ya veo... Llegarás a ser... Es inútil. Ahora sólo aparece la muerte.

ÉL: ¿La muerte?

LA VIDENTE: No te preocupes. Una mujer te aleja de la muerte.

ÉL (*Burlón.*): ¡Ah, una mujer! ¡El amor!

LA VIDENTE: El sexo.

ÉL (*Divertido.*): Da lo mismo.

LA VIDENTE: No da lo mismo. Amor y muerte a veces se llevan bien. En cambio el sexo nos hace olvidar la muerte.

ÉL: De acuerdo. ¡Olvidemos entonces! ¡Dediquémonos al sexo!

Aparta la cortina y sale de la casa de La vidente. *Entra música para incitación sexual. Todos los personajes salen de detrás de sus cortinas y, con movimientos lentos, como de ballet, se le ofrecen, se exhiben ahora para* Él. La vidente *sigue la acción viéndola en su esfera.* Él *hace el amor con una de* Las prostitutas, *pero le fastidia y la rechaza. Lo hace con la otra y con la otra. Las rechaza. Lo hace con* El negro *y lo rechaza. Con uno de* Los homosexuales, *con el otro. Acaba rechazándolos también. Se aparta. Saca de la cartera un fajo de billetes y los lanza hacia los personajes. La música se corta en seco. Todos se precipitan, gritando, peleando por quedarse con el botín.* La vidente, *desde su esfera, se divierte mucho con esta escena y se*

divertirá más todavía con la que sigue; irá volvién-
dose maléfica. Cada personaje se incorpora, con
el dinero que ha podido agarrar. Él los despide.

ÉL: Pueden irse. Cuando los necesite los llamaré.
Para eso tengo dinero.

Pero los personajes no obedecen; le hacen guiños,
señas provocativas.

Un homo: Dinero.
Una puta: ¡Es rico!
La vidente (*Desde su esfera.*): Rico... rico...
rico... rico...
El negro: Tiene dinero.
Todos: ¡Dinero!
Otro homo: ¡Dinero!
ÉL (*Impaciente.*): Pueden irse. Los llamaré. Soy
yo el que va a elegir.

Pero todos van hacia Él, lo rodean, lo asaltan.

Una puta: ¡Elígeme a mí!
Un homo: ¡A mí!
Todos (*Voces varias.*): ¡Yo lo vi primero!
¡Yo lo vi primero!
¡A mí!
¡Elígeme a mí!
ÉL (*Logra zafarse y se aleja.*): ¡Déjenme! ¡Cuando
los necesite los llamaré!

Pero putas y homos lo observan, con otra decisión

239

*en mente. Entra música para agresión. Todos avan-
zan hacia Él, que retrocede, ahora dando explicaciones.*

ÉL: Tengo derecho a elegir...

*Putas y homos siguen avanzando, cada vez más
agresivos.*

ÉL: Soy libre... Tengo derecho.
TODOS (*A coro.*): ¡Tiene dinero!
ÉL: ¡Tengo derecho!
TODOS (*A coro.*): ¡Tiene dinero!

*Alrededor de Él cerraron un círculo del que no le
permiten salir. Con gritos y burlas le quitan el saco,
la corbata, siguen desvistiéndolo, mientras trata
inútilmente de defenderse.*

ÉL: No... No... Déjenme... Soy libre... Tengo
    derecho...

*Está ya totalmente desnudo. Los personajes lo agre-
den, lo empujan, lo tiran al suelo, a la vez que
dicen:*

TODOS (*Voces varias.*): Dinero.
    Dinero.
    Es rico.
    Tiene dinero.
    Dinero.
    Dinero...

Bajan música y luces; queda un tétrico, malévolo reflector sobre La vidente *que, desatada, mostrando dientes de bruja, ríe a carcajadas viendo la escena en su bola de cristal mientras se oyen el jadear de* Él *y todavía, quedo ahora, las voces.*

Dinero.
Es rico.
Tiene dinero.
Dinero... Dinero...

OSCURO

Cuadro XII: El cabaret. *Música de jazz: un viejo jazz clásico. Una tarima sobre la que cuatro* Músicos, *entre ellos* El negro *del cuadro anterior, ejecutan con sus instrumentos (trompeta, batería, bajo y saxofón, por ejemplo) la pieza que en realidad estamos oyendo en una grabación y que interpreta también una* Bailarina. *Al terminar, aplausos, a la vez que, aplaudiendo también, entran* Él y Ella *y se instalan ante una mesa imaginaria.*

ÉL: Aquí estaremos mejor.

Los músicos y La bailarina *agradecen los aplausos y salen. Grabación de conversaciones, risas, ambiente de cabaret.*

ELLA: Con el jazz me parecía estar en una iglesia.

Él (*Divertido.*): Un cabaret no es precisamente una iglesia.

Ella (*Seria.*): El jazz es como un rito... Hay que escucharlo con respeto, como quien oye rezar en un templo.

Él: Quizás. A mí los ritos no me interesan. (*Divertido.*) Deprimida me gustas más.

Ella: Nunca has amado a nadie, ¿no es cierto?

Él: ¡Ah, las grandes frases!

Ella: El consorcio, eso sí te interesa. Por fin lo lograste. Un consorcio en el mundo entero. Dinero para...

Él (*La interrumpe.*): ¡Ya no me preocupa el dinero! Ni el consorcio tampoco, ¿entiendes? Logré esa meta y tengo otra. Llegaré a la cima.

Ella: ¿Hablas de política?

Él: Hablo de poder.

Ella: Ya lo tienes.

Él: Puedo tener más. En senador no me quedo. ¡Ni siquiera en ministro! No cualquiera puede lograrlo, pero yo sí. Yo llegaré al cargo máximo. Pagaré lo que cueste. Seré el jefe. El único. El número uno.

Ella: Eso es todo lo que te importa.

Él (*Interrumpe.*): ¡Para mí sólo se ha hecho el número uno! Llegaré, te digo.

Ella: El poder es más importante que el jazz. ¿Nos vamos?

Él (*Divertido.*): Delicada como un cristal... Un rostro tan fino... Un juguete tan fino...

Ella: Te gustan los juguetes.

ÉL: No los finos. No soporto a los privilegiados. Salvo que el privilegiado sea yo.

ELLA: ¿Nos vamos?

ÉL: ¿Por qué? Pronto volverán los músicos.

ELLA: El jazz es como un rito. A ti los ritos no te interesan. ¿Nos vamos?

ÉL: Como quieras.

Se levantan y se alejan. Cesan las conversaciones y bajan las luces en el cabaret. El final del cuadro va totalmente ligado al principio del que sigue.

Cuadro XIII: Calle segunda, de noche. Él y Ella *vuelven a acercarse por el escenario vacío.*

ELLA: Todavía oigo el jazz.

ÉL: Yo no oigo nada.

ELLA: Hace rato pensé que tocaban nada más para nosotros. Pensé que ese jazz podía unirnos, como antes.

ÉL: Pensar te hace daño

ELLA: Tienes razón. Nunca nos unió nada. Sólo el sexo.

ÉL: ¿Qué más quieres?

ELLA: Te acercas para hacer el amor y vuelves a recobrar distancia. Tu distancia. Tu mundo. Tu carrera. Tu poder. Y mientras tanto me manejas, me utilizas.

ÉL (*Con burla.*): ¿Te utilizo?

ELLA: Cómo vas a tener tú ciertos matices. Cómo

vas a saber apreciar a una mujer. Qué vas a saber tú de sensibilidad, qué vas a saber tú, con tu dinero y tu poder y tus prostitutas, pero yo soy diferente, ¿te enteras?, soy diferente. Qué vas a saber tú con todo tu dinero, pobre hombre, ¡te desprecio! (*Él le da una bofetada.*)

ÉL: Igual que todas, ¿entiendes? Eres igual que todas.

ELLA: No volverás a verme.

ÉL: Te veré cuando quiera, siempre que quiera, como yo quiera.

ELLA: Adiós. (*Sale.*)

ÉL: Igual que todas. Cuando yo quiera. . .

Da unos pasos, alejándose en dirección opuesta, pero en esos momentos entran corriendo y gritando, en desbandada, Los perseguidos: *tres mujeres y un hombre, tras quienes vienen* Los de las metralletas: *tres hombres armados. Arrollado por la bola,* Él *cae al suelo. Las mujeres salen gritando, pero al hombre* Los de las metralletas *han logrado acorralarlo contra una pared y hacia él apuntan.*

EL PRIMERO CON METRALLETA: Conque eres tú. . . ¡Así te queríamos agarrar!

EL PERSEGUIDO: No entiendo. Yo solamente. . .

EL PRIMERO CON METRALLETA: ¡Cállate! ¡Contra la pared! ¡Levanta las manos!

El hombre obedece. En otro extremo, Él *se pone en pie. El primero con metralleta se le acerca, mientras los otros dos siguen apuntando al que tienen atrapado.*

EL PRIMERO CON METRALLETA: ¿Y tú quién eres? (*Él saca una identificación y se la muestra. El de la metralleta se cuadra y saluda.*) Disculpe, señor senador. (*Le devuelve el documento. Se une a los otros e increpa al hombre contra la pared.*) ¡A ver, tú! Conque reunías a compañeros para protestar. ¿no? (*El hombre trata de hablar.*) ¡Cállate! Por suerte el gobierno puede confiar en nosotros. Para eso estamos las fuerzas del orden. Tú ya estás grandecito para andar protestando...

EL SEGUNDO CON METRALLETA: ¿Es el que protesta?

EL PRIMERO CON METRALLETA: El que protestaba.

Racha de metralletas sobre el hombre, cuyo cuerpo se sacude bajo las balas y cae.

EL PRIMERO CON METRALLETA: Listo. (*Va hacia Él y hace saludo militar.*) Perdone la molestia, señor senador.

EL SEGUNDO CON METRALLETA (*Saludo.*): Buenas noches.

EL TERCERO CON METRALLETA (*Saludo.*): Buenas noches.

ÉL (*Que ya recobró compostura, muy digno.*): Buenas noches, señores.

Los de las metralletas salen. Él se sacude el saco y se arregla la corbata.

ÉL: Hay que mantener el orden, no faltaba más...
Orden, es lo que necesitamos en este país... (*Salta por sobre el muerto y sale. Todavía dice.*)
¡Orden!...

Cuadro XIV: En la ciudad. *Tema musical: algo cursi. Un blues, quizás. Quizás un tango.* Un actor y una actriz, vestidos con trajes de calle, bailan: es una breve parodia, con actitudes decadentes, de la melodía que escuchamos. Cesa la música y van al proscenio, a la vez que invitan a entrar a más actores. Un total de cinco hombres y tres mujeres, todos vestidos con trajes de calle, se presentan ahora al público.*

LA CIUDADANA: Somos...
TODOS (*A coro.*): Los ciudadanos. (*Entra Él y lo alcanzan mientras jadean, admirativos.*) ¡Ah! ¡Ah! ¡Ah! ¡Ah!... ¡Él sigue progresando!
ÉL (*Avanza sonriente, saludando como un político.*): Gracias, amigos, muchas gracias.
UN CIUDADANO (*Canta, mientras le toma película con una cámara de cine.*): "Te vendes.../ quién pudiera comprarte..."

Los ciudadanos *sacan cuadernos de notas y se transforman en* Los periodistas, *alrededor de* Él.

* Para la puesta en escena en México, ·la canción "Hastío", de Agustín Lara, interpretada por Emilio Tuero.

Un PERIODISTA: La prensa, senador. ¿Cree usted que en nuestro país hay libertad de prensa?

ÉL: ¿El campo? Sí, me gusta mucho pero no tengo tiempo.

EL CIUDADANO (*Canta, filmándolo, mientras Él sigue haciendo declaraciones.*): "...Los hombres... no saben apreciarte..."

Los periodistas *guardan sus cuadernos y vuelven a presentarse, simpáticos.*

LA CIUDADANA: Somos...

TODOS (*A coro.*): Los ciudadanos. (*Van a* Él.) ¡Ah!, ¡Ah!, ¡Ah!, ¡Ah! ¡Él sigue progresando! (*Dan vueltas en círculo a su alrededor; quedó dentro de una jaula, con las voces de* Los ciudadanos *divididas ahora en tres coros.*) Los de las firmas. Los que interesan. Los que no interesan. Los ricos. Los pobres. Todos envidiándolo. Todos ayudándolo. ¡Ah!, ¡Ah!, ¡Ah!, ¡Ah! ¡Todos fregándolo!

ÉL (*Logra escapar.*): ¡Basta!

Los ciudadanos *nuevamente se presentan.*

LA CIUDADANA: Somos...

TODOS (*A coro.*): Los poderosos. (*Al público, ahora uno por uno.*)

Ricos...

y políticos.

Influyentes.

Amigos del "jefe".

Miembros del gabinete.
Influyentes.
Muy influyentes.
Amigos del "señor".

ÉL (*Angustiado, va de unos a otros; todos le dan la espalda, mientras* El lector *entra y observa.*): Por favor, arrégleme una entrevista... Cuento con su apoyo... Necesito una audiencia... Señor ministro, necesito su ayuda.

UN PODEROSO (*Falso.*): Claro, claro, senador.

ÉL (*A otros* poderosos.): El grupo... El apoyo del grupo, por favor...

EL LECTOR: Meses... Años... Todos influyentes, pero uno es el que manda. (Él *llegó ante uno de los poderosos, que ahora juega golf.*)

EL PODEROSO (*A* Él.): Buenas tardes, señor senador.

ÉL: Lo que usted mande (El poderoso *le dio la mano y lo obliga a arrodillarse*), señor Presidente.

El poderoso *ve a todo el grupo; hay expectación. Uno por uno los recorre a todos, señalándolos con el dedo índice. Finalmente se decide y su dedo señala al que está a sus pies.*

EL PODEROSO: Él.

Triunfador, Él *se levanta, entre la inmediata aprobación general.*

UN PODEROSO: Felicidades, señor ministro.

OTRO PODEROSO: Bienvenido, colega.

ÉL: Como ministro, seguiré sirviendo a la nación.

OTRO PODEROSO: Siempre supe que sería él.

ÉL (*Para sí.*): Me falta sólo el poder máximo.

Los ciudadanos, *en parejas, forman ahora fragmentos de paredes en el escenario, mientras* El lector *prosigue.*

EL LECTOR: Las paredes lo acosan. Su ambición lo acosa. A donde quiera que va la encuentra recordándole su nueva meta...

Sale, a la vez que Él *va hacia* Los ciudadanos; *éstos hablarán divididos en tres coros, transformados en la valla de paredes que impedirá para* Él *cualquier salida.*

LOS CIUDADANOS (*Coro primero.*): Gobierna.

(*Coro segundo.*): Serás el jefe.

(*Coro tercero.*): El número uno.

(*Coro primero.*): El poder. La cima. La meta. El poder.

(*Una voz, de uno que le impide el paso.*): ¡Sigue!

(*Todos.*): ¡Tienes que lograrlo! ¡Tienes que alcanzar la cima!

(*Coro primero.*): De prisa.

(*Coro segundo.*): Falta poco.

(*Coro tercero.*): No debes descansar.

(*Coro primero.*): El poder. La cima. La meta. El poder.

(*Otra voz, de otro que le impide el paso.*): ¡Sigue!

(*Todos.*): ¡Tienes que lograrlo! ¡Tienes que alcanzar la cima!

(*Coro primero.*): De prisa.

(*Coro segundo.*): Date prisa.

(*Todos, acosándolo.*): No debes descansar.

(*Coro primero.*): ¡Sigue! No debes descansar.

(*Todos.*): ¡Sigue! ¡Sigue! Sigue!...

ÉL (*Grita.*): ¡No!... ¡No puedo más!... (*Quedo.*) No puedo... No puedo más...

Queda en el suelo, agotado. Su respiración es agitada. Los ciudadanos le hablan, quedo, a la vez que retroceden.

LOS CIUDADANOS (*Voces varias.*): Solo.
Tienes que ser tú solo.
Nadie te puede ayudar.
Cuando llegas a la cima, siempre estás solo.
Solo.
Cuando llegas al final.
Nadie.
Nadie te puede ayudar.

Todos salieron. Él, cerca ya del punto que se ha propuesto, se arrastra. En un esfuerzo final, logra llegar y agarrar la cúspide.

ÉL: ¡Lo logré!

Pierde el conocimiento. Su mano se abre y su cuerpo se afloja. Queda como muerto. Hay una pausa.

Poco a poco empieza a moverse. Se incorpora. Se
pone en pie, a la vez que entra El lector.

EL LECTOR: No le vemos bien el rostro pero su
cuerpo ya no es el mismo. Han pasado quince
años más. Ha envejecido. Está cansado... Muy
cansado...

Él *ha logrado reconstruirse. Se aleja y sale. El lec-*
tor *da vuelta a la hoja y se sienta a leer en un*
extremo.

Cuadro XV: La casa azul. *Subrayado musical*
como de cuento de hadas y cambio de luces a la
vez que entra un actor que coloca una silla y un
escritorio. En seguida toma un micrófono y se con-
vierte en Un locutor, *de alambicada presencia;*
arrastra el cable del micrófono y a través de él
habla con afectada voz en la que los matices de
respeto se mezclan con los de lambisconería.

EL LOCUTOR: No, no es un cuento de hadas... Estamos en la casa azul. El despacho privado...
(*Admira el despacho mientras* El lector *prosi-*
gue.)
EL LECTOR: La acción ahora por Centro y también por Sudamérica... y por la Península Ibéri-
ca... El dictador en turno, militar o civil, general o Presidente... (*Lee.*) "Cualquier semejanza

con personas de la vida real es mera coincidencia."

EL LOCUTOR (*En su tono afectado.*): Sobriedad absoluta... Un escritorio... Libros... Una fotografía de la esposa y de los hijos del señor Presidente... (*Ubica una ventana frente al público, en el proscenio.*) Ventanas grandes... Afuera, jardines, espacios soleados... Ambiente de libertad... (*Ubica un espejo imaginario*). Un espejo... (*Ubica una puerta, quizás en el lugar donde estaba la del viejo departamento del principio.*) Una puerta sencilla...

EL LECTOR (*Desde su script, aclara.*): Vigilada.

EL LOCUTOR (*Al público.*): Y ahora, un mensaje comercial. Regresaremos dentro de unos momentos.

Sale, arrastrando el cable.

EL LECTOR (*Lee.*): Se acerca Él.

Entra Él, con sobrio traje y hablando con gente fuera de escena.

ÉL: Nadie, por favor. Que no entre nadie. Quiero estar solo. (*Hace ademán de cerrar la puerta.*)

EL LECTOR (*Lee.*): Solo... Ha llegado a donde quería y tiene miedo. La acción adelanta y tiene miedo... ¿Miedo del tiempo?... ¿Qué hace un Presidente cuando se queda solo?... Quizás algo sencillo... Por ejemplo, se mira en un espejo.

Él va al espejo y se mira, cara al público.

EL LECTOR: No es precisamente el mismo espejo de aquel viejo departamento... No es precisamente el mismo rostro... En un espejo siempre te queda el recurso de sumergirte hasta el fondo, como en el mar...

Retrocede y sale.

ÉL (*Ante el espejo, ríe, irónico.*): Nunca tuve mucho tiempo de pensar en el mar... Ir en busca de tu propia imagen... Sumergirte en un espejo...

Queda frente al espejo a la vez que se oyen voces varias de Los de las máscaras, *en tono objetivo, fuera de escena.*

MÁSCARA SEIS: Dictador.
MÁSCARA CUATRO: Es él.
MÁSCARA UNO: El dictador.
MÁSCARA TRES: Lo reconozco.
MÁSCARA OCHO: Lo sé.
MÁSCARA NUEVE: Dictador.
MÁSCARA DOS: Es él.
MÁSCARA CINCO: Dictador.
MÁSCARA SIETE: Él.
ÉL: Dictador, dicen. ¿Quién? ¿Quién lo dice?

A sus espaldas ve algo que refleja el espejo y se da vuelta, agresivo, a la vez que cambian las luces y entran, riendo, Los de las máscaras, *con vasos en la mano y actitudes afectadas de gente con-*

versando en un coctel. Son seis actores y tres actri-
ces que visten trajes de calle, distintos de los que
llevaron Los ciudadanos *en el cuadro anterior;* El
lector *es uno de ellos y viste su traje de* Lector.
Todos cubren sus rostros con máscaras un tanto
cubistas, que dan a cada uno apariencia que puede
acomodar a personajes diversos en situaciones va-
rias. Los de las máscaras *son para* Él —*y así irán*
conduciéndose— recuerdos, vivencias, frases perdi-
das entre conversaciones, rumores: son todos y
ninguno; gente que ha conocido y también los que
no conoce: son, alternativamente, los aduladores
de su camarilla y también los ciudadanos, el pue-
blo, el público, los mismos actores. De momento,
formaron en el escenario un primer grupo, inte-
grado por las Máscaras *uno, cuatro y cinco, hom-*
bres, y seis, mujer; otro grupo integrado por las
Máscaras *tres y siete, hombres, y ocho, mujer, y*
quedaron aparte las Máscaras *dos, mujer, y* nueve,
hombre. El juego consistirá ahora en hablar cada
quien con su grupo, en tanto que casi siempre un
personaje del grupo opuesto tendrá la línea siguien-
te. Él *permanecerá en su monólogo interior, de*
neurosis y de paranoia, durante toda la escena
de Las máscaras. *No son sus propios actos los que*
lo preocupan, sino su imagen, y ello sencillamente
por orgullo. También le preocupa conservar el po-
der. El actor puede apoyarse en factores como va-
nidad, desconfianza, inquietud, ironía, despotismo,
crueldad, rencor, odio, afán de mando, delirio de
poder hasta llegar a lo ridículo, etcétera.

MÁSCARA UNO (*A su grupo, entrando.*): En un coctel, evidentemente. En ningún lugar se dicen más tonterías juntas que en un coctel.

MÁSCARA DOS (*A la nueve.*): Yo por eso nunca voy a cocteles.

MÁSCARA TRES (*A su grupo.*): Porque la política es un arte, y cuando se manipula. . .

MÁSCARA CUATRO (*A su grupo.*): Se prostituye, por supuesto, se prostituye.

MÁSCARA CINCO (*A su grupo.*): Y llega el momento en que sólo te quedan las supersticiones.

ÉL (*A un personaje imaginario.*): A ti te reconozco. Me vaticinaste poder. . . Fue en la zona roja. . . Amsterdam. . . Hamburgo, creo: esas mujeres en los aparadores de Hamburgo. . .

MÁSCARA CINCO (*A su grupo.*): Aquí nada más, en la zona rosa.

ÉL (*Para sí.*): Fue en Nueva York: las putas y las locas. . . Había un negro. . .

MÁSCARA SEIS (*A un personaje imaginario.*): No, no, fue en casa de las Reséndiz, ¿ya no te acuerdas? Te eché las cartas. Estaban la Tetis Fuentes, la Chiquis Calderón y la Tikis Ruvalcaba y yo te dije. . .

ÉL (*Para sí, completando la frase.*): . . .Tú vas a llegar.

MÁSCARA SEIS (*A su personaje imaginario.*): Lo vas a lograr, te dije. Serás Presidente.

ÉL (*Para sí.*): Sí, recuerdo. . .

MÁSCARA CINCO (*A otro personaje imaginario.*): No vas a ser tú, entiéndelo, no vas a ser tú. (*Se pone a jugar golf.*)

ÉL (*A otro personaje imaginario.*): Te reconozco. Tuve que arrodillarme ante ti. No te lo perdono. Reniego de ti. (*La* Máscara cinco *se reintegra a su grupo y recupera la actitud coctel.*)

MÁSCARA SIETE (*Seguido a su grupo.*): "...Que el traidor no es menester siendo la traición pasada."

MÁSCARA DOS (*A la* Nueve, *en tono de chisme.*): Dictador, dicen.

MÁSCARA OCHO (*A la* Tres, *en el mismo tono.*): Medallas.

MÁSCARA DOS (*A la* Nueve, *siguiendo el chisme.*): Trae muchas medallas.

ÉL (*Para sí.*): Las paredes me acosaban. ¡Tuve que seguir adelante!

MÁSCARA NUEVE (*A la* Dos.): Fue su ambición.

MÁSCARA SEIS (*A su grupo.*): Naturalmente.

MÁSCARA TRES (*A su grupo.*): Un típico caso de ambición.

ÉL (*Para sí.*): Ahora que he llegado no dejo pasar a nadie. Ahora tengo el poder y no lo suelto.

Entró Ella, *con el vestido del cuadro doce y máscara, y se incorporó a uno de los grupos, conduciéndose como prostituta.*

ELLA: Para eso no hay que saber literatura inglesa. (*Ríe, vulgar.*)

ÉL (*Para sí, divertido.*): Es ella... Esa risa yo se la marqué en la cara.

ELLA (*A otro grupo.*): No, su nombre no puedo decírtelo... Él... Solamente él.

ÉL (*Para sí.*): Delicada como un cristal... Había que romper el cristal. ¡Destruirlo!

ELLA (*A otro grupo.*): ...Yo lo amaba. Pero empezó a recomendarme con sus amigos. Les decía dónde encontrarme, cuánto cobraba...

ÉL (*Para sí, divertido.*): Ahora es como las demás. No tenía por qué ser distinta.

ELLA (*A otro grupo.*): Y luego vas por los cocteles contándoselo a la gente...

Sale. Las máscaras *cambian ahora la actitud coctel por otra más vertical, algo rígida, que apoya su comicidad en rápidos movimientos de cabeza y cintura que algo tienen de robot.*

MÁSCARA CUATRO (*A su grupo.*): Fue en Nueva Orleáns. Allí estaba Sweet Emma... ¡Linda Emma!...

MÁSCARA OCHO (*A su grupo.*): Horrible vieja. Negra, además.

MÁSCARA CUATRO (*A su grupo.*): Sweet Emma tenía zapatos de punta.

MÁSCARA TRES (*A su grupo.*): ¿De qué?

MÁSCARA CUATRO (*A su grupo.*): De punta.

MÁSCARA SIETE (*A su grupo.*): ¡Ah!

MÁSCARA CUATRO (*A su grupo.*): Zapatos de punta y ligas con cascabeles en las piernas de Sweet Emma...

MÁSCARA OCHO (*A su grupo.*): Eso es la portada de un disco. (*Sin perder la actitud robot, el tono ahora vuelve a ser de chisme.*)

MÁSCARA DOS (*A la Nueve.*): Dicen que se maquilla.

MÁSCARA SEIS (*A su grupo.*): ¿Cómo que dicen? ¿Nunca lo has visto?

MÁSCARA NUEVE (*A la dos.*): ¿Ni siquiera en retrato?

MÁSCARA TRES (*A su grupo.*): Dictador, dicen.

MÁSCARA UNO (*A su grupo.*): Asesino, dicen.

ÉL (*Grita, ridículo.*): ¡Infundios! ¿Quién dice esos infundios? ¡Que vengan, que vengan mis historiadores!

Manteniendo los mismos grupos, los robots cambien ahora de colocación.

MÁSCARA UNO (*A su grupo.*): Se acerca él.

MÁSCARA TRES (*A su grupo.*): El señor Presidente.

MÁSCARA NUEVE (*A la Dos.*): A mí me sonrió.

MÁSCARA CINCO (*A su grupo.*): ¿Futurismo?

MÁSCARA SIETE (*A un personaje imaginario.*): Señor, es un honor inmenso, seré digno de su confianza.

ÉL (*Para sí.*): Todos son dignos de mi confianza pero yo no puedo confiar en nadie... ¡En nadie!

MÁSCARA NUEVE (*A la Dos.*): A mí me dio la mano.

MÁSCARA TRES (*A su grupo.*): Pasó frente a Bermúdez sin saludarlo.

MÁSCARA SEIS (*A su grupo.*): ¿Futurismo?

ÉL (*A un personaje imaginario.*): No vas a ser tú, entiéndelo, no vas a ser tú. (*Se pone a jugar golf.*)

MÁSCARA SIETE (*Cae de rodillas ante su persona-*

je imaginario.): ¿No? Señor Presidente, yo creía...

ÉL (*Grita.*): ¡Basta! A mi sucesor lo nombro yo. Y que sea rey, de preferencia.

Las máscaras pierden las actitudes robot y se desplazan, entrecruzándose en escena, mientras dicen el diálogo siguiente.

MÁSCARA SIETE: París, mayo de sesenta y ocho.

MÁSCARA SEIS: ¿México? ¿Tlatelolco, dijo?

MÁSCARA CINCO: México, México..., ¿dónde queda eso?

MÁSCARA CUATRO: Por la gracia de Dios, ungido como caudillo de España.

MÁSCARA OCHO: Portugal.

MÁSCARA UNO: La Dominicana... Me la truje a la Dominicana.

MÁSCARA TRES: ¿La moza, en Nicaragua?

MÁSCARA DOS: ¡Argentina! ¡Un nombre de fruta!

MÁSCARA CUATRO: ¡Y todo por la gracia de Dios!

MÁSCARA SEIS: ¡Rediez! Es don Paco.

MÁSCARA NUEVE: No, ése ya murió.

MÁSCARA SEIS: Resucitan, resucitan.

MÁSCARA TRES: Etcétera, etcétera.

MÁSCARA SIETE (*En un teléfono imaginario.*): ¿Cómo? ¿La Junta Militar? Sí, la preside él.

ÉL (*Para sí.*): ¡No voy a derrumbarme para diversión del populacho!

MÁSCARA SIETE (*En el mismo teléfono.*): De acuerdo. Golpe de Estado mañana temprano. Cuartelazo. (*Cuelga.*)

ÉL (*Para sí.*): Nunca segundos planos... ¡Para mí no se han hecho los segundos planos! (*Se desplaza entre* Las máscaras, *que no parecen verlo.*) Rostros... Más rostros... Los veo a todos iguales...

Las máscaras *volvieron a quedar cada una con su grupo, en la colocación inicial, y recuperan las actitudes robot.*

MÁSCARA NUEVE (*A la* Dos.): Es natural, conoce a tanta gente.

MÁSCARA SEIS (*A su grupo.*): Y, sin embargo, las mínimas necesidades... No podemos prescindir, por muy altos que estemos, de las mínimas necesidades. El cuarto de baño...

MÁSCARA TRES (*A su grupo.*): Y claro, ésas son cosas que van dejándote marcas en la cara.

MÁSCARA UNO (*A su grupo.*): Los pequeños detalles de la vida diaria.

MÁSCARA OCHO (*A su grupo.*): De los que nadie puede salvarse, por muy alto que esté.

MÁSCARA CUATRO (*A su grupo.*): Por ejemplo, tienes que rasurarte.

MÁSCARA CINCO (*A su grupo.*): Y si no te rasuras, cuidado con la imagen.

ÉL (*Para sí.*): ¿Justicia social? ¡Que perezcan los débiles!

ELLA (*Que acaba de entrar y reinicia su historia para uno de los grupos.*): ¿Su nombre? No, no puedo decírtelo. Él. Solamente él.

Máscara dos (*A la* Nueve.): ¿Y los valores espirituales?

Máscara seis (*A su grupo.*): ¿Qué se ficieron?

Ella: ...Y luego vas por los cocteles contándoselo a la gente...

Ríe y sale.

Máscara seis (*A la* Cuatro.): Dicen que con su mujer no se lleva.

Máscara cuatro (*A la* Uno.): Ahora bien, cuando entre dos seres se llega a los límites de la auto-entre-in-comunicación...

Él (*Para sí.*): No deben darse cuenta de que ellos son millones... ¡No deben saberlo! El día que tomen conciencia estoy acabado... No perder nunca al ejército... No perder nunca al ejército...

Las máscaras *dejan la actitud robot y durante el diálogo siguiente se desplazan para formar un círculo.*

Máscara dos: Un Presidente no hace la siesta.

Máscara seis: ¡Ah, cómo no, cómo no!

Máscara cinco: ¡Pero cómo no!

Máscara ocho: Dicen que el poder los marea.

Máscara cuatro: Un cabrón simpático. Pero cabrón.

Máscara tres: Simpático es. Tiene carisma.

Máscara siete: Asesinaron al de las marionetas. Era autor de teatro.

MÁSCARA CINCO: Autora.

MÁSCARA SEIS: Yo por eso nunca voy a cocteles...

ÉL (*Para sí.*): ...Ellos son millones... ¡No deben saberlo!

En su círculo, Las máscaras *participan ahora en un mitin.*

MÁSCARA CINCO: ¡Fueron las derechas!

MÁSCARA OCHO: ¿Y el centro? ¿Qué me dice usted del centro?

MÁSCARA UNO: ¿Y la "controlada" izquierda?

MÁSCARA DOS: ¿Y la derecha moderada?

MÁSCARA TRES: ¿Moderada?

MÁSCARA SEIS: ¡Desatada!

MÁSCARA NUEVE: ¡Óigame, no le permito...!

ÉL (*A un personaje imaginario, a coro con la* Máscara nueve.): ¡Óigame, no le permito...!

MÁSCARA CUATRO: Por favor, señores, no se acaloren.

ÉL (*Para sí.*):Me miran... Me vigilan... El peligro está aquí mismo, entre los que me rodean...

MÁSCARA OCHO: Claro que también hay gente buena que hasta llega a la presidencia de la República. Por ejemplo en México.

MÁSCARA CINCO: México, México..., ¿dónde queda eso?

MÁSCARA SEIS: Pero la gente buena no dura, no dura.

MÁSCARA SIETE: Terminan su mandato y ya.

MÁSCARA SEIS: Algunos ni lo terminan.

MÁSCARA CUATRO: En cambio los gorilas, ésos sí duran: ¡ahí va el jefe de Estado!

MÁSCARA NUEVE: Él si dura. Él sí dura para siempre.

Vuelven todos a sus grupos robot, mientras Él prosigue.

ÉL (*Para sí.*): ¡El poder!... El poder, ¿y qué viene después?... Conocí a un ex caudillo... La gente huía de él... A mí no va a sucederme eso...

MÁSCARA CUATRO (*A un personaje imaginario.*): Hijo mío, arrepiéntete.

ÉL (*Para sí.*): Padre, he perdido la fe.

MÁSCARA TRES .(*A otro personaje imaginario.*): ¿Prefieres un siquiatra?

ÉL (*Para sí.*): ...La gente huía de él... A mí no va a sucederme eso...

ELLA (*Entró y por enésima vez repite su relato en uno de los grupos.*): ¿En la intimidad?... Como cualquier hombre, de veras, es como cualquier hombre... (*Va hacia otro grupo.*)

MÁSCARA DOS (*A la Nueve.*): Dicen que es sádico.

MÁSCARA OCHO (*A las Tres.*): Masoquista.

MÁSCARA SIETE (*A la Ocho.*): Sádico, nada más.

ELLA: ...Fue una relación muy especial... Yo lo amaba...

Ríe, vulgar, y va a cambiar de grupo, pero su mirada se encuentra con la de Él y la risa se le congela. Se quita la máscara y se le acerca, ya no como prostituta sino como Sofía en el cuadro cinco.

ELLA: Quererte es como cometer suicidio. Pero te voy a querer...

Él la ve acercarse. Ríe. En vez de abrazarla, grita y hace ademán —sin tocarla— de aventarla bruscamente. Entre Las máscaras, en otro extremo del escenario, Ella va a caer, dando tumbos. Las máscaras pierden sus actitudes robot y se tiran todas sobre la mujer. Angustiada, trata de defenderse, pero Las máscaras la violan. Es una breve, pequeña orgía, a la vez grotesca y cruel, que Él presencia riendo a carcajadas. Al terminar, vuelve a encerrarse en sí mismo. Los gritos y risas de Las máscaras se cortan en seco y, como si nada hubieran hecho, vuelven a formar grupos y recuperan las actitudes robot. Ella se pone su máscara y volverá a ser prostituta.

MÁSCARA TRES (*A su grupo.*): ¿Entonces se sigue hablando de la baja del dólar?

MÁSCARA CUATRO (*A su grupo.*): Es que hay niveles, mi querido amigo, hay niveles en la conducta de la gente.

ELLA (*A uno de los grupos.*): ...Una relación muy especial... Yo lo amaba...

Ríe, vulgar, y sale.

MÁSCARA NUEVE (*A un personaje imaginario.*): Ten cuidado en el banquete.

ÉL (*Para sí.*): Debo tener ojos por todas partes.

MÁSCARA SIETE (*A su grupo.*): Guaruras. Se llaman guaruras.

De pronto, grabación de voces airadas en una manifestación. Las máscaras pierden las actitudes robot, se vuelven de espaldas y forman un solo grupo levantando los brazos, con los puños cerrados; así permanecen quietas. Él queda con la presencia, a través de la ventana imaginaria, en el proscenio, cara al público, de los manifestantes.

ÉL (*Con rencor.*): Manifestaciones, pancartas, campesinos, sindicatos... ¡Otra vez las pancartas!... Aprietan los puños y levantan los brazos. Pero son la masa. Solamente la masa... ¡Tienen razón, pero no van a arrollarme!... ¿Me tiran piedras?... ¡Yo antes que todos ellos! ¡Mi odio antes que su venganza!... Rugen... (*Irónico.*) Rugen... Debo ser alguien importante.

Se aparta de la ventana y vuelve al espejo. Callan las voces, pero, reflejados en el espejo, Él ve a los personajes en escena que se quitan ahora las máscaras y le hablan con acusadora objetividad.

MÁSCARA SEIS: Asesino.
MÁSCARA CUATRO: Es él.
MÁSCARA UNO: El asesino.
MÁSCARA TRES: Lo reconozco.
MÁSCARA OCHO: Lo sé.
MÁSCARA NUEVE: Asesino.
MÁSCARA DOS: Es él.
MÁSCARA CINCO: Asesino.
MÁSCARA SIETE: Él.

A través del espejo Él *los ve retroceder sin dejar de mirarlo, acusadores; salen, a la vez que cambian las luces en escena.*

Él (*Con rencor.*): Asesino, dicen... Lo dicen todos... (*Se separa del espejo.*) ¡No puedo callarlos! Me acusan. Recuerdan. Saben lo que he hecho y lo recuerdan. ¡Nunca van a olvidarlo! ¡No puedo callarlos! Tengo el poder y no... (*Se interrumpe.*) ¡Sí, sí puedo! Yo soy el que manda en este país. ¡Yo soy el más fuerte! ¡Yo soy el que gana! (*Inicia un proceso de autosublimación.*) Reconstruiré mi propia imagen... ¡La cambiaré!... Ya no van a odiarme, sino a reverenciarme... Ahora... ¡seré un héroe! (*Cada vez más ridículo, investido de su disfraz.*) ¡Un héroe, sí, un héroe...! Un apóstol de la libertad. Pasaré a la historia. ¡Seré inmortal!... Seré... ¡el salvador de la patria!

Brillante, una marcha en honor del héroe. Enajenado hasta lo cómico, Él *va hacia la puerta del privado. Abre. Inmediatamente, luces intermitentes y estrépito del metro.*

Cuadro XVI: Calle primera. *Prescindimos —sencillamente porque vamos a necesitarlos en otros papeles— de* Los que se besan, *pero ahí están* Los danzantes, El mendigo *con su música y* Los transeúntes.

EL LECTOR (*Entrando.*): La ciudad es cualquier ciudad del mundo. Esta calle y su gente pueden surgir en cualquier momento del relato. Por ejemplo, ahora.

De pronto, sirenas de policía, autos, voces, más sirenas. Expectación general. Los danzantes suspenden su número, El mendigo calla, Los transeúntes aguardan. Todos miran hacia el lugar por donde las sirenas se acercan, en tanto que entra y recorre el escenario Uno con metralleta, en actitud de control que le es habitual. Entra también Una niña, que queda con uno de Los danzantes.

UN DANZANTE: Es él.

LA TRANSEÚNTE: Ahí viene.

OTRO DANZANTE: Él.

EL MENDIGO (*Levantándose los lentes.*): El caudillo.

EL LECTOR: El protagonista es él.

La marcha triunfal. Todas las miradas se dirigen hacia Él, que entra. Hace un breve alto. Ante la "amable" presencia de El de la metralleta, los personajes se inclinan. Ridículo, Él avanza.

ÉL: Dios y yo... Yo y Dios...

Todos contienen la risa, menos El mendigo, que la deja oír. Él voltea, rápido, a verlo. El mendigo disimula, enceguece, palpa el espacio a su alrededor. Aleccionada por El danzante, se adelanta La niña,

*con una flor en la mano, y la ofrece. Él toma la
flor; se inclina, amoroso, hacia* La niña *y le da
un beso, mientras* El lector *prosigue.*

EL LECTOR: El que sabe a donde va. ¿Lo sabe?. . .

*Queda leyendo en un extremo. Imbuido de su per-
sonalidad de salvador de la patria, con la marcha
triunfal que lo acompaña,* Él *se aleja, mientras los
personajes se burlan.*

ÉL: Un héroe. . . Seré inmortal. . .

Sale, seguido de El de la metralleta. *Divertido y a
coro, muy a la mexicana, surge el silbido mentán-
dole la madre. Abundando,* El mendigo *se adelanta.*

EL MENDIGO (*Despacito, saboreando lo que dice.*):
    Chinga a tu madre.

Y vuelve a su música. Reinician también Los danzantes *su número, vuelven a circular* Los transeúntes *y* La niña *sale. Como en el cuadro dos,* El mendigo *trata de imponerse y agrede a los danzantes
con su canción.*

Cuadro XVII: En la tribuna, ante su grupo.
*Grabación de voces aclamando al jefe de Estado.
Al subir la luz,* El lector, *en su rincón, lee. Entra,*

vigilante, El de la metralleta *y queda apuntando hacia gente fuera de escena. En otra área, al centro, entre los que lo aclaman,* Él *está en pleno discurso.*

ÉL (*Demagogo, falso.*): Somos un país libre... Somos una democracia sin constitución... Avanzamos por el camino de la paz... La familia y la patria... "Pan, patria y justicia"... Se impone establecer un nuevo orden... Somos un país libre... Avanzamos por el camino de la paz.

Racha de disparos hacia donde El de la metralleta *apuntaba y ahora hace fuego.* Él *sube la voz, se exalta, repite lo que ya decía* El ministro *en el cuadro ocho.*

ÉL: El proceso de desarrollo, basado en los lineamientos de nuestra Revolución, habrá de derivar en una estabilización de los precios y en una mayor participación del tercer mundo en el mercado internacional. (*Ovaciones.*)

EL LECTOR (*Lee.*): Ésta es su historia, que hoy aquí empieza.

En competencia con las aclamaciones, Él *grita, se repite; las luces bajan sobre él, se apagarán sobre él.*

ÉL: El proceso de desarrollo, basado en los lineamientos de nuestra Revolución... ¡nuestra Revolución!... habrá de derivar en una estabilización de los precios y en una mayor participación del tercer mundo en el mercado internacional... El proceso de desarrollo... Los lineamientos de nuestra Revolución... Nuestra Revolución... ¡Nuestra Revolución!... ¡Nuestra Revolución!...

Las aclamaciones cubren su voz pero todavía habla y gesticula, mientras El de la metralleta apunta *ahora al público y* El lector *cierra el script.*

OSCURO

UNA MUJER, DOS HOMBRES Y UN BALAZO

(obra en 10 cuadros)

El Teatro de Maruxa Vilalta se reencuentra a sí mismo en la violencia de una protesta contra las estructuras impuestas por la sociedad al individuo, a través de una teatralidad metódica y contradictoria que presenta una verdad mediante un énfasis exagerado en el extremo opuesto.

Teatro solitario, el de Maruxa Vilalta permanece fiel a la vocación de francotirador de la generación airada; cruel a fuerza de aniquilar la psicología reduciendo lo desconocido a lo conocido, se entrega a la verificación en la impudicia teatral de una lección de anatomía semejante al rito infantil de destazar la muñeca para ver lo que tiene adentro y reivindicar lo teatral en la puesta en juego de la antiteatralidad.

En *Una mujer, dos hombres y un balazo* reinicia el proceso obsesivo de la denuncia a la paradoja de la teatralidad misma.

Teatro en el teatro, la vida se fuga del escenario para teatralizarse otra vez en la cocina de la tramoya y la desacralización del ensayo; un mismo esquema anecdótico sigue irascible por los ineficaces territorios del género dramático: melodrama, vodevil, absurdo, surrealismo, musical, se encuentran en la máxima reducción teatral: la farsa de lo teatral.

El teatro como la vida o la vida como el teatro consisten en una sustitución sustituida. El texto sigue siendo un pretexto de la misma manera que la mujer sigue siendo un pretexto para bailar.

Y esto resulta aún más peligroso en una sociedad incapaz de objetivarse a sí misma.

LUIS DE TAVIRA

Con base en un divertido juego de estilos y burla de convencionalismos, *Una mujer, dos hombres y un balazo* incluye una crítica social.

Un grupo de actores llega al escenario: representarán cuatro diferentes piezas cortas sobre el tema "una mujer, dos hombres y un balazo".

La primera obra parodia el melodrama. Se titula: *En Las Lomas, esa noche* y es una crítica a nuestro sistema políticosocial y a la ambición de poder.

La segunda obra, teatro del absurdo, *El té de los señores Mercier,* expone el eterno y siempre terrible problema de la incomunicación y la evasión.

La tercera pieza: *El barco ebrio,* tiene un ambiente onírico y surrealista que nos muestra los amores incestuosos entre dos algas marinas y una pareja de novios que llevan cien años sentados en una banca en la playa.

La cuarta pieza, *Archie and Bonnie,* es una crítica al materialismo y a la ingenuidad yanquis presentada en forma de parodia de comedia musical.

(Sinopsis en el boletín mensual del Centro Cultural Universitario, julio de 1981.)

Una mujer, dos hombres y un balazo es obra escrita por encargo del Instituto Nacional de Bellas Artes, entonces dirigido por Juan José Bremer, con José Solé como jefe del Departamento de Teatro.

Estrena la obra la Universidad Nacional Autónoma de México en el Teatro de la Universidad, durante temporada que se inicia el 3 de julio de 1981; dirección de escena de la autora, música original de Luis Rivero, coreografía de Joan Mondellini y Nicole Rovere, asistente de dirección Luis Mercado y actuación de Enrique Castillo, Victoria Burgoa, Ana Silvia Garza, Adalberto Parra y Luis Mercado.

Una mujer, dos hombres y un balazo ha sido publicada por Difusión Cultural de la UNAM, Textos de Teatro/17, libro *Dos obras de teatro* —que contiene también la pieza *Pequeña historia de horror (y de amor desenfrenado)*—, México, 1984.

A woman, two men and a gunshot es traducción inédita de Kirsten F. Nigro, The University of Kansas, Lawrence, Kansas, 1984.

Personajes

Actor Uno: BOBBY / LICENCIADO / LECOCQ / CABALLERO VESTIDO DE NEGRO / NARRADOR / LENNY / CONCIENCIA

Actriz Uno: LUISA / BEATRIZ / NANA / SEÑORA MERCIER / ALGA / SEÑORA MARSHALL

Actriz Dos: MARTA / CRISTINA / CRIADA / NOVIA / BONNIE

Actor Dos: SÓFOCLES / ROGELIO / SEÑOR BERTRAND / NOVIO / MORRIS

Actor Tres: BRIJINSKI / ARTURO / SEÑOR MERCIER / LIQUEN / ARCHIE

Nota: En esta obra hay cuatro piezas cortas: *En Las Lomas, esa noche, El té de los señores Mercier, El barco ebrio* y *Archie and Bonnie.* Cada una de estas piezas puede ser representada sola, aunque en el presente texto las cuatro tienen relación con otros cuadros.

La idea escenográfica es de Germán Castillo.

El vestuario deberá simplificarse al máximo para apoyar los cambios rápidos —a veces a la vista del público— que muestren un juego poco formal. Todos los cuadros irán unidos —prácticamente integrados— unos con otros a base de actuación ininterrumpida.

Cuadro Primero: ELLOS.

Escenario vacío. Ciclorama. Entra Bobby (homo-sexual, peluca afro). Casi no hay luz. Va a encender. Regresa y ve su reloj. Aguarda... Un cenital se enciende poco a poco sobre él y a sus oídos llega música de circo.

BOBBY: Señoras y señores... A mí, de chiquito, lo que me gustaba era el circo... ¡Me gustaba mucho!... Los payasos... las amazonas... (*Se decide por los primeros.*) los payasos.

Mi siquiatra pretende que lo que yo en realidad quería èra ser cantante de ópera. (*Canta, muy mal.*) "Ridi pagliaccio..."

Todo empezó de chiquito, en el circo, aquella tarde, cuando me invitó un helado de vainilla el domador de leones y luego resultó... domadora. Pero que la ópera, dice mi siquiatra...

Es cuate... A veces no sabe muy bien lo que dice, pero es cuate... Algo loquito, pero cuate...

Por ahí debe estar ahora... (*Busca en la sala y ubica un espectador.*) Doctor, qué bueno que vino, buenas noches, bienvenido, doctor... De todos modos, con el teatro siempre he estado de acuerdo, ¿no es cierto, doctor? A usted le consta... (*Al público.*) Quiero decir, como que el teatro es para mí algo importante... Quiero decir, el teatro y no la cibernética... Porque si no fuera por el teatro, ¿cómo? Porque sin el teatro, porque con el teatro... Quiero decir, el teatro, por ejemplo.

Ruido entre bastidores de alguien que tropieza. Bobby *vuelve a la realidad, su cenital se apaga.*

Luisa (*Entrando, con* Marta.): ¡Chin!...

Marta: Luisa, ¿te lastimaste?

Luisa: Pinche escalón, por poco me rompo la madre.

Bobby: Cuidado, muchachas, no se me vayan a matar.

Luisa: ¡Hola, Bobby! ¿Qué haces aquí?

Bobby: Lo mismo que ustedes, ¿no? Me llamaron.

Marta: ¿Con quién hablabas?

Bobby: ¿Yo? Con nadie... Con quién habla uno ante una sala vacía... Hablaba con mi siquiatra.

Luisa: ¡Ah, qué Bobby! Me caes bien.

Marta: Y a mí. (*Lo besan.*)

Bobby (*Las aparta.*): Órale, chavas, vámonos respetando.

Luisa: ¡Roberto, el gran "Bobby" Jiménez!

Bobby (*Presumiendo.*): Qué quieren, es mi nombre artístico.

Luisa: A ver, Bobby, cuéntanos de esto. Qué onda. Cuándo estrenamos.

Bobby (*Con doble intención.*): ¿Ah, qué ya quieres estrenar? No te me aceleres.

MARTA: Nos llamó Sófocles. Dice que ya consiguió empresa.

BOBBY: Mas le vale. (*Ruido al fondo de la sala.*) ¿Quién anda ahí? (*Trata de ver; las luces lo deslumbran; hace cachucha con la mano.*) Pinches reflectores, no veo nada...

SÓFOCLES (*Desde el fondo de la sala.*): ¿Tú los encendiste, Bobby? Sugiero que los apagues.

BOBBY: ¿Y tú a qué horas llegaste?

SÓFOCLES (*Baja, seguido de* Brijinski *y con los scripts de la obra.*): Vengo entrando. Pon luz de trabajo, vamos a leer.

BOBBY: Sí, señor. (*Sale, mientras* Sófocles *le da los scripts a* Brijinski *y sube al escenario.*)

MARTA (*A* Luisa.): ¡Es Sófocles!

LUISA: No necesitas presentármelo. Vivimos juntos dos meses. (*Entra luz de trabajo.*)

SÓFOCLES: Gracias, Bobby... Qué tal, Marta... Luisa... Les presento a Brijinski.

BRIJINSKI (*Nervioso, sube al escenario. Pero tropieza y tira todos los scripts al suelo. Se apresura a recogerlos.*): Buenos días... Digo, buenas noches...

LUISA: Cómo estás.

MARTA: Mucho gusto.

BOBBY (*Entrando.*): ¿Y éste?

SÓFOCLES: No traten de recordar: es nuevo.

BOBBY (*Con doble intención.*): ¿Nuevo?

MARTA (*Simpática, a* Brijinski.): ¿Cómo dijiste que te llamabas?

BRIJINSKI: Wildemar Hierónimus Brijinski Jacovlovichovich... Pero pueden llamarme Brijinski... Soy de origen judío.

BOBBY: ¡No me digas! ¿Y además de ser judío, a qué te dedicas?

BRIJINSKI: ¿Yo?... Pues, este... Estudio economía... Y soy actor.

BOBBY (*Revisándolo.*): ¿Actor?... ¿De dónde?

BRIJINSKI: ¿De dónde?... No entiendo... (*Por retroceder, huyendo de Bobby, acaba por tropezar con él.*)

BOBBY: ¡Órale, cabrón, no pises!

BRIJINSKI: ¿Cabrón? Digo, ¿perdón? Digo, disculpe, señor.

LUISA: No le hagas caso. Así es Bobby.

BRIJINSKI: Gracias... Gracias, señorita.

BOBBY: ¡Cómo que señorita! ¿Qué crees que va a andar perdiendo el tiempo? No seas buey.

BRIJINSKI (*Angustiado.*): ¿Buey?... ¿Dijo buey?

LUISA (*A Brijinski.*): Mira, yo soy liberada. Llámame Luisa.

BRIJINSKI: Gracias, Luisa... Hola, Marta... ¡Qué linda eres, Marta!... Digo, perdón, digo con permiso... (*Vuelve a tropezar y queda ahora en brazos de Bobby.*)

BOBBY: Con cuidado, virgencito, no te me vayas a lastimar.

BRIJINSKI: ¿Virgencito?

SÓFOCLES: Bobby, Brijinski es nuestro productor.

BOBBY: ¿Esta cosita?

BRIJINSKI (*A punto de llorar.*): ¿Cosita?

SÓFOCLES: Bueno, ya basta, Bobby. (*A Brijinski.*) No te dejes apantallar; es buena gente.

BOBBY: ¡Soy purititito corazón!

SÓFOCLES: Brijinski va a actuar en la obra.

BRIJINSKI: A ver si doy el ancho. . .

BOBBY (*Con doble sentido.*): Claro que lo vas a dar, mi cielo, claro que lo vas a dar (Brijinski *lo ve, aterrado;* Bobby *se aleja, olímpico.*) No te preocupes, Hierónimus; no eres mi tipo.

LUISA: Te veo muy bien, Sófocles. . . Me habían dicho que desde que nos separamos estabas inaguantable.

SÓFOCLES: Te equivocas. Estoy inaguantable desde que supe que iba a ser dramaturgo. Desde que mis padres me pusieron Sófocles.

LUISA: Tan pedante como siempre.

SÓFOCLES: Bueno, pues la empresa nos da este teatro y cartelera. Brijinski paga la nómina de actores.

BOBBY: ¿Y éste de qué tiene dinero?

MARTA: Es judío.

BRIJINSKI: Mis padres me prestaron.

BOBBY: Te van a cobrar intereses.

SÓFOCLES: Sueldo mínimo, ya se los dije. Unos dos meses de ensayos, quizás más.

BOBBY: ¡Puta madre!

SÓFOCLES: Tomen todos sus scripts. (*Los toman y se sientan en el suelo;* Brijinski *teme ensuciarse.*) Siéntate.

BOBBY: Con confianza. . . (*Finalmente* Brijinski *se sienta.*)

SÓFOCLES: Estoy con ustedes en mi triple calidad de autor, director y actor. Mi obra consta de cuatro historias, o cuatro obras distintas sobre un tema, que siempre es el mismo. Me puse un ejercicio: trabajar, a veces en tono de parodia, sobre cuatro diferentes géneros, elegidos al azar. En cuanto al asunto, en principio no creo en él sino en cómo desarrollarlo. De manera que lo quise intencionalmente neutro, trivial, convencional. (*Feliz.*) Para acabar pronto, ¡un asunto pendejo!

BRIJINSKI: ¿Pen... dejo?

SÓFOCLES: Mujer, marido y amante. Un balazo y el marido muere. Siempre mato al marido: lo convencional es que sea el que estorba. Y siempre de un balazo: también resulta más convencional que ahorcarlo, o ahogarlo en la tina, por ejemplo.

LUISA (*Escéptica.*): De modo que una mujer, dos hombres y un balazo. Lo mismo en las cuatro historias.

SÓFOCLES: Lo mismo. Y ahora, estamos aquí para una primera lectura. Hoja número uno: el título (*Lee.*) "Variaciones". Entre paréntesis: "Cuatro obras sobre un tema". De Sófocles Rodríguez.

LUISA: No suena muy comercial.

SÓFOCLES (*Muy digno.*): Mi teatro no aspira a ser comercial. (*Da vuelta a la hoja.*) Hoja dos: decorados. Es muy sencillo: no hay. Nos vamos con ciclorama y trastos.

BOBBY (*A* Brijinski.): Judío tenías que ser.

BRIJINSKI: Pero si yo no dije nada.

SÓFOCLES: Hoja tres: lista de personajes. Cinco actores para todos los personajes en las cuatro obras cortas. Están numerados por orden de aparición. Brijinski, eres el Actor Uno y tomas todos sus papeles.

BRIJINSKI: ¿Yo? ¿El Actor Uno?

SÓFOCLES: El Actor Dos soy yo. Bobby, Actor Tres. Luisa, Actriz Uno. Marta, Actriz Dos.

BRIJINSKI: ¡Soy el uno!... ¿Qué te parece, Bobby? Digo, Actor Tres.

BOBBY (*Suavecito.*): Como vuelvas a llamarme Actor Tres, te parto la madre.

BRIJINSKI: No es para tanto...

SÓFOCLES (*Da vuelta a la hoja.*): Primera pieza: parodia de melodrama. Su título (*Melodramático.*): "En Las Lomas, esa noche". Tenemos en escena al Actor Uno, Brijinski, y al Actor Dos, yo. Son hermanos. No se han visto en veinte años. Se encuentran ahora en casa del Actor Dos y éste le dice, melodramático, al Actor Uno: (*A Brijinski.*) ¡Arturo!... Y el Actor Uno contesta: (*Un silencio. Todos esperan a que Brijinski conteste.*) Hoja cuatro, línea siete. El Actor Uno contesta. (*Nuevo silencio de Brijinski.*)

MARTA: Brijinski, línea siete, eres Arturo.

BRIJINSKI: ¡Ah, sí, sí!... (*Echándose un gallo.*) ¡Arturo!

SÓFOCLES: No. Arturo lo digo yo. Tú dices, melodramático: ¡Rogelio!

BRIJINSKI: ¡Ah, sí, sí! (*Encuentra la línea y lee, interrogativo.*) ¿Rogelio?

SÓFOCLES (*Paciente.*): Brijinski... Dos hermanos. Veinte años. Melodrama. Estás en el mismo tono mío. Te doy el pie y me contestas. (*Melodramático.*) ¡Arturo!

BRIJINSKI (*Melodramático.*): ¡Rogelio!

Bobby: ¡Qué ternura! Ya sabe decir "¡Rogelio!"

Sófocles: Hoja cuatro, desde el principio. (*Melodramático, lee.*) "En Las Lomas, esa noche". Arturo, mal vestido, traje arrugado, está junto a la cantina, en actitud de hombre golpeado por la vida. (*Todos voltean a ver a* Brijinski, *que se hace chiquito.*)

Brijinski: ¿Golpeado por la vida?

Sófocles (*Lee.*): Música para melodrama.

La música pedida y un chorro de luz sobre Brijinski, *desconcertado. Los demás actores salen. Brijinski reacciona y va a salir también pero frente a él, como acosándolo, se enciende una sección de luces del cuadro siguiente. Va hacia otro extremo y otra barra de luces lo acosa. Un último intento para salir, pero de fuera de escena le avientan, con la fuerza de una orden, el saco de* Arturo. *Se lo pone y va convirtiéndose en* Arturo. *Coloca una silla.*

Brijinski (*Melodramático.*): ¡Golpeado por la vida!

En la actitud descrita se derrumba en la silla y queda convertido en Arturo. *Al mismo tiempo, Beethoven: la Quinta Sinfonía; suben de golpe todas las luces y bajan de pronto al escenario una cantina con botellas y vasos y un cursi candil.*

Cuadro Segundo: En Las Lomas, esa noche.
(*Parodia en un acto*)

Arturo *se sirve un trago. Entra —nuevo rico—*
Rogelio.

ROGELIO (*Melodramático.*): ¡Arturo!
ARTURO (*Melodramático.*): ¡Rogelio!... ¡Tú aquí!
ROGELIO: Estoy en mi casa.
ARTURO: Sí... ¡En tu casa!
ROGELIO: Me dijeron que te empeñabas en ver-
    me... Esperamos un invitado.
ARTURO: ¿Te molesta verme en tu casa (*Recal-
    ca.*), hermano?
ROGELIO: Cállate. Te pueden oír los criados.
ARTURO: ¿Te avergüenzas de mí? ¿O me tienes
    miedo (*Vuelve a recalcar.*), hermano?
ROGELIO: ¿Miedo? No me hagas reír.
ARTURO: De modo que una casita en Las Lomas
    para cuando estás en la capital... Para tus fines
    de semana.
ROGELIO: Arturo, ¿a qué viniste?
ARTURO: Quizás no debería llamarte "hermano".
    Quizás... ¿"señor gobernador"? Por lo menos,
    ¿"señor candidato"?
ROGELIO: No sé de qué me hablas.
ARTURO: Es que todavía no te destapan.
ROGELIO: Me niego a hablar de política.
ARTURO: ¿Por qué? ¿Tienes miedo de quemarte?
ROGELIO: Arturo, no es el momento.
ARTURO: Lo de tu candidatura es cosa de días,
    ¿no?

ROGELIO: No lo sé.

ARTURO: Tienes razón. En la política nunca se puede estar seguro.

ROGELIO: Lo siento; tienes que irte.

ARTURO (*Suspira, melodramático.*): ¡Veinte años de silencio!... (*Llena su vaso y bebe.*) Y de alcohol.

Grabación: "Volver...
con la frente marchita,
las nieves del tiempo
platearon mi sien..."[1]

ARTURO: Pero de pronto, hago mi aparición. Justamente en el momento oportuno, con lo de tu candidatura.

ROGELIO: Eres un derrotado. ¡Un vencido! ¡Me das lástima!

ARTURO (*Melodramático.*): Tienes razón. ¡Soy un vencido! Pero si mi vida está destrozada, ¡tú tienes la culpa!

ROGELIO: No te entiendo. Mi invitado está por llegar. Debes marcharte. (*Llama.*) ¡Beatriz!... ¿No ha bajado mi esposa?

BEATRIZ (*Entrando, con cursi atuendo.*): Aquí estoy, querido.

ROGELIO: El señor se despide. Dile al chofer que lo acompañe a la puerta.

ARTURO: Lo siento, cuñadita, pero me quedo.

ROGELIO: ¿Qué significa esto?

[1] Tango "Volver", de Gardel-Le Pera, cantado por Carlos Gardel.

BEATRIZ: Te dije que Arturo no se quería ir.

ROGELIO: ¿Arturo?... ¿Lo llamas Arturo?

BEATRIZ: Es su nombre, ¿no?

ROGELIO: ¿De qué lo conoces? No debiste recibirlo.

BEATRIZ: Lo recibí porque es... ¡tu hermano! Lo conozco desde hace tres meses.

ROGELIO: ¡Tres meses!

ARTURO (*Hombre de mundo.*): Nos presentaron en un coctel.

BEATRIZ (*Melodramática.*): Rogelio, ¡lo sé todo! Estoy enterada de tu conducta vergonzosa.

ROGELIO: ¿Cuál conducta? Mira, Arturo, sólo hubo entre nosotros... pequeñas diferencias. Sucede en todas las familias.

ARTURO: Te quedaste con mi parte de la herencia y me dejaste en la miseria. "Sucede en todas las familias". Pero yo he decidido sacar provecho de lo que sucedió en la nuestra.

ROGELIO: ¿Y qué provecho piensas sacar? Ése es asunto liquidado. Mis abogados lo legalizaron todo. No tienes pruebas.

ARTURO: Si yo contara mi versión de los hechos a tus amistades... ¿Qué puesto dices que tiene tu invitado?

BEATRIZ (*Que aprovechó para ir a la cantina a echarse un trago.*): Es amigo del señor Presidente.

ROGELIO: ¡Tú cállate!

ARTURO: Definitivamente, me quedo a cenar. Con permiso, me llevo el whisky. (*Toma su vaso, tiene un desplante para* Rogelio *y sale.*)

ROGELIO: ¡Me lleva la chin...! (*Toma a* Beatriz *por un brazo.*) Esto es por andar yendo a cocteles. (*Le da una bofetada.*) Y esto por recibir a la gente sin mi permiso. (*Segunda bofetada.*) Y por hablar más de la cuenta. (*La avienta al suelo.*)

BEATRIZ (*Melodramática.*): ¡Miserable!

ROGELIO: No olvides quién manda aquí. No olvides que te compré, te saqué... ¡de una vecindad! Donde tu madre vendía caldos.

BEATRIZ (*Desafiante.*): Pero ahora soy tu mujer legítima. (*Él le va a pegar.*) ¡No! ¡En la cara no, Rogelio, en la cara no!

ROGELIO: Ya ajustaremos cuentas. Ahora voy a ocuparme de que echen a la calle al hermanito. (*Va a salir, pero suena el timbre de la puerta.*) ¡Demasiado tarde; llegó el licenciado! Voy al jardín a recibirlo; más te vale comportarte. (*Sale.*)

BEATRIZ: ¡Te odio! ¡Voy a matarte!

ARTURO (*Entrando, melodramático.*): ¡Beatriz, amor mío! ¿Te lastimó ese monstruo?

BEATRIZ: No es nada. ¡Estoy acostumbrada!

ARTURO: Pobrecita...

BEATRIZ (*Melodramática.*): Arturo... ¡bésame! (*También en melodrama, él la atrae y la besa.*)

Grabación: "Besos brujos...
　　　　　besos brujos
　　　　　que son una cadena..."[2]

---

[2] Tango "Besos Brujos", de Malerba-Sciamareli, cantado por Libertad Lamarque.

BEATRIZ (*Melodramática.*): Esta noche, ¡en tu casa!

ARTURO: ¿Y si no te deja salir?

BEATRIZ: Tenemos recámaras separadas. En cuanto entre a la suya, me voy. Espérame en el coche. Pero que nadie te vea. Recuerda que soy una mujer honrada, educada en las más estrictas normas de nuestra sociedad.

ARTURO: Y yo soy... ¡tu amante!

BEATRIZ: No necesitas proclamarlo.

ARTURO (*Melodramático.*): ¡Mírame, Beatriz! ¡Mira en lo que Rogelio me ha convertido! Mira este traje raído, estos puños acabados... Tengo que hacer un esfuerzo por encajar en un ambiente... al que ya no pertenezco. Por mantener las apariencias. Por pasar por un hombre de tu misma clase social.

BEATRIZ: Sí, ahora soy una dama. Juego canasta con la esposa del gobernador... Él saliente.

ARTURO: ¡Mi hermano me robó la herencia y ahora me quita a mi mujer!

BEATRIZ: Más bien tú le quitas la mujer a él.

ARTURO: ¡Lo odio! Siempre he tenido que conformarme con sus sobras.

BEATRIZ: Muchas gracias.

ARTURO: Pero las cosas van a cambiar. ¡Yo seré el número uno! ¡Yo tendré a su mujer! Y él estará... ¡muerto!

BEATRIZ: ¡Arturo, me asustas!... (*Coqueta.*) ¿Serías capaz de matarlo por mí?

ARTURO (*Melodramático.*): ¡Por ti! (*Cambio.*) Y por sus millones. Me quedaré con todo.

BEATRIZ: No. Ni hablar de matarlo hasta que se sepa lo de la candidatura. Con un poco de suerte, llego a primera dama.

ARTURO (*Melodramático, se lleva la mano a la cintura.*): Beatriz, ¡vengo armado!

BEATRIZ: ¡Arturo, por Dios, Arturo!

ARTURO: No más segundos planos para mí... No más puños raídos.

BEATRIZ: ¡Por Dios, Arturo, cálmate!... Ven, vamos a mi recámara. (*Salen.*)

ROGELIO (*Fuera de escena.*): Por aquí, por favor, pase por aquí, señor licenciado... (*Seguido de* Rogelio, *entra el* Licenciado: *muy correcto, muy educado.*) Pase, por favor... Después de usted, señor licenciado.

LICENCIADO: Muy amable, muchas gracias...

ROGELIO: Está usted en su casa. Permítame presentarle a mi esposa Beat... (*Se interrumpe porque ella no está.*) Mi esposa Beatriz, debe andar por aquí... Somos un matrimonio muy unido... Le agradecemos mucho que haya aceptado nuestra invitación, señor licenciado.

LICENCIADO: Por favor...

ROGELIO (*A* Beatriz, *que entra.*): ¡Ah, querida! Le decía yo al licenciado que somos un matrimonio muy unido.

BEATRIZ: Muy unido, sí...

LICENCIADO: Señora, a sus pies.

ROGELIO (*Coloca una segunda silla.*): Pero siéntese, por favor, señor licenciado, siéntese.

LICENCIADO: Gracias. Señora... (*Cortesías; se sientan el* Licenciado y Beatriz.)

ROGELIO: En lo que cenamos permítame ofrecerle una copa. ¿Whisky? ¿Vodka?

LICENCIADO: Lo que ustedes tomen.

BEATRIZ (*Muy fina, muy dama.*): Para mí, un tequilita. (*De pronto grita, vulgar.*) ¡Hi, ja, ja, jai!... (*De un salto, el* Licenciado *se pone en pie.*)

Grabación: "Borrachi
ta de tequila
llevo siem
pre el alma mía..."[3]

BEATRIZ (*Vulgar.*): ¡Hi, ja, ja, jai!...

ROGELIO: Bromea... Mi mujer es abstemia.

BEATRIZ: ¿Astemia?

ROGELIO: ¡Sí!

BEATRIZ: Sí, sí, astemia... Bromeo...

ROGELIO: Por favor, señor licenciado... (*Señala la silla y el* Licenciado *se sienta.*) Si le parece bien, sirvo dos whiskys. (*Los sirve.*)

LICENCIADO: Muchas gracias.

ROGELIO: Pues sí, señor licenciado, la vida familiar siempre es importante, ¿no es cierto? Sobre todo en provincia... ¡A mi mujer y a mí nos encanta la provincia!

BEATRIZ: ¿Nos encanta?... ¡Sí, sí, nos encanta!

ROGELIO: En realidad, a esta casita de México sólo venimos de vez en cuando.

BEATRIZ: En el helicóptero, son unos minutos.

LICENCIADO: ¿El... helicóptero?

---

[3] "La Tequilera", de Alfredo d'Orsay, cantada por Lucha Reyes.

ROGELIO: Bueno, sí, tenemos un pequeño helicóptero... Para regresar más pronto al trabajo. ¡A la patria chica! (*Demagogo.*) ¡Mi corazón rebosa de amor por la patria chica!

LICENCIADO: Pues parece que por allá también lo quieren a usted, don Rogelio.

ROGELIO (*Feliz.*): ¿De veras?

LICENCIADO: Eso creo.

ROGELIO (*Inquieto.*): ¿Sabe usted algo?

LICENCIADO (*Siguiéndole la corriente.*): ¿Como de qué?

BEATRIZ: Si me permiten, yo los dejo. Voy con Art... (*Se corrige.*) Voy a dar instrucciones para la cena.

LICENCIADO (*Otra vez en pie.*): Señora... (Beatriz *sale y se sientan.* Rogelio *bebe y el* Licenciado *va a hacer lo mismo, pero* Rogelio *lo interrumpe.*)

ROGELIO: Prefiero hablar a solas. Estos asuntos son muy delicados.

LICENCIADO: ¿Estos... asuntos?

ROGELIO: Quizás me trae alguna noticia de... Bueno, por qué no decirlo: acerca de mi candidatura.

LICENCIADO: ¡Ah, sí, su candidatura!... Pues no, lamento no tener ninguna noticia en especial.

ROGELIO: La verdad, ando comiendo ansias. Y como usted está tan cerca de... (*Señala hacia arriba con la cabeza.*) Por allá...

LICENCIADO (*Ve hacia arriba.*): ¿Por dónde?

ROGELIO (*Misma señal.*): Por allá, arriba... Usted

294

está muy bien relacionado (*Misma señal.*) por allá arriba.

LICENCIADO (*Comprendiendo.*): ¡Ah, sí, sí!... (*Misma señal.*) Por allá arriba.

ROGELIO (*De pië.*): Con el señor.

LICENCIADO (*Se levanta también.*): Con el señor. Pues sí, me distingue con su amistad, creo que sí... Pero no hay nada todavía, don Rogelio, nada todavía... Como usted sabe, el partido ha barajado varios nombres... ¡Salud!, don Rogelio. Por su candidatura.

ROGELIO: Por usted, señor licenciado. Por usted y por... (*Señal hacia arriba.*) el señor. (*Beben. Mejor dicho, bebe Rogelio e interrumpe al Licenciado, que iba a beber.*) Como le dije, señor licenciado, será una cena íntima: solamente mi esposa y yo. (*De ahora en adelante el Licenciado se pasará toda la obra con el vaso en la mano y sin poder beber, ya que siempre que va a hacerlo algo sucede, lo mismo que cada vez que va a sentarse algo lo obliga a levantarse. Ahora mismo va a sentarse, pero salta al oír a Arturo.*)

ARTURO (*Entrando.*): ¡Y yo!

ROGELIO (*Para sí.*): ¡Mi candidatura!

BEATRIZ (*Entrando.*): ¡Arturo, por Dios! (*Pero está ante el Licenciado.*) ¡Ah, qué tal, señor licenciado!...

LICENCIADO: Señora...

ARTURO: Muchas gracias por invitarme. Acepto (*Recalca.*), hermano.

ROGELIO (*Al Licenciado.*): Mi hermano Arturo.

LICENCIADO: Mucho gusto.

ROGELIO (*A* Arturo.): El señor licenciado Godínez, de la Presidencia de la República.

ARTURO: El gusto es mío.

ROGELIO: Me temo que no vas a poder quedarte.
Se atravesó un asunto muy urgente; unas personas te están esperando.

ARTURO: ¿A mí? Imposible.

ROGELIO: Si me permites, te acompaño.

BEATRIZ: Lo acompaño yo.

ROGELIO: Unos segundos, licenciado, le ruego nos
disculpe unos segundos.

LICENCIADO: No faltaba más.

ROGELIO: Pasa, Beatriz... (*Entre dientes, llevdn-
dose a* Arturo.) Te me vas ahora mismo, desgraciado...

Salen. El Licenciado *va a sentarse. Pero inmediatamente vuelve a estar de pie porque entra —vestido y andares de cabaretera—* Cristina.

CRISTINA: ¡Dios mío, Dios mío, qué voy a hacer!... ¿Dónde estará Rogelio?

Grabación: "Vende caro tu amor,
aventurera..."[4]

CRISTINA: ¿Y tú quién eres?

LICENCIADO: ¿Yo? Pues soy...

CRISTINA (*Sin dejarlo hablar.*): ¿Viste a Rogelio?

LICENCIADO: Sí, señorita. Salió.

---

[4] "Aventurera", de Agustín Lara, cantada por Agustín Lara.

CRISTINA: Hasta luego. (*El* Licenciado *trata de explicarle que* Rogelio *se fue por otro extremo, pero ella sale.*)

LICENCIADO: Hasta luego... (*Vuelve a tratar de sentarse, pero brinca como resorte, con su vaso en la mano, al oír gritar a* Arturo.)

ARTURO (*Fuera de escena.*): ¡No te acerques, estoy armado!

ROGELIO (*Fuera de escena.*): ¿Te has vuelto loco? Voy a llamar a mis ayudantes.

ARTURO (*Fuera de escena.*): ¿Guaruras a mí? ¡Ja, ja, ja, já!

BEATRIZ (*Fuera de escena.*): ¡Espera, Rogelio, yo lo calmaré!

ARTURO (*Fuera de escena, melodramático.*) ¡Déjame, Beatriz! ¡Déjame!

Grabación: "Déjame
no quiero que me beses
por tu culpa estoy viviendo
la tortura de mis penas..."[5]

ROGELIO (*Entrando.*): Señor licenciado, creo que estaremos mejor en mi despacho; es más privado.

LICENCIADO: ¿Algún... problema?

ROGELIO: No, no, ninguno... Si gusta acompañarme...

LICENCIADO: Lo que usted diga, don Rogelio.

Sale, todo apurado, llevándose al Licenciado. *Entra* Cristina, *impaciente.*

[5] Tango "Besos Brujos", de Malerba-Sciamarelli, cantado por Libertad Lamarque.

CRISTINA: Ha de estar por aquí... (*Va hacia un extremo y llama.*) ¡Rogelio!... (*Va hacia el despacho.*) ¡Rogel...!

ROGELIO (*Entrando.*): ¡Cristina! (*Se la lleva lejos del despacho.*) ¿Qué haces aquí? ¡Cómo te atreves a venir a mi casa!

CRISTINA: Necesito que me ayudes. (*Melodramática.*) ¡Ernestito está muy enfermo!

ROGELIO: ¿Y qué quieres que haga? ¿Quién te dejó entrar?

CRISTINA: Llamé y abrió tu chofer. Tuve que mentir; le dije que me estabas esperando... Resultó un admirador; es cliente del Lido.

ROGELIO (*Irónico.*): Naturalmente, el Lido. A propósito... (*Exhibe reloj de nuevo rico.*) ¿no va a ser hora de tu variedad?

CRISTINA (*Melodramática.*): Te burlas porque soy... ¡cabaretera!

ROGELIO: Bailarina. Artista. Tu numerito pornográfico es arte puro.

CRISTINA: Yo era de buena familia. Pero me sacaste de mi casa y me hiciste... ¡tu amante! Para después destruirme y botarme a la calle, cuando ya no podía regresar a mi hogar. Entonces me ofreciste con tus amigos. Hiciste que pasara... ¡de mano en mano!

Grabación: "...Como la falsa moneda
que de mano en mano va..."[6]

---

[6] "Falsa Moneda", de Quintero-Guillén-J. Mostazo, cantada por José Feliciano.

Rogelio (*Chulo español.*): ¡Está bien, te prostituí! ¿Y qué?

Cristina: Tienes razón: ¿y qué? Ahora soy "La Bella Isabel".

Rogelio: Y pensar que tu hijo cree que vives de coser ajeno.

Cristina: ¿Mi hijo? ¡Nuestro hijo!

Rogelio: Eso es lo que tú dices.

Cristina: ¡Canalla!

Rogelio: Regresa a tu casa. Tengo visitas.

Cristina (*Melodramática.*): Rogelio, ¡apiádate de mí! ¡Ernestito está muy enfermo! Consigue un buen médico. Llama al mejor y pídele que vea a mi hijo.

Rogelio: ¿Y quién soy yo para llamar a un médico? ¿Qué tengo que ver contigo o con tu hijo?

Cristina: ¡Canalla! ¡Infame!

Licenciado (*Entrando.*): Perdón, creo que interrumpo.

Rogelio (*Para sí.*): ¡Mi candidatura!... (*Al Licenciado.*) No faltaba más, señor licenciado, usted nunca interrumpe.

Licenciado: Olvidé mi whisky... Aquí está... Perdón, los dejo. (*Se dispone a salir.*)

Rogelio: No es necesario que se retire, señor licenciado. La señorita ya se va.

Cristina: No me voy.

Rogelio: Señor licenciado, la señorita es... bailarina.

Licenciado (*Va hacia Cristina.*): Me parece conocerla... ¿Acaso usted no se presenta en el...? (*Recuerda dónde la vio y regresa sobre sus pa-*

sos.) No, no, me equivoqué. No tengo el gusto; no la conozco.

CRISTINA (*En prostituta.*): ¿No eres cliente del Lido, muñeco?

LICENCIADO: ¿El Lid...? ¿El Lido, señorita?... No, no creo recordar ese lugar.

ROGELIO: Por supuesto, señor licenciado, cómo iba usted a frecuentar el Lid... digo, ese sitio.

CRISTINA: ¿Por qué no?

ROGELIO: La señorita vino a buscar a mi chofer.

CRISTINA: Te aborrezco.

ROGELIO: Me confunde con alguno de sus amigos. Permítame unos segundos, señor licenciado; acompañaré a la señorita para que el chofer se ocupe de ella.

CRISTINA: ¡Te mataré!

ROGELIO: Qué chistosa; me confunde. (*Llevándose a* Cristina.) Por favor, señorita, por favor, pase por aquí... (*Para sí.*) ¡Mi candidatura!

Salen. Otra vez solo, el Licenciado, *cada vez más nervioso ante lo que podrá suceder ahora, busca un lugar seguro para colocar su silla. Cree encontrarlo y va a sentarse. Pero vuelve a brincar, con el vaso de la mano, ante la vieja* Nana —*mujer del pueblo, trenzas*—, *que entra gritando.*

NANA: ¡Miserable! ¡Méndigo! ¡Hijo de su madre! (*Está ahora ante el* Licenciado.) ¡Méndigo desgraciado!

LICENCIADO (*Como siempre, muy correcto.*): ¿Perdón, señora?

NANA: ¡No, no, es a asté!... ¿Y asté quién es?

LICENCIADO: Pues yo...

NANA (*Sin dejarlo hablar.*): Yo me refiero al "patrón" ¡A Rogelio, ese desgraciado!

LICENCIADO: Por lo visto, señora, usted es...

NANA: ¡La vieja nana, sí señor, la vieja nana!... Yo, que desde escuinclita tuve en mis brazos a la niña Biatriz... ¡Yo, que la cuidé, que le di el pecho!... ¡Estas chichis, siñor! ¡Estas viejas chichis!... Y ora ese patán venido a más, ese Rogelio se atreve a ofenderme, a insultarme... ¡Gata estúpida! ¡Me llamó gata estúpida! ¡A mí! ¡Gata yo, qué le parece!

LICENCIADO: Muy bien, señora, muy bien... Es decir, muy mal, señora, muy mal. Con permiso, señora, será mejor que regrese al despacho.

NANA (*Cortándole el paso.*): ¡Gata!, eso fue lo que me dijo... Pero no soy una gata. ¿Sabe asté quién soy yo?

LICENCIADO: Sí, señora. Es usted la vieja nana.

NANA (*Melodramática.*): ¡No! ¡No soy la nana!

LICENCIADO ¿No?

NANA (*Melodramática.*): Yo soy... ¡Soy su madre!

Grabación: "En una casita chiquita y muy blanca camino del puerto de Santa María..."[7]

LICENCIADO: La mía no, señora, perdone. Usted no es mi madre.

[7, 8] "Cariño Verdad", de G. y M. Monreal, cantada por "Los Churumbeles".

NANA: ¡La suya no, tarugo!

LICENCIADO: ¿Cómo?

NANA (*Melodramática.*): ¡La madre de Biatriz! ¡Soy la madre de Biatriz!

Grabación: "...habita una vieja muy buena
y muy santa,
muy buena y muy santa que es la
madre mía..."[8]

LICENCIADO: ¿La "madre de Beatriz"?... ¿La... madre política de don Rogelio?

NANA ¡La suegra, sí, la suegra! Es decir, ¡la madre! Pero se avergüenzan de mí. Me ocultan en la cocina... ¡Ése es mi lugar, pelando papas! Me tienen en la cocina escondida y no me presentan a sus amistades. Y ese hombre, Rogelio, ¡él tiene la culpa de todo! ¡Él sonsacó a mi niña Biatriz, la echó a perder, quesque con el matrimonio, quesque con la riqueza!... ¡Ah, pero yo lo mato! ¡Desgraciado! ¡Me canso de que lo mato!

LICENCIADO: Sí, señora. ¡No, no, señora, no lo mate! Con permiso, señora, yo me retiro.

NANA (*Cortándole el paso.*): ¡No soy la criada! ¡Soy la madre!

LICENCIADO: Sí, señora: es usted la madre.

NANA (*Saliendo.*): ¡Ah, pero lo mato, desgraciado, miserable!... ¡Lo mato!... (*La ve salir* Rogelio, *que entra por otro extremo.*)

ROGELIO (*Para sí.*): ¡Mi candidatura!... (*Al* Licenciado, *que brinca del susto.*) Espero que esa mujer no lo haya molestado.

LICENCIADO (*Con el vaso en la mano, ya temblando.*): No, no, de ninguna manera...

ROGELIO: Está algo trastornada... Es la vieja nana de Beatriz... La tenemos aquí por lástima. Mi mujer y yo siempre ayudamos a la gente del pueblo. (*Inicia discurso demagogo.*) Porque en última instancia, el pueblo...

LICENCIADO (*Interrumpe.*): Entonces esa señora... ¿no es de la familia?

ROGELIO: ¿De la familia? ¡No, no, qué va!...

LICENCIADO: Si lo prefiere, don Rogelio, podemos aplazar la cena. Puedo venir otro día.

ROGELIO: Hoy mismo, señor licenciado, le suplico nos distinga cenando hoy con nosotros, desde luego.

LICENCIADO: Lo decía por si tiene problemas.

ROGELIO: ¿Problemas? No, no, ningún problema, ninguno.

LICENCIADO: Como guste. (*Va a sentarse. Pero inmediatamente se lo impide la invitación de* Rogelio.)

ROGELIO: Si le parece bien, ya podemos pasar al comedor. Mi mujer ha de estar esperándonos.

LICENCIADO: Cuando usted diga. ¿Podría... lavarme las manos?

ROGELIO: ¡Ah, cómo no!... Por aquí, por favor, licenciado, pase. Después de usted, por favor... (*Salen.*)

BEATRIZ (*Entrando por otro extremo, detrás de* Arturo.): ¡Arturo, por Dios, Arturo!...

ARTURO: ¡No me voy! Y tampoco me conformaré

con mi parte. ¡Quiero todo su dinero! ¡Y además, su mujer!

BEATRIZ (*Grita.*): ¡Más bajo! (*Ahora sí baja la voz.*) Creo que están en el despacho.

ARTURO: Ya me cansé de hablar bajo. ¡Lo mato! ¡Le descerrajo un tiro al cabrón de mi hermano!

BEATRIZ (*Melodramática.*): Arturo... ¡bésame! (*Es ahora ella la que toma el papel del hombre, atrae a* Arturo *y lo besa. Pero entran el* Licenciado *y, por otro extremo,* Rogelio, *y sorprenden a la pareja.*)

ROGELIO (*Para sí.*): ¡Mi candidatura! (*En voz alta.*) ¡Beatriz!

LICENCIADO: Perdón. Creo que otra vez interrumpo...

BEATRIZ: ¡Licenciado! (*A* Rogelio.) ¡Amorcito!... Arturo y yo estábamos... ensayando.

ARTURO (*Macho.*): Rogelio, te espero afuera. (*Sale, no sin el correspondiente desplante.*)

BEATRIZ: Ensayando una obra de teatro.

LICENCIADO: ¿Qué también la señora es... de la farándula?

BEATRIZ: ¡Ay, no, licenciado, cómo cree usted!... Ensayábanlos... para una función de beneficencia.

ROGELIO: Con su permiso, señor licenciado. Necesito hablar con mi mujer. (*Entre dientes, llevándose a* Beatriz.) Vas a explicarme esto, hija de la mañana...

Salen. El Licenciado *no sabe qué actitud tomar. Vigila varias entradas, como siempre con su vaso en la mano. Finalmente se arriesga a intentar sentarse, pero otra vez salta porque ahora se oye un disparo. Entra* Rogelio, *herido. Ante los atónitos ojos del* Licenciado, *cae al suelo. De aquí al final, tono de gran melodrama para todos los personajes, menos para el* Licenciado, *que va de sorpresa en sorpresa.*

BEATRIZ (*Entra corriendo.*): ¡Rogelio!

ROGELIO: ¡Mi candidatura! (*Muere.*)

LICENCIADO (*Viendo entrar a* Arturo, *con una pistola en la mano temblorosa.*): ¡Su hermano!

BEATRIZ (*Por* Arturo.): ¡Mi amante! (*Pero* Arturo *lucha con la pistola encasquillada.*)

ARTURO: Me falló el tiro.

BEATRIZ (*Ve hacia fuera de escena.*): ¡Mi madre! ¡Fue mi madre! (*Corre a ponerse la peluca de trenzas y queda convertida en la* Nana.)

LICENCIADO (*Viéndola.*): ¡La suegra!

CRISTINA (*Entrando, con una pistola en la mano.*): ¡Lo maté yo! ¡Su amante!

BEATRIZ (*Rápido, se quita la peluca y se enfrenta a* Cristina.): ¡Su amante!

ARTURO: ¡Mi hermano! ¡Quise matar a mi hermano!

CRISTINA: ¡Mi hijo! ¡Era el padre de mi hijo!

BEATRIZ: ¡Un hijo!

LICENCIADO: ¡Qué familia!

Quedan todos inmóviles, menos el Licenciado *que por fin logra beber y apura hasta el final su vaso mientras van bajando las luces.*

Cuadro Tercero: Ellos.

El chorro de luz sobre Brijinski *y la música que nos trajo al Cuadro Segundo, mientras los actores salen.* Brijinski, *sin saber por qué, se encuentra con una pistola en la mano. Ve desaparecer la cantina y el candil, mientras va perdiendo el personaje de* Arturo. *Se quita el saco y lo avienta fuera de escena. Toma su script y se une a los demás que vuelven a entrar como* Ellos, *también con sus scripts. Luz de trabajo.*

BOBBY: ¡Lo mató la cabaretera!

MARTA: ¡Lo maté!

BRIJINSKI: ¿Y a mí por qué me falló el tiro?

BOBBY (*Con doble intención.*): ¡Ah, qué nunca te falla!

LUISA: Oye, Sófocles, ¡qué bien leímos!

SÓFOCLES: Ya nada más nos falta actuar.

BRIJINSKI: ¡Qué lástima! No tengo ninguna escena con Marta.

LUISA: No. Eres amante mío.

BRIJINSKI: ¡Qué lástima! Digo, perdón, Luisa, digo, ¡qué bueno que soy tu amante!... A ver si doy el ancho... (*Se topa con la mirada de* Bobby, *que le avienta un beso.*)

MARTA: A mí me da miedo ese papel de cabaretera. No sé cómo es una cabaretera.

BOBBY: Yo te platico, Martita.

BRIJINSKI (*Saca cuentas.*): Una cantina, un candil, ¡la tramoya!...

LUISA: ¡Vieja nana! Ah, pero como Beatriz, mi vestido de coctel negro. Me favorece el negro.

SÓFOCLES: Luisa, no vestirás de negro.

LUISA: ¿Habló el director o el ex amante?

SÓFOCLES: Te llamé porque eres buena actriz. Solamente por eso.

LUISA: Supongo que es un elogio.

SÓFOCLES: Lo es. Pero que quede claro de una vez por todas.

LUISA (*Enojada.*): Sí, señor.

BRIJINSKI: Pero haremos taquilla. ¡Ya veo las colas de gente en el guardarropa!

BOBBY: ¿Cuál guardarropa? Aquí no alcanzamos a guardarropa, buey.

BRIJINSKI: ¿Otra vez?

BOBBY: Es de cariño, papito.

SÓFOCLES: ¡Seguimos! (*Vuelve la página.*) La segunda obra se llama: "El té de los señores Mercier.

BRIJINSKI: ¿Mer... qué?

SÓFOCLES: Acción en París. Teatro de vanguardia. Que desde luego, ya dejó de ser vanguardia... Página veinte. Los señores Mercier reciben en su casa al señor Philippe Bertrand. (*Lee.*) Interior pequeño burgués. Un mantelito de cuadros."

BRIJINSKI (*Feliz.*): La producción no parece cara.

SÓFOCLES: En escena el Actor Dos y la Actriz Uno.

LUISA (*Suspira.*): Tú y yo...

SÓFOCLES (*Lee.*): La señora Mercier, intemporal y estrafalariamente vestida, sesenta años, en pleno coqueteo con...

LUISA (*Interrumpe.*): ¡Sesenta años! Imposible, el papel no me va.

SÓFOCLES (*Lee.*): ...En pleno coqueteo con el señor Bertrand, cuarenta años, bigotito retorcido. (*A* Luisa.) Aquí quiero una risita estridente y ridícula de la señora Mercier.

LUISA: ¿Una risita? ¡Oh, jo, jó! Oh, jo, jo, jo, jo, jó!... ¡Oh, jo, jo, jo, jo, jó!

Luces y música para cambio de cuadro. Los actores hacen entrar al escenario una mesa con el mantel de cuadros, un sofá y una lámpara.

Cuadro Cuarto: El té de los señores Mercier.
(*Obra en un acto*)

El Señor Mercier —*tímido, poquita cosa, viejo suéter abierto que le cuelga al frente, anteojos de medio cristal que le sirven para mirar por encima de ellos, tics (por ejemplo, tuerce el cuello a cada rato), va y viene por el escenario trayendo tres sillas, que pone alrededor de la mesa.*

Al mismo tiempo que él —aunque ignorando totalmente su presencia— entraron, en pleno coqueteo, el Señor Bertrand *y la* Señora Mercier.

SEÑORA MERCIER: ¡Oh, jo, jo, jo, jo, jó!... No me diga esas cosas, señor Bertrand, no me diga esas cosas...

SEÑOR BERTRAND: Los rododendros en flor. ¡Qué ingenio, mi querida señora, qué sutileza!

SEÑORA MERCIER: Mi querido señor Bertrand, es usted muy galante. (*Le tiende la mano, que él besa.*) ¡Oh, jo, jo, jo, jo, jó!...

Pero se corta la risa en seco. Los tres personajes en escena quedan inmóviles; un silencio durante el cual cada uno expresa su angustia personal.

SEÑORA MERCIER: Dentro de unos momentos nos servirán el té.

SEÑOR BERTRAND: Tengo la impresión de que usted y yo nos habíamos encontrado ya en alguna parte... ¿Marsella, quizás? No, no, perdón: creo que fue en Niza.

SEÑORA MERCIER: ¡Oh, no, nunca he estado en Estambul!

SEÑOR BERTRAND: ¡Qué curioso! Y, sin embargo, estoy seguro... ¿Qué no fue durante la guerra del catorce?

SEÑORA MERCIER (*Indignada.*): ¿Cómo?

SEÑOR BERTRAND: ¡Oh, perdón, perdón! Desde luego no pudo ser durante la guerra del catorce. ¡Es usted tan joven!... Quizás fue entonces en Alabama, durante la Guerra de Secesión.

SEÑORA MERCIER: No. Definitivamente no.

SEÑOR BERTRAND: Entonces usted perdone, mi querida señora. Entonces no éramos nosotros dos.

El Señor Mercier *terminó su tarea e iba a salir, pero la* Señora Mercier *lo llama, autoritaria.*

SEÑORA MERCIER: ¡Lisandro!

SEÑOR MERCIER (*Como sorprendido en falta, re-*

gresa sobre sus pasos y contesta suave.): Sí, querida.

SEÑORA MERCIER (*Severa.*): ¿Cómo van tus clases de inglés?

SEÑOR MERCIER: Mal... Me temo que mal...

SEÑORA MERCIER: Me lo suponía. Voy a tener que ponerte una institutriz.

SEÑOR MERCIER: ¡No, por favor, Matilde querida, una institutriz no! ¡Lo que quieras, menos una institutriz!

SEÑOR BERTRAND: Señor Mercier, tengo la impresión de que usted y yo nos habíamos encontrado ya en alguna parte.

SEÑOR MERCIER: Sí, a mí también me lo parece, señor Bertrand.

SEÑOR BERTRAND: ¿Con el general Prim, en la guerra de África?

SEÑOR MERCIER: No, no creo... No estuve en la guerra de África.

SEÑOR BERTRAND: Entonces no éramos nosotros dos.

SEÑORA MERCIER: El señor Bertrand nos hará el honor de quedarse al té. Todo está listo. (*A la* Criada *que entra, pizpireta.*) N'est ce pas, Véronique?

CRIADA (*Reverencia.*): Oui, madame.

SEÑOR BERTRAND (*Admirando a la* Criada.): ¡Vaya, vaya!... Véronique... Francesa, desde luego.

SEÑORA MERCIER: No. Es británica.

SEÑOR MERCIER (*Admirándola también.*): Ya me parecía a mí que hablaba inglés.

SEÑOR BERTRAND: ¿Británica?

CRIADA: Del País de Gales. Antepasados celtas. Pero vine a París de muy pequeña.

SEÑORA MERCIER: Hoy en día el mundo es una revoltura.

SEÑOR BERTRAND: Tiene usted razón, mi querida señora. Tiene toda la razón.

CRIADA: Que la señora no se preocupe. Saldré del pastel en el momento oportuno.

SEÑOR MERCIER (*Feliz.*): ¡Hay pastel!

SEÑORA MERCIER (*Severa.*): Un pastel de utilería.

SEÑOR MERCIER: ¿De utilería?

CRIADA: Es desarmable. Salgo de mi pastel y es todo un éxito, ya verán. No salgo desnuda... Mi novio es muy celoso. ¡Él es policía y mi padre jardinero; pertenecemos a una antigua familia de nobles!... Aunque yo no creo en eso de la sangre azul. Yo solamente salgo de mi pastel, con mi bikini chiquitito, y todos los caballeros aplauden. Y las damas también... Antes sí salía desnuda, con todo el cuerpo pintado de plata... Pero el bikini es más práctico. (*Rápido.*): te lo pones y te lo quitas y aunque no te lo quites da lo mismo, se ve todo... Bueno, pues salgo del pastel y lanzo una pierna al aire. ¡Así! (*Lo hace y se lleva los anteojos del* Señor Mercier, *que caen al suelo.*) ¡Ay, perdón, señor!

SEÑOR MERCIER (*Amable.*): No tenga cuidado. (*A tientas, busca sus anteojos por el suelo.*)

CRIADA: Bueno, pues lanzo la pierna al aire y se oyen los ¡Hurra! ¡Bravo!... Y yo sonrío, inocente... ¿Se acuerdan de Marilyn Monroe? ¡Tan joven, la pobre!... Bueno, pues yo sonrío a lo

311

Marilyn. Así. (*Sonríe a lo Marilyn.*) Y el número tiene mucho éxito.

SEÑOR MERCIER (*Admirando a la* Criada.): Sí, mucho éxito, no lo dudo... (*Se vuelve pequeñito ante terrible mirada de la* Señora Mercier.)

SEÑOR BERTRAND (*Admirando a la Criada.*): Del País de Gales...

SEÑORA MERCIER: Véronique, lo del pastel vendrá después del té. Ahora puede retirarse.

CRIADA (*Reverencia.*): Oui, madame. (*Sale. El* Señor Bertrand *la sigue, pero la* Señora Mercier *lo llama.*)

SEÑORA MERCIER: ¡Señor Bertrand!

SEÑOR BERTRAND: Mi querida señora, el negro de sus ojos tiene, como nunca, misteriosos reflejos tornasol.

SEÑORA MERCIER: ¡Oh, jo, jo, jo, jo, jó!... Pero si mis ojos no son negros.

SEÑOR BERTRAND (*Acariciando la peluca de color rubio estropajo.*): El ébano de sus bucles me quita el sentido.

SEÑORA MERCIER: ¡Oh, jo, jo, jo, jo, jó!... Mi querido señor, no me diga esas cosas... No delante de mi marido.

SEÑOR MERCIER (*Todo amabilidad.*): Por mí no se molesten.

SEÑORA MERCIER (*Severa.*): Lisandro, ve a ver si ya florecieron los rododendros.

SEÑOR MERCIER: Sí, querida. (*Da unos pasos y se detiene.*) Pero querida, no tenemos rododendros.

SEÑORA MERCIER: De todos modos, ve a ver.

SEÑOR MERCIER: Sí, querida. (*Sale.*)

SEÑOR BERTRAND: ¡Matilde, mon amour, esta noche!

SEÑORA MERCIER: Philippe, esta noche dejaré abierta la puerta de mi cuarto. Pero no olvides entrar por el balcón. Es más romántico.

SEÑOR BERTRAND: ¡Qué hermoso porvenir el nuestro! Tú siempre joven y bella y yo siempre enamorado... Y tu gran cama, con cabecera de latón.

SEÑORA MERCIER (*Vergonzosa.*): Debo confesarte que... para hacer el amor, Lisandro (*Ubica al Señor Mercier entre los dos y se aparta para dejarle lugar.*), ahí acostado entre nosotros dos, me molesta un poco.

SEÑOR BERTRAND: ¡Bah, apenas ocupa espacio!

SEÑORA MERCIER: De todos modos me molesta.

SEÑOR BERTRAND: No seas anticuada.

SEÑORA MERCIER: Estoy segura de que nos espía.

SEÑOR BERTRAND: ¿Quién, Lisandro? Sería incapaz.

SEÑORA MERCIER: Finge dormir, se hace el disimulado, pero nos espía, estoy segura.

SEÑOR BERTRAND: En fin, es su problema.

SEÑORA MERCIER: Además, tose.

SEÑOR BERTRAND: Eso sí es molesto. Cuando vamos a hacer el amor y empieza a toser me corta la... la inspiración.

SEÑORA MERCIER: ¡Pobrecito pichoncito!... Le diré a Lisandro que tome pastillas para la garganta.

SEÑOR BERTRAND: ¡Matilde, eres un ángel!

Se interrumpen porque Lecocq, *que cruzó por el foro de lado a lado del escenario, los observa. Ahora se da cuenta de que lo ven y desaparece.*

SEÑOR BERTRAND (*Recomienza.*): ¡Matilde, eres un ángel!

Lecocq *vuelve a aparecer. Lo ven y desaparece. Pero inmediatamente aparece y llama el timbre de la puerta. Desaparece otra vez.*

SEÑOR MERCIER (*Entrando.*): Llaman. (*Va a abrir.*)

CRIADA (*Entrando.*): No se moleste, caballero.

SEÑOR MERCIER (*Asombrado.*): ¿Es a mí?

CRIADA (*Coqueteando.*): A usted, claro. Yo abro. Para eso soy la criada. (*Va a abrir, contoneándose para el* Señor Mercier.)

LECOCQ (*Desde afuera.*): Buenas noches... (*Por la criada.*) Hermosa criatura. (*Ya adentro.*) ¿Puedo entrar?... (*Se presenta.*) Lecocq, Leopoldo. De los Lecocq de Gante, pero nacido en París. Desempleado. Anarquista. Pasaba por aquí... ¿Por casualidad, señoras, señores, por casualidad aquí perdieron un perrito?

SEÑOR MERCIER: ¿Un perrito?... Querida, ¿perdimos un perrito?

SEÑORA MERCIER: Véronique, ¿perdimos un perrito?

CRIADA: A lo mejor, nunca se sabe...

SEÑOR BERTRAND (*A* Lecocq.): ¿Es pequeño, muy pequeñito, con pelos en los ojos, color café?

LECOCQ (*Muy digno.*): ¡Ah, no, no, no! El que yo digo es más grande, negro, rasurado.

SEÑOR BERTRAND: ¿Con una cintita de color de rosa?

CRIADA: ¡Ay, qué lindo!

LECOCQ (*Drástico.*): ¡No! Con un collar de cuero.

SEÑOR BERTRAND: Entonces, mi querido señor, no es el mismo. No es aquí.

SEÑORA MERCIER (*Severa.*): No puede ser aquí porque aquí no tenemos perro.

LECOCQ: ¿No tienen perro? (*Abatido, abrumado.*) ¡Qué lástima! ¡Es una verdadera lástima!

SEÑOR MERCIER: ¡Pobre hombre!

LECOCQ (*De pronto, con ánimos nuevos.*): Disculpen ustedes, me retiro... Lecocq, Leopoldo. De los Lecocq de Gante... Buenas noches.

SEÑORA MERCIER: Véronique, acompañe al señor a la puerta.

CRIADA (*Reverencia.*): Oui, madame. (*A* Lecocq.) Venga, es mejor por la cocina. (*Se lo lleva, coqueteando con él, que la sigue, feliz. Salen, pero* Lecocq *regresa.*)

LECOCQ (*Abrumado.*): ¡Una lástima! (*Sale.*)

SEÑOR MERCIER: ¡Pobre hombre!

SEÑORA MERCIER: ¿Por qué pobre hombre?

SEÑOR MERCIER: Se ve tan solo...

SEÑORA MERCIER: ¿Y qué hay con eso? Los anarquistas siempre están solos. Es su obligación.

SEÑOR BERTRAND: ¿Su obligación? ¡Qué ingenio, mi querida señora, qué sutileza!

SEÑORA MERCIER: ¡Oh, jo, jo, jo, jo, jó!

De pronto deja de reír. Los tres personajes quedan inmóviles. Un silencio.

SEÑORA MERCIER: Dentro de unos momentos nos servirán el té.

Van a sentarse a la mesa. No saben de qué hablar.

SEÑOR MERCIER: Je.

SEÑOR BERTRAND: Jejé.

SEÑOR MERCIER: Los trenes que parten esta noche de Londres saldrán un poco retrasados. Lo ha dicho el noticiario.

SEÑORA MERCIER: Mi marido es jubilado de jefe de estación. Por eso siempre habla de trenes.

SEÑOR BERTRAND: ¿Y de qué estación es usted jubilado?

SEÑOR MERCIER: Pues... no estoy muy seguro.

SEÑOR BERTRAND: ¿Cómo que no está seguro?

SEÑOR MERCIER: Había una flecha, en forma de cruz. Un extremo señalaba hacia el Sur, hacia Lyon, y el otro hacia el Este, hacia Estrasburgo. Mi servicio debía ser nada más para los que iban a Estrasburgo, pero me obligaban a vigilar también a los que iban a Lyon... Era una injusticia.

SEÑORA MERCIER: A mí no me lo parece.

SEÑOR MERCIER: Pero, querida, era una injusticia.

SEÑORA MERCIER (*Indignada.*): ¿Cómo? ¡Me contradices!

SEÑOR MERCIER: No, querida, no te contradigo.

SEÑORA MERCIER: ¡Me llamas mentirosa!

SEÑOR MERCIER: No, querida.

SEÑORA MERCIER: ¡Oh, me has insultado! (*Llora. Abre su bolsa de mano y saca un pañuelito para secarse las lágrimas.*)

SEÑOR BERTRAND (*Indignado.*): Señor Mercier, ésta no es forma de tratar a una dama.

SEÑORA MERCIER (*Llora.*): Es un rústico.

SEÑOR BERTRAND: Sí. Desentona en nuestra reunión.

SEÑORA MERCIER (*De pronto, deja de llorar.*): Lisandro, ve a darles de comer a los canarios.

SEÑOR MERCIER: Sí, querida... (*Va salir, pero regresa.*) Amorcito, no tenemos canarios.

SEÑORA MERCIER: ¡Ve a darles de comer!

SEÑOR MERCIER: Sí, querida. (*Sale.*)

SEÑORA MERCIER: ¡Un patán! (*Llora otra vez.*)

SEÑOR BERTRAND (*Le seca los ojos con el pañuelo.*): Vamos, vamos, ya pasó, mi palomita, ya pasó... ¡Mira qué lindo pañuelito!... Vamos a guardarlo. (*Mete el pañuelo dentro de la bolsa de la* Señora Mercier *y encuentra algo, saca una pistola.*) Pero, ¿qué es esto, mi querida señora?

SEÑORA MERCIER: ¿Esto?... Pues es... una pistolita.

SEÑOR BERTRAND: ¿Una pistolita?... Mejor vamos a guardarla. (*La vuelve a meter en la bolsa.*) ¿Y para qué la quiere, mi querida señora? ¿Para qué quiere una pistolita?

SEÑORA MERCIER (*En voz baja.*): ¿No se lo dirá a nadie?

SEÑOR BERTRAND: A nadie.

SEÑORA MERCIER (*Con gran misterio.*): Debe usted saber... que en la cocina hay cucarachas.

SEÑOR BERTRAND: ¡No!

SEÑORA MERCIER: ¡Sí!

SEÑOR BERTRAND: ¡Mi pobre amiga!

SEÑORA MERCIER: Es un deshonor para mi matrimonio, lo sé...

SEÑOR BERTRAND (*Grave.*): Mi querida amiga, si se hubiera casado conmigo...

SEÑORA MERCIER: Tiene razón. Usted me habría protegido de las cucarachas... En cambio Lisandro sólo piensa en las máquinas de vapor.

SEÑOR BERTRAND: ¿En qué?

SEÑORA MERCIER: Es para su futuro. Va a estudiar el funcionamiento de las máquinas de vapor en la industria.

SEÑOR BERTRAND: ¡Las máquinas de vapor! ¡Qué moderno!

SEÑORA MERCIER: Sí, muy adelantado para nuestra época.

SEÑOR BERTRAND: Pero eso es fantástico, mi querida señora, ¡fantástico! ¡Ahora que todo el mundo se preocupa por la electrónica, las máquinas de vapor serán un verdadero descubrimiento.

CRIADA (*Fuera de escena.*): ¡Oh, señor Mercier, tiene usted una manera tan irresistible de pedir las cosas!... ¡Oh, señor Mercier, tenga compasión de una muchacha inocente!... Señor Mercier, por favor... (*Suspiros eróticos.*) ¡Ay!... ¡Oh!... ¡Señor Mercier!...

SEÑORA MERCIER (*Que escuchó indignada.*): ¡Lisandro!

SEÑOR MERCIER (*Entrando, apresurado.*): Sí, querida.

SEÑORA MERCIER: ¿Qué hacías en la cocina?

SEÑOR MERCIER: Nada, querida, nada.

CRIADA (*Entra, arreglándose la ropa.*): El señor

Mercier me enseñaba a cuidar de los canarios.

SEÑORA MERCIER (*Indignada.*): ¡No puedo creerlo!

SEÑOR MERCIER: No lo creas, querida, no lo creas. *Se interrumpen porque ven a* Lecocq, *que volvió a cruzar el escenario, al fondo, y se detuvo a observarlos.*

SEÑORA MERCIER: ¡Otra vez!

Lecocq *desaparece. La* Señora Mercier *va a ver. Por otro extremo* Lecocq *surge de pronto y llama el timbre. Vuelve a desaparecer.*

CRIADA: Voy yo, no se molesten. (*Pero* Lecocq *ya entró y está frente a ella.*) ¡Ah, qué tal, Leopoldo!

LECOCQ: Lecocq. Anarquista. Pasaba por aquí. . . ¿Por casualidad aquí es el número doscientos setenta y tres, departamento siete?

SEÑOR MERCIER: Doscientos setenta y. . . No, no es aquí.

LECOCQ (*Alarmado.*): ¿No? Entonces debe ser el quinientos treinta y siete, departamento tres.

SEÑOR MERCIER: ¿Quinientos treinta y. . .

SEÑORA MERCIER (*Interrumpe.*): ¡Tampoco!

SEÑOR MERCIER (*Amable, a* Lecocq.): Tampoco.

LECOCQ: ¿Tampoco? (*Destruido, se deja caer en una silla.*) ¡Es una lástima! ¡Una verdadera lástima! (*Revive, de pronto; se levanta.*) Sin embargo, perdonen ustedes, disculpen la pregunta, no quisiera ser indiscreto. . . (*Al* Señor Mercier.) ¿Por casualidad usted no se llama Casimiro?

SEÑOR MERCIER: ¿Casimiro?... No, lo siento, ése no es mi nombre.

LECOCQ: ¿No? (*A la* Señora Mercier, *angustiado.*) ¿Y usted no se llama Rosalía?

SEÑORA MERCIER: ¡No!

LECOCQ (*A la* Criada.): ¿Y usted, señorita, no tiene un novio bombero?

CRIADA: No, señor. Mi novio es policía.

LECOCQ (*En el colmo de la desesperación.*): ¿Y por casualidad no han visto por aquí a una cantante calva?

SEÑOR BERTRAND: No. No la hemos visto.

LECOCQ (*Abrumado, destruido.*): Entonces me equivoqué de obra, digo, de casa. ¡Tengo mala suerte!

SEÑOR MERCIER: ¡Pobre hombre!

SEÑORA MERCIER: Véronique, acompañe al señor a la puerta.

LECOCQ (*De pronto, reanimado.*): Disculpen ustedes, me retiro.

CRIADA (*Coqueta.*): ¿Tan pronto?

LECOCQ: Lecocq, Leopoldo. Pasaba por aquí.

CRIADA: Vamos, Leopoldo. ¡Por la cocina!... (*Salen, ella coqueteando y él feliz. Pero* Lecocq *regresa.*)

LECOCQ (*Abrumado.*): ¡Muy mala suerte!

Sale. Sentados otra vez ante la mesa, los personajes en escena no saben de qué hablar.

SEÑOR MERCIER: En Londres, esta noche, los trenes...

SEÑOR BERTRAND (*Interrumpe.*): Pues sí, las neurosis visten mucho.

SEÑORA MERCIER: ¿Las neurosis?

SEÑOR BERTRAND: Sobre todo para las fiestas. Cuando invito a mis amigos, siempre les pido que traigan sus neurosis. Así las reuniones resultan más divertidas. Y nadie se niega... Quién en nuestros días no tiene su poquito de neurosis.

SEÑORA MERCIER: Bueno, los pobres no la tienen.

SEÑOR BERTRAND: No crea usted, mi querida señora, también la tienen.

SEÑORA MERCIER: ¡No me diga!

SEÑOR BERTRAND: Así es. Hoy en día, todo el mundo tiene de todo. Los pobres se dan sus lujos: tienen televisión y neurosis.

SEÑORA MERCIER: ¡Quién iba a creerlo! ¡Y todo por culpa de la Revolución Francesa!... Afortunadamente Lisandro y yo estamos muy ocupados y no nos enteramos de esas cosas, ¿no es cierto, Lisandro?

SEÑOR MERCIER: Así es, querida.

SEÑORA MERCIER: Cuando la Revolución Francesa, le dije a mi marido: ahora mismo empiezas con tus clases de inglés. Y cuando comenzó toda esa historia del átomo, Hiroshima, Nagasaki, yo me puse a bordar. ¡Detesto lo oriental! Punto de cruz clásico, ¡a la francesa!

Optimista, como quien llega contento a casa, con una barra de pan bajo el brazo, Lecocq *cruza por el fondo silbando "Qui a peur du méchant loup" Se detiene detrás de ellos y los observa. Lo ven.*

SEÑORA MERCIER: ¡Increíble!

Lecocq *desaparece. El* Señor Mercier *va a ver. Lecocq aparece y desaparece en las narices del* Señor Mercier. *Finalmente va a llamar el timbre y, según su costumbre, desaparece nuevamente.*

CRIADA (*Entrando.*): ¡Voy, querido, voy!... (*Pero* Lecocq *ya está dentro.*)

LECOCQ: Lecocq, Leopoldo. De Gante. ¿Por casualidad es aquí donde quieren una barra de pan?

SEÑOR MERCIER: ¿Una barra de pan? Permítame preguntar: Querida, es aquí donde querem...

SEÑORA MERCIER (*Interrumpe.*): ¡No! ¡No es aquí!

LECOCQ: ¿No? Qué lástima! (*Abrumado, se derrumba en el sofá.*)

CRIADA: No te preocupes, Leopoldo; no te preocupes, querido.

LECOCQ (*De pronto, optimista, saca estambre y agujas y se pone a tejer.*): Pasaba por aquí y pensé... Si algún día la gente se decidiera a llamar así, a una casa, y ofrecerle a su vecino una barra de pan, el mundo sería distinto. ¿No creen?

SEÑOR MERCIER: Sí, sería distinto.

LECOCQ (*Empieza a afligirse.*): Siempre es bueno tener una casa a donde llevar una barra de pan.

SEÑOR MERCIER (*En el tono de* Lecocq.): Sí, siempre es bueno.

LECOCQ (*Llora.*): Yo compro cada noche una barra de pan, pero vivo solo. No es lo mismo llevar a casa una barra de pan cuando se vive solo que cuando hay alguien que espera una barra de pan.

SEÑOR MERCIER (*Llora.*): No es lo mismo.

LECOCQ (*Desesperado.*): Siempre quise tener alguien a quien llevarle una barra de pan.

SEÑOR MERCIER (*Mismo tono que* Lecocq.): ¡Pobre hombre!...

LECOCQ (*De pronto muy seguro de sí, agresivo.*): Claro que me llevo la barra de pan a mi casa, para mí. Pero no es lo mismo. Además, a mí no me gusta el pan.

SEÑOR BERTRAND: Si no le gusta, ¿por qué lo compra?

LECOCQ (*Muy digno.*): Hay que ocuparse en algo, ¿no es cierto?

SEÑOR MERCIER: En eso tiene razón.

SEÑORA MERCIER: ¡Lisandro!

SEÑOR MERCIER: Sí, querida.

LECOCQ: Me retiro. Ya sé el camino. Por la cocina.

SEÑORA MERCIER: Véronique, acompáñelo.

CRIADA: Vamos, chéri. (*Salen. Y como de costumbre,* Lecocq *regresa, pero esta vez sigue optimista.*)

LECOCQ: Disculpen si hoy no regreso. Es tarde. Pero mañana sin falta puedo venir y...

SEÑORA MERCIER (*Interrumpe.*): ¡Adiós!

LECOCQ: Adiós. (*Sale, pero regresa y corrige a la Señora Mercier.*) ¡Hasta mañana! (*Sale.*)

SEÑOR MERCIER: A lo mejor piensa mudarse a vivir aquí.

SEÑORA MERCIER: ¡La institutriz mañana mismo!

SEÑOR MERCIER: Pero si yo solamente decía...

SEÑORA MERCIER: No volveremos a recibir a ese anarquista.

SEÑOR BERTRAND: Señora Mercier, señor Mercier, ya que hablamos de... anarquismo, como amigo de la familia siento el deber de avisarles que el alza del oro ha sido un peligro para la correcta circulación de los vehículos en París.

SEÑOR MERCIER: Pero si el oro baja.

SEÑOR BERTRAND: También sube. El alza del oro ha causado inquietud entre las clases bajas.

SEÑORA MERCIER: ¡Qué horror, las clases bajas!

SEÑOR MERCIER: No sabía que las clases bajas se preocuparan por el oro...

SEÑOR BERTRAND: Los campesinos creen que el alza del oro podría tener repercusiones en las cosechas de ajonjolí. Y se han puesto de verdad insoportables. Por su parte, la nobleza y el tercer estado...

SEÑOR MERCIER: Quiere usted decir el tercer mundo.

SEÑORA MERCIER (*Al* Señor Mercier.): Quiere decir los políticos y nosotros.

SEÑOR BERTRAND: Por su parte, la nobleza se ha unido al clero. Y entre todos me temo que pueden hacer saltar la bolsa de valores.

SEÑORA MERCIER: ¡Con eso de que los hombres usan bolsa!

CRIADA (*Entra, llorando.*): ¡Estoy embarazada!... ¡Estoy embarazada!... (*Coqueta.*) Y no sé de cuál de los tres.

SEÑORA MERCIER: ¿Cómo?

CRIADA: No sé si el niño es del señor Bertrand.

SEÑORA MERCIER: ¡Qué está usted diciendo! (*Al Señor Bertrand, que se escabullía.*) ¡Philippe!

SEÑOR BERTRAND: Eh... Bueno, me temo que mientras hablábamos de la silvicultura del País de Gales... En fin, una aventura sin importancia.

CRIADA (*Coqueta.*): ...O del señor Mercier... (*Éste se va a esconder detrás del sofá.*)

SEÑORA MERCIER: ¿De quién?

CRIADA: A lo mejor el niño es del señor Mercier.

SEÑORA MERCIER: ¡Lisandro!

SEÑOR MERCIER (*Se asoma.*): Verás, querida, resulta que mientras le enseñaba a Véronique a... darle de comer a los canarios...

SEÑORA MERCIER: ¡Basta!

CRIADA (*Coqueta.*): O de Leopoldo...

SEÑORA MERCIER (*Viendo a* Lecocq *que cruza el escenario, al fondo.*): ¡El anarquista!

CRIADA: El niño también puede ser de Leopoldo.

Lecocq, *que en ese instante iba a llamar el timbre, cambia de opinión y desaparece.*

SEÑORA MERCIER (*Por* Lecocq.): ¡Oh!... (*A la Criada.*) ¡Pero cómo es posible! Si solamente lo acompañó usted a la puerta.

CRIADA (*Muy digna.*): Lo acompañé tres veces, señora. Hay quien queda embarazada a la primera.

SEÑOR MERCIER: Eso sí, querida, eso es cierto.

SEÑORA MERCIER: ¡Cállate!

CRIADA: Señora, me marcho. Tendrá que buscarse otra para que salga del pastel.

SEÑORA MERCIER: ¡Cómo! ¿Se va?

CRIADA: Mi novio es muy celoso. Si se enterara de las cosas que suceden en esta casa... ¡Me marcho ahora mismo! (*Sale.*)

SEÑORA MERCIER: No puede ser. ¿Quién nos servirá el té? (*Se derrumba en el sofá.*)

SEÑOR BERTRAND: No se preocupe. Trataré de convencerla de que se quede.

SEÑORA MERCIER: Gracias, señor Bertrand, gracias...

SEÑOR BERTRAND: Por lo menos, hasta que salga del pastel. (*Saliendo.*) ¡Véronique!... ¡Señorita!

SEÑOR MERCIER: Qué le vamos a hacer... No te disgustes... Hoy en día todo el mundo queda embarazado... Mujeres y hombres, con esto de la cirugía... No te disgustes, qué le vamos a hacer... (*La* Señora Mercier *saca la pistola de su bolsa de mano.*) ¿Qué es esto, Matilde querida?... ¡Oh, qué pistolita tan mona, tan femenina!...

SEÑORA MERCIER: Muy femenina... (*De pronto le clava la pistola.*) Es para ti, Lisandro.

SEÑOR MERCIER: Pero, Matilde, ¿tan pronto?

SEÑORA MERCIER (*Retira la pistola, severa.*) ¿Te parece pronto?

SEÑOR MERCIER: Pensé que podríamos compartir una noche más, unas clases más, algunos canarios más...

SEÑORA MERCIER: ¿Vas a ponerte romántico?

SEÑOR MERCIER: A la hora de morir uno hace tantas cosas...

SEÑORA MERCIER: Lisandro, todo el día he querido estar a solas contigo.

SEÑOR MERCIER: Pero, querida, si ya no hacemos
el amor.

SEÑORA MERCIER: No seas convencional. Quería
estar a solas contigo... para esto: Clic. (*Le dispara. Es una pistola de juguete, de la que sale
un pollito.*)

SEÑOR MERCIER: ¡Oh!... Muero injustamente.
Muero... ¡por las clases bajas! (*Cae sentado,
como un pajarito: todavía dice:*) Pío, pío, pío...
(*Muere.*)

SEÑORA MERCIER (*Despectiva.*): Siempre pensé que
eras partidario de la Revolución Francesa.

SEÑOR BERTRAND (*Entrando.*): Logré convencerla.
¡Se queda!

SEÑORA MERCIER: Mi querido señor Bertrand, estoy dispuesta a olvidar ese... pequeño incidente
de la criada.

SEÑOR BERTRAND (*Apasionado, va hacia ella.*):
¡Matilde, mon amour!... (*El cadáver del* Señor
Mercier-*pajarito cae de lado.*) ¡Oh, pero qué es
esto!

SEÑORA MERCIER: ¿Esto?... Es el señor Mercier.

SEÑOR BERTRAND: Está... muerto.

SEÑORA MERCIER (*Limpia la pistola con el pañuelito.*): Mi querido amigo, ¿me guardaría usted
un secreto?

SEÑOR BERTRAND: ¿Un secreto?

SEÑORA MERCIER: Obviamente acabo de matar a
mi marido... (*Coqueta.*) Pero ése puede ser un

pequeño secreto entre usted y yo. (*Guarda la pistola en su bolsa.*)

SEÑOR BERTRAND: ¡Oh, comprendo!... Comprendo, mi querida amiga... Lo hizo usted por mí, por nuestro amor.

SEÑORA MERCIER: No sea convencional. A nuestro amor no le estorbaba el señor Mercier. Lo hice... ¡para ahorrarme la institutriz!

SEÑOR BERTRAND: ¡La institutriz! ¡Qué ingenio, mi querida señora, qué sutileza!

SEÑORA MERCIER: Mi querido señor Bertrand, es usted muy galante. (*Le tiende la mano, que él besa.*) ¡Oh, jo, jo, jo, jo, jó!...

Se corta la risa. Se inmovilizan. Un silencio.

SEÑORA MERCIER: Dentro de unos momentos nos servirán el té.

Se vuelven a inmovilizar, viendo el cadáver del Señor Mercier. La música que nos trajo a este cuadro mientras, al fondo, Lecocq entra alegre, silbando su canción. Se detiene y ve al muerto. Se asusta y desaparece. Sonriente, otra vez seguro de sí mismo, vuelve a aparecer. Saca una pistola y dispara hacia la sala. De la pistola sale una banderita que muestra al público y que dice:

INTERMEDIO

Cuadro Quinto: Ellos.

Escenario vacío. Luz de trabajo. Ellos *ante sus scripts.* Luisa *ensaya, con una pistola imaginaria.*

LUISA: ...A solas contigo, para esto. (*Hace ademán de disparar.*) Para esto. (*Dispara otra vez. Se da cuenta de que los demás la observan.*) Qué les parece, maté al pobre de Lisandro.

BRIJINSKI: Tenías que matarlo. Era el marido.

MARTA: Los ensayos no van a estar fáciles.

SÓFOCLES: Ciertos ademanes, incluso ciertos tics podrían ayudar en su insignificancia al señor Mercier... (*Algo se le ocurre.*) Brijinski, torcerás el cuello a cada rato. (*Lo hace, imitando el tic del Señor Mercier.*) Es un movimiento de evasión.

BRIJINSKI: ¿Torceré el cuello? (*Trata de hacerlo y no le sale.*) A ver si doy el ancho...

BOBBY: ¿Me decías?

SÓFOCLES (*A Brijinski.*): Necesitarás también, como punto de apoyo, unos anteojos. Subrayarán estados anímicos de tu personaje. Es un inseguro; necesita agarrarse de algo, aunque sea de sus anteojos.

BRIJINSKI: ¿Voy a agarrarme de unos anteojos?

SÓFOCLES (*Sin contestarle, inventando.*): Muy pequeños, con sólo medios cristales.

BRIJINSKI: Se me van a caer.

BOBBY: ¿Qué cosa?

SÓFOCLES: Continuamos. (*Vuelve la hoja.*) Tercera obra.

BRIJINSKI: Perdón... Yo quiero hacer pipí.

MARTA: Yo tengo hambre... Traje una torta.

SÓFOCLES: De acuerdo. Diez minutos para pipí y torta.

BRIJINSKI (*A Marta.*): ¡Vente, vámonos!... Bueno, cada quien por su lado. Tú a la torta y yo a... (*Salen.*)

BOBBY (*Saliendo tras ellos.*): Inviten, ¿no? Aunque sea a la torta... (*Sale.*)

LUISA: ¿Qué significa esto? ¿Vamos a interrumpir ahora, a media lectura, en caliente?

SÓFOCLES: Así nos enfriamos.

LUISA: ¡Grosero!

SÓFOCLES: Y yo hago una siesta. (*Se acuesta en el suelo.*)

LUISA: ¿Una siesta? ¿Por la noche?

SÓFOCLES: No seas burguesa. Cualquier hora es buena para hacer una siesta.

LUISA: Sófocles, levántate de ahí, quiero hablar contigo.

SÓFOCLES: ¿Qué pasa? ¿No te gustan tus papeles?

LUISA: No se trata de la obra, sino de nosotros.

SÓFOCLES (*Se sienta.*): Te equivocas, Luisa. Mientras estemos en este escenario se trata de la obra.

LUISA: Está bien, está bien, pero no vamos a estar en este escenario toda la vida... (*Suave.*) Ni siquiera toda la noche... ¿Qué haces a la salida?

SÓFOCLES: ¿A la salida?

LUISA: Te invito a mi casa. Empezamos por tomar el té... Apuesto a que te inspiraste en nosotros; siempre empezábamos por tomar el té. ¿Recuerdas?

SÓFOCLES: Sí, recuerdo.

LUISA: Primero el té y después... lo que quieras.

SÓFOCLES: Lo siento, Luisa. Hoy no. (*Se vuelve a acostar.*)

LUISA (*Furiosa.*): ¡Eres un presumido! Te crees muy listo... Eres un vanidoso, un... (*No encuentra adjetivo.*) un... ¡Y además, egoísta!

SÓFOCLES: Luisa, ya pasó el melodrama.

MARTA (*Entra compartiendo con* Brijinski *restos de una torta imaginaria.*) Mira, Brijinski, mi novio es muy celoso.

BRIJINSKI: ¿El policía?

MARTA: ¿Cuál policía? Mi chavo, el de a de veras... ¡lo voy a invitar al estreno de la obra!

BRIJINSKI: Ni hablar.

MARTA: Pensar que me va a ver de cabaretera.

BRIJISNKI: ¡Y de criada embarazada!

LUISA (*A* Sófocles.): Y además, ¡pedante! (*Sale.*)

MARTA: ¿Qué le pasa?

SÓFOCLES: Nada. Es buena actriz.

MARTA: Voy con ella.

BRIJINSKI: ¿Y tú qué haces en el suelo?

SÓFOCLES: Duermo la siesta.

BRIJINSKI: ¿Duermes?

SÓFOCLES: ¡Profundamente!

BRIJINSKI: Una extraña manera de dormir...

BOBBY (*Entrando.*): ¿Por qué extraña? En el teatro nada es extraño. Claro que lo más sabroso es dormir como espectador en una butaca. (*A un espectador.*) ¿No es cierto, doctor? Qué bueno que vino. Se cambió de lugar...

BRIJINSKI: ¿Con quién hablas?

BOBBY (*A* Brijinski.): ¡Al fin solos! A ver, virgencito, venga para acá.

BRIJINSKI: ¡No soy virgencito, joto de mierda!

BOBBY: ¿Cómo dijiste?

BRIJINSKI: Perdona... No quise ofenderte... Discúlpame...

BOBBY: Está bien. Soy joto.

BRIJINSKI: ¿Lo eres?

BOBBY: ¿A poco te cae de sorpresa?

BRIJINSKI: Creí que le estabas haciendo al cuento. Que estabas actuando.

BOBBY: Bueno, cuando me conviene también actúo. La verdad, estoy pasando por una etapa ambidiestra.

BRIJINSKI: ¿Ambidiestra?

BOBBY: Y luego un día te das cuenta de que se te fue la vida en el teatro. (*Se convierte en Luis XIV.*) "Mi Majestad"... (*Un aparte, como* Bobby.) le decía el rey a su comediante, (*Vuelve a ser Luis XIV.*) "Mi Majestad tenía en mente otros problemas y no estaba pensando en su obra la primera vez que la vi." (*Como* Bobby, *explica.*) Luis XIV a Molière.*

BRIJINSKI: No entiendo.

BOBBY (*Serio, para sí.*): Lo que puede ayudarte es creer en Dios. Yo platico con Él a veces.

BRIJINSKI: No entiendo.

BOBBY (*Nervioso, canta.*): "Ridi pagliaccio..."

* En palabras aproximadas, según crónica de la época escrita por Grimarest, reproducida en el libro *Les chefs d'oeuvre de Molière*, Americ-Edit., Río de Janeiro, Brasil, tiraje de 50 ejemplares.

BRIJINSKI: Bobby, estás temblando.

BOBBY: Mira, vir... jovencito: ¿Crees que se puede trabajar al mismo tiempo en un pinche programa de televisión, en una serie de doblaje, estar de extra en una película por la mañana, animador de un show de cabaret en la madrugada, merolico en funciones para niños por las tardes, actor por las noches y además no temblar?

BRIJINSKI: Pues sí, son muchas cosas... es demasiado.

BOBBY: Por qué demasiado. Te deja un poquito tembloroso, nada más.

BRIJINSKI: Bobby, ¡me caes bien!

BOBBY (*Sexy.*): Eso suena excitante... (*Pero* Brijinski *se le escapa hacia* Marta, *que viene entrando.*)

BRIJINSKI: ¡Martita, cuánto tiempo sin verte!

MARTA (*Divertida.*): ¿Me extrañaste mucho?

BRIJINSKI: ¡No sabes!

SÓFOCLES (*Se pone en pie.*): ¡Nueve minutos y medio! ¡A trabajar! Tomen sus scripts. ¿Dónde está Luisa?

LUISA (*Entrando.*): En los camerinos hay ratas.

SÓFOCLES: ¿Viste alguna?

LUISA: No, pero esos camerinos están convertidos en bodega y estoy segura de que...

SÓFOCLES (*Interrumpe.*): Luisa, no viste ratas. ¿De acuerdo?

LUISA: De acuerdo.

SÓFOCLES: Tercera pieza. En honor de Rimbaud se titula: "El barco ebrio".

BRIJINSKI (*Soñador.*): El barco ebrio...

SÓFOCLES: Desde luego no hay ningún barco.

BRIJINSKI: ¿No?

SÓFOCLES: Anda perdido en el mar. (*Pedante.*) Aunque el poema de Rimbaud puede considerarse como punto de partida del simbolismo, mi obra, que algo tiene de simbolismo y también de romanticismo —y hasta de impresionismo— es quizás básicamente surrealismo.

BOBBY: ¿Surrealismo? ¡Puta madre!

MARTA: ¡Surrealismo, qué padre!

BRIJINSKI: Por fin, ¿padre o madre?

LUISA (*Vuelve hojas del script.*): ¡Sí era cierto! Me tocó el papel de alga.

BRIJINSKI: ¡Y a mí el de... ¿qué dice aquí? ¡Liquen! ¿Qué es eso?

MARTA: Es una planta.

BRIJINSKI: ¿Soy una planta?

SÓFOCLES: Hoja cuarenta y cinco. Leemos. (*Lee.*) El mar. Una playa. Una pareja de novios en una banca. Visten de color azul... (*Viendo a sus personajes.*) Los azules de Chagall.

LUISA: ¿Por qué Chagall?

SÓFOCLES: Porque me gustan sus azules. (*Lee.*) Dos líquenes de mar, Chondrus Crispus, es decir, dos algas rojas, a las que llamaremos, para diferenciarlas, Alga y Liquen, sobre una roca que de vez en cuando cubren las olas...

BRIJINSKI: ¡Soy alga!...

SÓFOCLES: Las de esta especie vienen de aguas profundas y el mar las echa a la orilla. Yo las quise arraigadas sobre una roca.

LUISA: En fin, eres el autor.

SÓFOCLES (*Lee.*): Cruza la escena un caballero vestido de negro. (*Voltea a ver a* Bobby.)

BOBBY: Sí, yo.

SÓFOCLES (*Lee.*): Trae una red para cazar mariposas.

BOBBY: ¡Mariposas!

El escenario se pinta violentamente con una pantalla de color intenso y los actores salen, menos Bobby, *que da saltitos con una red imaginaria jugando a cazar mariposas. Sale también, a la vez que entran las* Algas, *dentro de un "traje de roca", que comparten y por el que únicamente asoman cabezas (con rostrillos) y manos. Arrastran los pies en zigzag para colocarse en el área que les corresponde, se arrodillan, hunden las cabezas dentro de la roca y dejan afuera solamente las manos. Entra a escena una banca en la que están sentados, inmóviles, los* Novios. *Desaparece la pantalla de color y luz para el cuadro que sigue.*

Cuadro Sexto: El barco ebrio.
(*Obra en un acto*)

El mar...

Entra, con la red para mariposas, el Caballero *vestido de negro, traje de los años veintes, sombrero hongo. Cruza la escena fuera del tiempo, sin ver a los demás personajes y sin que ellos tampoco adviertan su presencia. Atrapa una mariposa, pero la deja ir. Arrastrando la red, sale.*

Como única luz ahora, un spot sobre los Novios.
Hablarán en tono neutro, distante.

Novia: El mar parece hoy más azul.

Novio: Hay algo extraño en el ambiente.

Novia: Por el mar no hay salida.

Novio: Por tierra tampoco.

Novia: Nuestros padres muertos y nuestros abuelos y nuestros tatarabuelos tienen cercada la playa.

Novio: La tienen constantemente vigilada. Sé que hasta utilizan radar.

Novia: Y por el mar no nos dejan escapar los guardianes.

Novio: Rocas, algas, erizos, parásitos...

Novia: Cien años en esta banca.

Novio: Cien años.

Novia: Mirando al mar... Pero el barco ebrio vendra a buscarnos. Y nos iremos de aquí. (*Pierden la actitud neutra.*)

Novio: ¡Pienso en ti todas las tardes, cuando dan las seis!

Novia: ¡Yo también! A las seis en punto suena el canario de mi reloj de pulsera y te veo en tu cuarto de trabajo... Te veo tan joven y fuerte, construyendo tus dodecaedros, pegando los costados con resistol.

Novio: ¡Gerardina!

Novia: ¡Gerardo!

Novio: Construiré mi castillo de dodecaedros y por ahí huiremos. Hacia las regiones del aire no profanadas, donde el rayo laser se entrecruza con el autocinema. Donde Superman pasa volando y los terremotos abren hendiduras en el cielo, más allá de la bomba atómica. Allí tendremos nuestra casa y les enseñaremos a nuestros hijos a armar dodecaedritos.

NOVIA: ¡Oh, Gerardo, es un sueño!...

Entra el Caballero. *Luz en todo el escenario.*

NOVIO: ¡Silencio, ahí viene!
NOVIA: Hoy se adelantó.
NOVIO: Haz como si no lo vieras.

El Caballero *ignora a los* Novios. *Arrastra la red, sin tratar ya de cazar mariposas. Se acerca y se detiene frente al mar. Mira al mar...*

NOVIA: Siempre la mirada en lontananza.
NOVIO: Hay toda una vida en esa mirada...
NOVIA: Podríamos hacernos amigos de él.
NOVIO: No te confíes. Es peligroso.
NOVIA: No parece peligroso.

Bruscamente el Caballero *da media vuelta. Se aleja y sale. Con él se va la luz general y queda únicamente el spot de los* Novios.

NOVIO (*Al dar media vuelta el* Caballero.): Quizás no es coleccionador de mariposas, sino algo peor.
NOVIA: ¿Qué puede haber peor?... ¡Ay, Gerardo, tengo miedo!

El Alga y el Liquen en su roca mueven las manos.

Novio: ¡Silencio!

Novia: ¿Qué fue eso?

Novio: No lo sé. El mar...

Novia: Los guardianes.

Novio (*Rápido.*): El mar.

Novia (*Rápido.*): ¡No quiero verlos!

Novio: Ven, vamos a caminar playa adentro...

Novia: No quiero verlos.

Novio: Ven, déjales el mar...

Quedan inmóviles en su banca —nunca se levantarán de ella—. Se apaga su spot a la vez que entra otro sobre la roca.

Liquen: ...Irme de aquí.

Alga: No sabes lo que dices.

Liquen: Sí lo sé. Quiero irme de aquí.

Alga (*Saca la cabeza de la roca.*): Pero Liquencito...

Liquen (*Asoma también.*): ¡No me llames Liquencito! (*Divertido.*) Soy tu esposo.

Alga: Y también mi hijo.

Liquen: Supongo que sí.

Alga: ¡Cómo que supones!

Liquen (*Divertido.*): Los humanos lo llamarían incesto.

Alga: En fin, soy tu madre y tu padre al mismo tiempo, igual que tú serás padre y madre de tus hijos. Entre nosotros no hay problema... Eso decía siempre el liquen, mi primer marido. (*Sus-*

pira.) Me abandonó y quedé sola, en la inmensidad del mar azul... Una historia como tantas.

LIQUEN (*Serio.*): Quiero irme de aquí.

ALGA: Macbeth nunca entendió a Shakespeare, pero tenía mucho de mi primer marido.

LIQUEN: ¡Quiero irme!

ALGA: Tú más bien te pareces a Hamlet. (*Sin transición.*) Pero Liquencito, ¿cómo vas a irte?

LIQUEN: Quiero convertirme en ser humano.

ALGA: ¡Qué dices!

LIQUEN: Quiero ser un hombre. Y tú, Alga, una mujer.

ALGA: Eso es imposible.

LIQUEN: ¿Por qué imposible? Quiero amarte como se aman el hombre y la mujer.

ALGA (*Complacida.*): ¡Liquencito!...

LIQUEN: Quiero tu risa, como concha de mar, cuando las chimeneas de las fábricas empiezan a echar humo.

ALGA (*Complacida.*): ¡Oh!...

LIQUEN: Quiero tu piel, a la hora en que las tiendas acarician el celofán de los regalos, y tus dientes cuando pasa el carro de sonido por el centro de Manhattan.

ALGA: ¡Oh!...

LIQUEN: Quiero raptarte a caballo en una película de galaxias y desayunar contigo cada mañana en una terraza del Trocadero, cuando las fábricas empiezan a echar a andar los mecanismos de los relojes eléctricos. Quiero despertar a tu lado cada mañana, acostados sobre el filo de acero de una espada y teniendo como música sólo Radio Universidad, en el ochocientos sesenta del cuadrante. Quiero hacer el amor contigo a la luz de la luna dorada y ardiente, sobre la hierba donde copulan los escarabajos, mientras en el cuarto de al lado Einstein está ocupado en resolver su teoría de la relatividad. Quiero a Newton y su manzana y la Constitución Federal de Washington y la Guerra de los Treinta años para ponerlas a tus pies. Quiero ser para ti el microbio que mate a la penicilina, el bacilo que envenene a toda la Vía Láctea, el policía de tránsito que interrumpe la función de cine cuando él le va a clavar el cuchillo a ella, que está desnuda en la regadera. Quiero cenar esta noche contigo una rebanada de pan negro con queso crema. Y ésta es la declaración de amor de tu esposo, el más enamorado.

ALGA: ¡Hijo mío!

LIQUEN: ¡Madre!

Se besan en la boca. Ruido de un jet que pasa. Se enciende el spot de los Novios.

NOVIA: ¿Oyes? ¿Es el canto de las sirenas?

NOVIO: No. Es el jet de las seis y media.

NOVIA: ¡Qué romántico! (*Quedan inmóviles.*)

ALGA: Son los prisioneros. Hay que vigilarlos.

LIQUEN: Por qué vigilarlos. Déjalos escapar.

ALGA: ¿Te has vuelto loco? Nuestros antepasados nos los confiaron. En nuestra familia nunca se nos ha ido viva una pareja de novios.

LIQUEN: ¿Por qué no dejarlos en libertad?

ALGA: Hay un orden en las cosas. Debemos resguardar el orden.

LIQUEN: No estoy de acuerdo. ¡No estoy de acuerdo! (*Enfría sus ímpetus una ola que lo baña.*) ¡Chin...! (*El Alga ríe.*)

ALGA Y LIQUEN (*Hundiéndose en la roca.*): Gluglugluglugluglú... (*Su spot se apaga.*)

NOVIO: Señorita, desde que la conocí me di cuenta de que gracias a usted podría renunciar a las cafiaspirinas.

NOVIA (*Halagada.*): ¡Caballero!...

NOVIO: Desde que la conocí supe que las flores tornasoladas del dobladillo de su vestido iban a invadir mi existencia y que ya no habría reposo para mí ni en construir dodecaedros ni en escuchar los acordes del *allegro enérgico ed apassionato* de la Cuarta Sinfonía de Brahms... Supe que ya no habría calma ni tranquilidad para mí hasta que un suspiro de su boca azul celeste me dijera que su tráquea sólo para mí tiene compulsiones cuando deglute un sorbo de coñac francés.

NOVIA: ¡Oh!...

NOVIO: Por usted industrializaré mis dodecaedros y pasaremos nuestra luna de miel en los castillos del Loira. Seremos medievales: ya no soporto lo ultrasónico.

NOVIA: ¡Oh, qué valiente!

NOVIO: Señorita, yo a usted la quiero como se quiere un pañuelo prestado, un instante robado... Como se quieren las madréporas en época de celo.

NOVIA (*Escandalizada.*): ¡Caballero!

NOVIO: Perdón. Quise decir que la quiero como se quiere un amanecer en Hyde Park; como el encuentro del árbol con su primera luz, como el rugido del metro que pasa llamando con su canto al suicida.

NOVIA (*Romántica.*): Creo que me ama de veras...

NOVIO: La quiero como el que espera al anochecer los pasos de una mujer por la calle. La quiero como los corruptores a sus menores. Como se quiere a la droga cuando la última inyección no llega a tiempo.

NOVIA: ¡Oh, qué romántico!...

Quedan inmóviles. Se apaga su spot y entra el de las Algas, *que siguen dentro de su roca. El mar...*

LIQUEN: ¿Alga?

ALGA: ¿Liquen?

LIQUEN (*Saca una mano.*): ¡Ven, siéntate aquí conmigo, frente a la chimenea!

ALGA (*Saca una mano.*): ¿Está encendida?

LIQUEN: Cuéntame de mis abuelos, los líquenes de mar. De mis tías choznas, las algas Claudea. Dicen que eran muy elegantes...

ALGA: Eran, hijo mío, altas y espigadas... Vienes, eso puedes tenerlo por seguro, de noble sangre. Nosotras, las algas rojas, venimos de las aguas más limpias, de lo más profundo del mar, allá, donde la luz ni a llegar alcanza.

LIQUEN: Cuéntame de cuando era pequeño...

ALGA: Cintilaban en la playa las estrellas de metal. Reverberaba el mar de plata... Todas las demás algas dormían. Y yo cantaba para ti una canción de sirena. Te la cantaba con mi voz más tierna... (*Alga y Liquen sacan las cabezas de la roca y ella dice cómicamente, a manera de "canción tierna".*) ¡Pralalalalalalalalalalalalá!... Primero, te la cantaba cada noche y después, de tanto que te gustó, la grabé en una cassette y puse la grabadora junto a tu cuna... ¡Eras tan listo! Tú solito, con tus manitas de liquen, como colgajitos, cada noche echabas a andar la grabadora a la velocidad adecuada.

LIQUEN: ¡Madre!

ALGA: ¡Hijo! (*Se besan en la boca.*)

Entra el Caballero*; luz en todo el escenario. Los* Novios *permanecen inmóviles.* Alga *y* Liquen *se separan.*

ALGA: ¡Cuidado, es él!

LIQUEN: Viene hacia aquí.

ALGA (*Rápido.*): Escóndete.

LIQUEN (*Rápido.*): No quiero.

ALGA (*Rápido.*): ¡Escóndete!

La toma de la mano y lo obliga a hundirse con ella en la roca. El Caballero *avanzó. Se detuvo. Se ve en lucha consigo mismo. Toma ahora una decisión: es una renuncia. Avienta, lejos, la red para mariposas. Da unos pasos, alejándose. Pero fatalmente la roca lo atrae: poco a poco voltea el*

rostro hacia ella; lentamente va hacia ella. Observa
las manos del Alga *y el* Liquen, *quietas, enlazadas*
sobre la roca. De sus ojos cae una lágrima. Da
media vuelta y se aleja precipitadamente. Sale. Bajo
su spot como única luz en escena, Alga *y* Liquen
vuelven a asomar las cabezas.

LIQUEN: Lloraba...

ALGA: No te confíes; es peligroso.

LIQUEN: No parece peligroso.

ALGA: Le bastaría con estirar la mano y arran-
carnos de esta roca...

LIQUEN (*Irónico.*): ¿Fue así como te sedujo?

ALGA: No entiendo...

LIQUEN: ¿Estiró la mano para acariciarte? (*Sin
dejarla contestar.*) ¿O lo acariciaste tú a él? Dime, madre amada, ¿tú lo acariciaste, tú lo sedujiste?

ALGA: Hijo, por favor...

LIQUEN: Sí, madre amadísima, tu lo sedujiste...
Creíste que yo dormía, pero los vi. Se acercó a
ti poco a poco... Parecía fascinado... Se acercó a ti en esta misma roca, aquí, en nuestra
cama...

ALGA: De modo que no dormías...

LIQUEN: Se arrodilló y acercó el rostro, atraído
por ti. Y tú te adheriste a él y lo besaste... Lo
besaste pegada a él; le cubrías toda la cara. Estabas bajo él, desparramada por su rostro, abierta toda... El mar estaba esa noche tranquilo
y de vez en cuando la luz del faro, ¡zas!, sobre
la roca, y los iluminaba. Nos iluminaba... Tú

adherida a su rostro y él respirándote toda.

ALGA: En fin. . .

LIQUEN (*Hace rato que no habla para ella.*): No quiso lastimarte. Esperó a que una ola los cubriera y se despegó suavemente, poco a poco, como se había acercado. . . Otra ola más y apartaba con cuidado tus ramas de su cara, hasta que quedaron separados. . .

ALGA: Ya pasó, olvídalo.

LIQUEN: Él no ha olvidado.

ALGA: ¡Tonterías! Los humanos siempre olvidan.

LIQUEN: Él lloraba.

ALGA: Ya se le pasará. A los humanos siempre se les pasa.

LIQUEN: No siempre.

ALGA: ¡Tú qué sabes! Él es un científico. No está interesado solamente en mí sino en todas las algas. Y también en las mariposas.

LIQUEN: No es un científico. Es un poeta.

ALGA: Da lo mismo; no vamos a pararnos en detalles.

LIQUEN: Hubieras podido ahogarlo.

ALGA: Quizás. Si el abrazo hubiera durado demasiado.

LIQUEN: Cuando se acercaba a ti, Alga, ¡cómo te miraba! Una mirada borracha, enajenada, pero también una mirada suplicante. . .

ALGA: Olvídalo.

LIQUEN: Tan sólo por eso quisiera ser humano. Para acercarme una noche a una roca y mirar a una alga como él te miraba.

ALGA: En fin, ya ni sé cómo me miraba.

LIQUEN: ¡Silencio, escucha!... (*Un silencio; no se oye el mar.*) ¿Lo oyes, Alga?... Es el mar... Así es como lo oyen los humanos. Así los humanos lo respiran...

ALGA: Liquencito, me das miedo...

Subió el spot de los Novios. *Tono neutro ahora para los cuatro personajes en escena.*

LIQUEN: Alga, vámonos de aquí.

NOVIA: Vámonos de aquí.

NOVIO: No podemos.

ALGA: No podemos.

NOVIA: No llegará el barco ebrio.

LIQUEN: El barco ebrio de la libertad. (*Cambio de tono; pierden las actitudes neutras.*)

ALGA: Liquen, ¿qué dices?

NOVIO (*Divertido.*): Huir por el ala de una palmera. ¡Huir por la pluma fuente hasta volverte pluma de gallina!

NOVIA: Gerardo, ¿qué dices?

NOVIO (*Divertido.*): Huir por la tecla de la máquina de escribir hasta volverte jugo azul de letra muerta. Huir por el mundo de los negocios. Saltar sobre la bolsa de Wall Street, reírte del mercado de cambios e integrarte al mundo de los coleópteros y los renacuajos. Elevar al cubo el perfume de las rosas y tener una noche de orgía con los abedules.

NOVIA: Gerardo, me asustas.

LIQUEN (*Divertido.*): Hacer equilibrios en la cuerda floja de una ecuación de tercer grado.

ALGA: Liquen, me asustas.

LIQUEN: Huir por la e hasta volverte ele. Huir por la Company and Company, por la LTD, por la Sons and Sons, por la Smithsons and Brothers. Huir por los dólares que sirven para encender cigarros hasta las zapatillas de las bellas, rebosantes de whisky. Huir por los signos de multiplicación hasta perderte en las calculadoras, por los guiones y las diéresis hasta seguir las flechas desconocidas y hundirte en los tabús; desaparecer entre los ceros menos cero menos cero menos cero hasta el infinito de las cantidades exactas; huir por lo lineal hasta lo circular, por lo inamovible hasta lo terrestre.

ALGA: ¡Liquencito!

LIQUEN: No vuelvas a llamarme liquencito, vieja puta.

Entra el Caballero. *Luz en todo el escenario.*

ALGA: ¡Cuidado, ahí está otra vez!

NOVIA: Viene hacia nosotros.

ALGA: Viene hacia nosotros.

NOVIO: Qué diferente mirada...

El Caballero *avanzó decidido. Se detuvo a medio escenario.*

ALGA (*Al* Liquen.): Escóndete.

LIQUEN (*Rápido.*): No quiero.

ALGA (*Rápido.*): Escóndete.

LIQUEN (*Rápido.*): ¡No!

Como antes ella lo obliga a esconderse y se hunden en la roca, pero quedan afuera las manos enlazadas. El Caballero saca una pistola, alarga el brazo y dispara en dirección opuesta a la roca. La mano del Alga y la del Liquen se estremecen juntas con el disparo y caen heridas. El Alga muere. El Liquen todavía alcanza a tomarle la mano.

LIQUEN: Cuéntame de cuando era pequeño... (*La suelta y muere también.*)
NOVIA: Disparó al agua. Se ha vuelto loco.

El Caballero guarda la pistola, da media vuelta y se dirige al público.

CABALLERO: "La belleza será convulsiva. O no será."

Despreocupado, se dirige ahora a los Novios, como si se tratara de viejos conocidos.

CABALLERO (*Descubriéndose.*): Buenas tardes.
NOVIO: Buenas tardes.
NOVIA: Buenas tardes.

El Caballero vuelve a ponerse el sombrero. Despreocupado, se aleja y sale.
    Bajo sus chorros de luz, los Novios en la banca y las manos de las Algas sobre la roca. El mar...

NOVIA: Hay algo extraño en el ambiente.
NOVIO: Me parece que sobre aquella roca flotan dos algas rojas...

Quedan inmóviles. Baja y se apaga su spot. El de las Algas *va apagándose también.*

Cuadro Séptimo: Ellos.

La pantalla de color en todo el escenario y sale la banca con los Novios *inmovilizados mientras las* Algas *se ponen de pie, se quitan el traje de roca y quedan como* Luisa y Brijinski, *en ridícula ropa interior.*

BRIJINSKI: ¡Qué calor!
LUISA: Ya no aguanto las rodillas.

De pronto se dan cuenta de que están ante el público. Se avergüenzan y salen. Todos vuelven a entrar como Ellos, *con sus scripts. Luz de trabajo.*

SÓFOCLES: Y así termina la obra. Ésta es cortita.
BRIJINSKI: Pero hay un doble asesinato.
MARTA (*Suspira.*): ¡Eran esposos!
LUISA (*A* Sófocles.): ¿Qué estábamos casados por la iglesia?
BRIJINSKI: Ese pobre caballero, amante del alga...
BOBBY (*Teje.*): Por mí no te preocupes: hombres, mujeres, changos, lechugas... No soy fijado.
SÓFOCLES: Bobby, ¿qué estás haciendo?
BOBBY (*Enojado.*): Ensayo para Lecocq. Para las algas ya me aprendí "todos" mis parlamentos.

MARTA: A mí lo que más me gustó es esa frase del caballero.

BOBBY: "La belleza será convulsiva. O no será."

MARTA: ¡Qué buena frase! Es lo mejor de tu obra, Sófocles.

SÓFOCLES: Muchas gracias. Pero no es una frase mía.

MARTA: ¿No?

SÓFOCLES: No. Va entrecomillada en el texto. Es de André Bretón.

MARTA: La regué.

SÓFOCLES (*Da vuelta a la hoja.*): Cuadro cuarto, última pieza. Parodia de comedia musical.

BOBBY: Aquí sí la hicimos.

SÓFOCLES: ¿Tú crees?

BOBBY: Bueno, la verdad es que quién sabe.

BRIJINSKI (*Alarmado.*): ¿Musical? Vamos a necesitar un escenario giratorio.

SÓFOCLES (*Muy digno.*): ¿Por quién me tomas?

BOBBY: Cuando se es actor no se necesitan escenarios giratorios. ¡Uno los hace girar!

BRIJINSKI: ¿Y la orquesta?

SÓFOCLES: Nos vamos con grabaciones.

LUISA (*Irónica.*): Porque eres muy artista.

SÓFOCLES: No. Porque es más barato. (*Transición.*) La pieza se llama (*Pronuncia a lo yanqui*) "Archie and Bonnie."

BRIJINSKI (*Feliz de comprender.*): ¡Inglés!

SÓFOCLES: Yanqui. No se trata solamente de una comedia musical sino de un "miusical". "Archie and Bonnie." Todo muy optimista, ¿se dan cuenta? American way of life. "Mi personaje inolvidable". Todo muy constructivo. Todos muy sanos de espíritu, ¿okey?

TODOS: ¡Okey!

BOBBY: Sugar...

SÓFOCLES: Profundizaremos más en esto. De momento, nos basta saber que se trata de un miusical melodramático, de un realismo imbécil, con música ad hoc.

Música para obertura y de la sala entra un reflector. Bailando, van saliendo los actores. Cuando el reflector queda solo, baila también por el escenario, por las butacas, por el piso...

Cuadro Octavo: Archie and Bonnie.
(Parodia en un acto)*

El reflector que baila en escena queda fijo. Entra el Narrador y mete dentro de él la cara sonriente y optimista.

NARRADOR (*Eufórico.*): Respetable público: nos encontramos en los Estados Unidos de Norteamérica. ¡Iu, es, ei! ¡Chicago! (*Aparece un letrero*

* Canciones (letra de la autora y música original de Luis Rivero): "Los Pobres del Futuro" (Archie y Lenny), "¡Es el Dólar!" (Bonnie, señora Marshall y Morris), "¿Podrá?" (Morris, Archie y señora Marshall). "Lo ha Llamado su Conciencia" (Morris y Conciencia) y "Seremos Felices" (Archie, Bonnie y señora Marshall).

que dice "Chicago".) Ciudad de cerdos, de gángsters y de dólares. La acción en casa de la señora Marshall, dama que padece de una neurosis compulsiva y se desquita haciendo obras de caridad.

Cambio de luces y sale, a la vez que entran la Señora Marshall y Morris.

SEÑORA MARSHALL: Por favor, mi querido Morris, comprenda mi situación. Mis obras de caridad lo son todo para mí. Si no fuera por mis pobres, nunca habría enviado desde pequeñita a mi hija Bonnie a un internado por falta de tiempo para ocuparme de ella.

MORRIS: Señora Marshall, es usted muy generosa.

SEÑORA MARSHALL: Y usted, mi querido Morris, usted es un junior tan... apuesto, tan junior, tan millonario...

MORRIS: Millonario sí. Pero no junior. Mi padre murió en plena actividad (*Un aparte al público.*) —este Chicago implacable, un infarto— y me dejó como único heredero de sus fábricas de conservas. Desde entonces, señora, ya no soy junior; soy senior.

SEÑORA MARSHALL: De todos modos, mi querido Morris, se ve usted tan junior, tan apuesto, tantas conservas, tan millonario... En cambio yo, viuda y sola, con mi hija Bonnie desamparada. Y con mi asilo de pobres que mantener. ¡Si no fuera por mis pobres, nunca le habría vendido a mi hija!

MORRIS: Por favor, no hable de "vender"... Nuestro trato fue que el día de mi boda con Bonnie quedarían canceladas las muchas deudas que tiene usted conmigo. Cantidades que nunca alcanzaría a pagar... Por lo que respecta a Bonnie, no quiero más evasivas.

SEÑORA MARSHALL: ¿Evasivas?

MORRIS: Señora Marshall, permítame hacerle notar que entre mis cualidades se cuenta la de ser, ante todo, un buen norteamericano. Y un buen norteamericano debe tener, primero que nada, sentido práctico desde pequeñito, desde el kinder. Por eso aclaro nuestra situación: He pagado sus deudas, rescaté la casa que iban a quitarle y financié un nuevo local para su asilo. Ahora quiero casarme con Bonnie.

SEÑORA MARSHALL: Desde luego... Lo que sucede es que Bonnie no estaba enterada de todo ese dinero que le debo a usted. Pero ya lo sabe: ayer se lo dije. De manera que ya está locamente enamorada y dispuesta a casarse.

MORRIS: Así lo espero.

SEÑORA MARSHALL: En cuanto a mis pobres, quizás podríamos ampliar el área de trabajo... Abrir otros asilos, ya no para jóvenes, sino para ancianos, enfermos —ésos no pueden irse—, madres abandonadas, quizás heridos de guerra... Cuando haya otra guerra, que no tarda.

MORRIS: Señora Marshall, ¿dónde está Bonnie?

SEÑORA MARSHALL: Vendrá en seguida, mi querido Morris. Mientras tanto, permítame presentarle a mis pobres... dos muchachos del asilo; están en la habitación de al lado. Le tenemos una sorpresa preparada. (*Llamándolos.*) ¡Por aquí muchachos, pasen!...

Sonrientes, optimistas, con sus batitas de hospicio, entran Archie y Lenny.

SEÑORA MARSHALL: Morris, le presento a Archie y Lenny. Muchachos, el señor Morris Williams Jackson es su benefactor.

MORRIS (*Halagado.*): Bueno... algo hay de eso.

SEÑORA MARSHALL: Hemos preparado un número musical en su honor, Morris. Es la canción del asilo; quiero decir, de la casa-hogar. ¿Listos, muchachos?

ARCHIE: Listos, señora Marshall.

LENNY: Puestísimos.

Canción: *Los pobres del futuro* (Archie y Lenny)

ARCHIE Y LENNY: Somos...
los pobres...
Somos los pobres felices...

ARCHIE: El que no come no tiene deslices.

ARCHIE Y LENNY: Somos los pobres felices...
Perfectamente higiénicos,
asépticos,
con píldora, educados, manipulados, politizados...
¡Oh, yea! ¡Yea!

ARCHIE: Siempre ayunos...

LENNY:	Nunca jamás importunos. . .
ARCHIE:	Siempre dichosos. . .
LENNY:	Y nunca estorbosos. . .
ARCHIE Y LENNY:	Somos los pobres felices. . .
	Concretamente
	ya salvados,
	rescatados,
	relucientes,
	siempre obedientes, muy controlados. . .
	¡Oh, yea! ¡Yea!

....

ARCHIE:	Nunca paso el muro, jamás comunista.
LENNY:	Nunca paso el muro, soy capitalista.
ARCHIE Y LENNY:	Huesos al aire, igual que en Camboya.
ARCHIE:	De día y de noche a pan y cebolla. . .
ARCHIE Y LENNY:	¡Oh, yea!, ¡oh, yea!

....

ARCHIE Y LENNY:	Somos. . . somos los pobres.
	Somos. . . somos los pobres.
	¡Somos los pobres del futuro!
	¡Oh, yea! Yea. . . ¡Yea! (*Salen y regresan.* Reprise, *a ritmo más rápido.*)
	Somos. . . somos los pobres.
	Somos. . . somos los pobres.

Lento

Somos. . .
¡Los pobres del futu. . . ro!
¡Oh, yea! Yea. . . ¡Yea!

Termina la canción. La Señora Marshall *y* Morris
aplauden.

SEÑORA MARSHALL: ¡Muy bien, muy bien! Y ahora, pueden retirarse.
ARCHIE: Buenos días.
LENNY: Buenos días. (*Modositos, salen.*)
SEÑORA MARSHALL: Encantadores, ¿no es cierto?
MORRIS: Señora Marshall, tenga la bondad de llamar a su hija.
BONNIE (*Entrando.*): Aquí estoy.
MORRIS: ¡Ah, Bonnie querida!
BONNIE: Morris, vengo a decirte (*Cantado, agudo.*) ¡que no me casaré contiiigo!
MORRIS (*Cantado.*): ¡Bo. . . nnie!
BONNIE (*Cantado, grave.*): ¡Amo a o. . .tro!
SEÑORA MARSHALL (*Cantado.*): ¿A otro?. . . (*Hablado.*) Entonces quieres ver a tu madre en la cárcel. ¡Ah! ¡Oh! (*Se desmaya.*)
BONNIE (*Impaciente.*): No, mamá, no quiero verte en la cárcel. Mamá, ¿qué tienes?
SEÑORA MARSHALL (*Revive.*): Pues si no quieres verme en la cárcel tienes que casarte con Morris, ya te lo expliqué.
BONNIE: No puedo. Tengo un amante.
SEÑORA MARSHALL: ¿Un amante? ¡Ah! ¡Oh! (*A punto de desmayarse, revive inmediatamente.*) Eres demasiado joven. No sabes lo que es un

amante. Te casas con Morris. ¿No es cierto, Morris?

MORRIS: Pues... sí, creo que tiene razón, señora Marshall. Supongo que de todos modos podríamos casarnos. Soy un buen norteamericano. Soy práctico. No exijo virginidad.

SEÑORA MARSHALL: ¡Ah, pues entonces todo arreglado!

BONNIE: Muchas gracias, Morris. Pero no me caso contigo.

MORRIS: Piénsalo, Bonnie, te daré tiempo. (*Va hacia la salida.*)

SEÑORA MARSHALL: ¡Se va!

MORRIS: Por hoy permítanme que me retire. (*Sale.*)

SEÑORA MARSHALL: Así me pagas todo lo que hice por ti desde pequeñita; ese internado que me costó tan caro. ¡Lo que quieres es que vaya a dar a la cárcel!

BONNIE: No, mamá.

SEÑORA MARSHALL: ¡Espere, Morris, lo acompaño!...

Sale tras él. Por otro extremo, Archie *entra cautelosamente. Encuentro de los enamorados: si hubiera música sería de violín.*

BONNIE: ¡Archie!

ARCHIE: ¡Bonnie!

BONNIE: ¿Qué haces aquí?

ARCHIE: Tu mamá quería oír la canción del asilo y me ofrecí como voluntario para poder verte... Lo oí todo.

BONNIE: No me casaré con Morris. Te quiero, Archie.

ARCHIE: ¡Si me quieres soy más millonario que él! ¡Más fuerte que él! (*Muestra escuálidos biceps.*) En el asilo nos enseñan a ser optimistas.

BONNIE: ¡Seamos optimistas, Archie!

ARCHIE: ¡Seamos optimistas, Bonnie! (*Adoptan pose "optimista" que será la misma siempre.*)

BONNIE: Nos casaremos. Seré... ¡una pobre del futuro!

ARCHIE: Bonnie, tengo algo que decirte... Me temo que no estoy muy bien de salud.

BONNIE: ¿Qué sucede?

ARCHIE: Una bola en este dedo... ¿La ves? Una bolita... Van a tener que operarme.

BONNIE: ¡Oh, Archie!

ARCHIE: Mañana. Los médicos dicen que quizás tendrán que cortarme el dedo.

BONNIE: ¡Oh, Archie!... En fin, qué es un dedo.

ARCHIE: Quizás... Quizás la mano.

BONNIE: ¿La mano?... En fin, qué es una mano. Nos casaremos aunque no tengas mano.

ARCHIE (*Feliz.*): ¿De veras, Bonnie?

BONNIE: ¡De veras Archie!

ARCHIE: ¡That's my girl!...

Salen, felices, mientras por otro extremo entra el Narrador. *Siempre eufórico, anuncia.*

NARRADOR: Dos meses después, en casa de Morris. (*Aguarda. Nada ocurre. Ordena.*) ·¡Casa de Morris!

Cambio de luces y baja al escenario un signo de dólares ($). Satisfecho, el Narrador *sale, a la vez que por otro extremo entra* Morris, *seguido de la* Señora Marshall *y de* Bonnie.

MORRIS: No insista, señora, por favor. No puedo perdonarle sus deudas. Mis abogados la han demandado.

SEÑORA MARSHALL: ¡A la cárcel! ¡Ah! ¡Oh! (*Se va a desmayar.*)

MORRIS (*Impaciente.*): ¡Señora Marshall!

SEÑORA MARSHALL: ¡Dios mío, qué casa, qué palacio!... ¿Has visto qué palacio, Bonnie? Bonnie, ¿dónde estás? (*La tiene enfrente.*) ¿Has visto qué palacio?

BONNIE: Sí mamá, lo he visto.

SEÑORA MARSHALL: Podría ser tuyo, hija mía. Podría ser nuestro. ¡Ay, lo bien que quedarían aquí mis mutilados de guerra!

BONNIE: Por favor, mamá.

SEÑORA MARSHALL: Morris, debo decirle que ese pobre tullido de Archie sigue en el...

BONNIE (*Interrumpe.*): No lo llames tullido.

SEÑORA MARSHALL: Sigue en el hospital. No es competencia; está descartado.

BONNIE: ¡No es cierto!

MORRIS: Señora Marshall, el plazo para el pago vence y no hay boda. De manera que mis abogados tienen órdenes de proceder.

SEÑORA MARSHALL: ¿Proceder? ¿Proceder a qué?... ¡Ay hija mía, hija mía, ayúdame!

BONNIE: Por favor, Morris... ¡Piedad!

Canción: *¡Es el dólar!* (Bonnie, Señora Marshall y Morris)

BONNIE:	¡Piedad!
SRA. MARSHALL:	¡Piedad!
BONNIE:	¡Piedaaaaad!
A CORO:	¡Piedad!
MORRIS:	Yo soy un buen norteamericano... lógico, práctico y sano.
BONNIE:	¡Piedad!
SRA. MARSHALL:	¡Piedad!
BONNIE:	¡Piedaaaaad!
A CORO:	¡Piedad!
MORRIS:	El dólar, el dólar vale más.
	Y perdona que te vaya a contrariar... pero tu madre a la cárcel va a parar.
BONNIE:	¡No!
MORRIS:	¡Sí!
SRA. MARSHALL:	¡Oh!
MORRIS:	Por algún tiempo sus deudas a saldar... ¡Sí!
BONNIE Y SRA.:	Blanco... sajón... protestante...
MORRIS:	Soy racista... gobiernista... y arribista...
BONNIE Y SRA.:	Lógico... práctico... y sano...
MORRIS:	Como todo buen norteamericano...
BONNIE:	¡Piedad!
SRA. MARSHALL:	¡Piedad!
BONNIE:	¡Piedaaaaad!
A CORO:	¡Piedad!

MORRIS:	El dólar, el dólar vale más.
BONNIE:	Recapaciiita.
SRA. MARSHALL:	Morris, por favor...
MORRIS:	Nada, nada vale más que el dólar...

De ahora en adelante se irá encendiendo, léase masturbando, con la idea del dólar al mismo tiempo que Bonnie y la Señora Marshall *inician un baile sexual que interrumpirán para juntar las manos y rezar, volver a bailar, rezar, etcétera.*

MORRIS:	Sube y baja... baja y sube... sube y baja... baja y sube...
BONNIE Y SRA.:	(*Rezan.*): Blanco... sajón...
MORRIS:	Sube y baja... es el...
BONNIE Y SRA.:	(*Rezan.*): Protestante... (*Baile sexual.*)
MORRIS:	Sube y baja... baja y sube... sube y baja... baja y sube...
BONNIE Y SRA.:	(*Rezan.*): Lógico... Práctico...
MORRIS:	Sube y baja... es el...
BONNIE Y SRA.:	(*Rezan.*): Y sano... (*Baile sexual.*)
MORRIS:	Sube y baja... baja y sube... sube y baja... baja y sube...
BONNIE Y SRA.:	(*Rezan.*): Racista... gobiernista...
MORRIS:	Sube y baja... es el...
BONNIE Y SRA.:	(*Rezan.*): Y arribista... (*Baile sexual.*)

MORRIS: Sube y baja... baja y sube... su-
                      be y baja... baja y sube... Su-
                      be y baja... es el ¡¡dólar!!...
SRA. MARSHALL: ¡Por favor!

Se desmaya y termina la canción.

BONNIE (*Melodramática.*): Morris, ¡hazlo por mí!
MORRIS: Está bien, concederé un plazo. (*La* Se-
    ñora Marshall *revive.*) Pero con una condición.
    Bonnie: el 26 de agosto es mi cumpleaños.
SEÑORA MARSHALL: ¡Oh, es usted Virgo!
MORRIS: Así parece, señora. Bonnie: el 26 de agos-
    to la deuda queda cancelada. Pero es también la
    fecha de nuestra boda.
BONNIE: El 26 de agosto...
SEÑORA MARSHALL: ¡Uy, falta mucho!
MORRIS (*A* Bonnie.): Te doy tiempo. Quiero que
    te convenzas de mi amor.
BONNIE: Pero yo amo a Archie.
SEÑORA MARSHALL: ¡No vuelvas a mencionar a
    ese tullido! (*Llevándosela.*) Vámonos, antes de
    que Morris se arrepienta.
BONNIE: Amo a Arch...
SEÑORA MARSHALL: ¡Cállate! Te prohibo que ha-
    bles.
BONNIE: ¡Amo a Archie!
SEÑORA MARSHALL: Pobrecita, no sabe decir otra
    cosa. No se preocupe, Morris, yo la convenceré.
MORRIS: Les anticipo que no habrá otro plazo. Mis
    abogados tendrán instrucciones terminantes.
SEÑORA MARSHALL: Terminantes, sí. (*A* Bonnie,
    que no iba a hablar.) ¡Cállate!

BONNIE: ¡Shit! (*Sale.*)

MORRIS: Romántica despedida.

SEÑORA MARSHALL: Discúlpela, Morris, discúlpela. . .

Sale tras de Bonnie, *seguida de* Morris. *Entra el*
Narrador *para anunciar, con su habitual entusiasmo.*

NARRADOR: Al día siguiente, ¡en el hospital!

Cambio de luces. Desaparece el signo de ($) *y baja
a escena una cruz roja, como la que es emblema
de la institución del mismo nombre.*

El Narrador *sale y entra* Archie, *en pijama. Le
falta un brazo.*

BONNIE (*Entrando.*): ¡Archie, tu brazo!. . .

ARCHIE: Sí, Bonnie. Me lo tuvieron que cortar.

BONNIE: En fin, ¡qué es un brazo!. . . ¡Seamos optimistas, Archie!

ARCHIE: ¡Seamos optimistas, Bonnie!

*La pose optimista y ella sale, a la vez que por otro
extremo entra el* Narrador, *entusiasta.*

NARRADOR: ¡Los acontecimientos se precipitan!

Aguarda. Archie *se mutila una pierna y el* Narrador *sale, satisfecho.*

BONNIE (*Entrando.*): ¡Oh, Archie, tu pierna!

ARCHIE: Sí, Bonnie... No se pudo evitar.

BONNIE: En fin... ¡qué es una pierna! ¡Seamos optimistas, Archie!

ARCHIE: ¡Seamos optimistas, Bonnie!

Consigue adoptar la pose optimista sin caerse. En seguida ella sale, mientras por otro extremo entra el Narrador, *feliz, con una silla de ruedas.*

NARRADOR: Se precipitan...

Aguarda a que Archie *se siente, con su único brazo y ahora sin las dos piernas. Feliz, el* Narrador *sale.*

BONNIE (*Entrando.*): ¡Archie!... Tu otra pierna...

ARCHIE: Sí, Bonnie...

BONNIE: En fin... aún te queda un brazo...

ARCHIE: Bonnie, no podemos permitir que la señora Marshall vaya a la cárcel. Tendrás que casarte con Morris para salvar a tu madre.

BONNIE: Me casaré con él. Pero nunca seré suya. ¡Primero muerta!

ARCHIE: No hablemos de morir.

BONNIE: Tienes razón. ¡Seamos optimistas, Archie!

ARCHIE: ¡Seamos optimistas, Bonnie!

Ella adopta la pose de optimismo y él también, aunque se va de lado. Bonnie *sale, a la vez que por otro extremo entra el* Narrador *y se lleva a* Archie *con su silla.*

NARRADOR (*Feliz.*): ¡Y tanto se precipitan —los acontecimientos—... (*De un empujón saca la silla con* Archie *fuera de escena. Estrépito.*) que llega el 26 de agosto. (*Campanas nupciales. Pausa del* Narrador, *enternecido. En seguida anuncia, brillante.*) ¡Casa de la señora Marshall!

Cambio de luces y desaparece la cruz. Sale el Narrador *y entra la* Señora Marshall, *emperifollada para la boda.*

SEÑORA MARSHALL: Por mí, ya estoy lista. Podemos casarnos cuando quieran. (*Aguarda a alguien. Vuelve a empezar.*) Por mí, ya estoy lista, podemos casarnos cuando quieran. (*Entra* Bonnie, *vestida de novia.*) ¡Bonnie, estás preciosa!

BONNIE (*Lejos de la realidad.*): Mamá, ¿qué día es hoy?

SEÑORA MARSHALL (*Solemne.*): Hija mía, hoy es 26 de agosto. El día de tu boda. ¡El día más feliz de tu vida!

BONNIE: El más feliz... (*Sale.*)

SEÑORA MARSHALL: ¡Esta juventud!... (*Por otro extremo entra* Morris, *también vestido para la boda.*) ¡Oh, Morris, qué apuesto, qué junior, qué millonario!...

MORRIS: Gracias, señora, gracias... Me adelanté porque necesito hablar con usted.

SEÑORA MARSHALL: No se preocupe, no le fallaremos. Bonnie ya está vestida de novia. Nos casamos con usted dentro de una hora.

MORRIS: Quiero pedirle que hable con Bonnie para que ella... no me rechace.

SEÑORA MARSHALL: ¡Oh, pero si no lo rechaza! Ya nos vamos a la iglesia.

MORRIS: Quiero decir que ella no me rechace... esta noche.

SEÑORA MARSHALL: ¡Ah, bueno!, ése ya es problema suyo. Eso ya no entró en el trato, eh, ya no entró en el trato.

MORRIS: Señora Marshall, efectivamente tengo un problema. Es algo síquico... parece que viene de la infancia. Mezcla de complejo de Edipo con inhibiciones retroac... En fin, sería largo de explicar. Resumiendo: cuando siento rechazo en una mujer, me vuelvo... impotente.

SEÑORA MARSHALL: ¡Impoten...! ¡Quién iba a pensarlo! ¡Tan junior, tan millonario!

MORRIS: ¡Sólo cuando hay rechazo!

SEÑORA MARSHALL: Ah, vaya.

MORRIS: Señora Marshall, está usted a punto de convertirse en mi madre. Hágale ver a Bonnie lo mucho que la quiero. Si ella me rechaza esta noche, no podré.

SEÑORA MARSHALL: ¡Hijo mío, sí podrás!

MORRIS: ¡No podré, mamá, no podré!... (*Llora y la* Señora Marshall *lo consuela.*)

NARRADOR (*Entra, dinámico.*): Mientras tanto, en el hospital...

En un extremo se enciende una pequeña área hospital, donde baja la cruz. El Narrador *sale e inme-*

diatamente vuelve a entrar empujando a Archie en su silla. Lo coloca en el hospital.

NARRADOR: Archie parece haber renunciado al optimismo de todo buen norteamericano. (*Despectivo.*) Se conduce ahora como un latino cualquiera: está celoso. (*Sale.*)

Canción: ¿Podrá? (Morris, Archie, Señora Marshall.)

MORRIS:	No podré hacerla mía. . . contra su voluntad.
ARCHIE:	No podrá hacerla suya. . . contra su voluntad.
SRA. MARSHALL:	Sí. podrás.
ARCHIE:	Sí podrá.
MORRIS:	¿Podré?
SRA. MARSHALL:	¡Podrás!
ARCHIE:	Podrá. . .
MORRIS:	¡No!
ARCHIE:	Él la quiere demasiado.
MORRIS:	Yo la quiero. . . demasiado.
ARCHIE:	Él la quiere demasiado.
MORRIS:	Yo la quiero. . . demasiado.
ARCHIE:	Él la quiere demasiado.
MORRIS:	Yo la quiero. . . demasiado.
SRA. MARSHALL:	No se quiere demasiado ¡a uuuna mujer!
	....
MORRIS:	Yo siempre he sido. . . muy hombre.

ARCHIE:	Él siempre ha sido muy hombre.
SRA. MARSHALL:	Eres un hombre... muy hombre.
MORRIS:	Yo soy un hombre muy hombre. Pero...
ARCHIE:	Pero...
SRA. MARSHALL:	Pero...
MORRIS:	Pero nunca la podré violar.
SRA. MARSHALL:	¡Violar!
ARCHIE:	¿Violar?
MORRIS:	¡Violar!

....

SRA. MARSHALL:	En una noche de bodas un poco de violación no viene tan mal...
ARCHIE:	En una noche de bodas...
ARCHIE Y SRA.:	Un poco de violación no viene tan mal...

....

MORRIS:	No podré hacerla mía... contra su voluntad.
ARCHIE:	No podrá hacerla suya... contra su voluntad.
SRA. MARSHALL:	Sí podrás.
ARCHIE:	Sí podrá.
MORRIS:	¿Podré?
SRA. MARSHALL:	¡Podrás!
ARCHIE:	Podrá...

....

TODOS:	En una noche de bodas un poco de violación no viene tan mal...
MORRIS:	¡No podré!

Termina la canción.

MORRIS (*Llora.*): No podré, mamá, no podré.
SEÑORA MARSHALL: Si podrás, hijo mío, sí podrás.
   (*Salen.*)
ARCHIE (*Angustiado.*): ¿Podrá?

Sale también haciendo rodar la silla con su único brazo, a la vez que entra el Narrador, *feliz.*

NARRADOR: ¡En casa de Morris!

Cambio de luces y desaparece la cruz. Entra el signo de ($).

NARRADOR: Después de la ceremonia.

Sale, mientras entran Morris y Bonnie *con sus trajes de boda.*

NARRADOR (*Se asoma.*): ¡Al fin solos! (*Sale.*)
MORRIS: Bonnie. . . ¡Al fin mi esposa!
BONNIE (*Melodramática.*): Morris: ¡nunca seré tuya!
MORRIS: Pero Bonnie, yo te amo. . . ¿No comprendes? He hecho todo esto porque te amo.
BONNIE: Pero yo no.
MORRIS: Eres cruel.
BONNIE: Amo a Archie.
MORRIS: No puede ser. . . Él no tiene dinero. . . No tiene brazos, no tiene piernas, no tiene nada.

BONNIE: Lo amo. Y a ti no. ¡No te amaré nunca!
(*Sale.*)

MORRIS: ¡Bonnie, espera!... No me amará nunca... Hice mal en obligarla a casarse conmigo. Fue un chantaje, un procedimiento ruin... Hice mal, me lo dice mi conciencia.

CONCIENCIA (*Entrando, vestida también para la boda.*): Hiciste mal.

Canción: *Lo ha llamado su conciencia* (Morris y Conciencia)

MORRIS:	Me ha llamado mi conciencia...
CONCIENCIA:	Lo ha llamado su conciencia... ¡Yo!
MORRIS:	Y me ha hecho comprender...
CONCIENCIA:	Y lo he hecho comprender...
MORRIS:	Que esto así no puede ser...
CONCIENCIA:	No pue... de.. ser...
MORRIS:	Nunca jamás le debí exigir.
CONCIENCIA:	Nunca jamás la debiste obligar.
MORRIS:	Ya no me puede amar...
	Soy un necio,
	inhumano,
CONCIENCIA	(*Con voz de guacamaya.*): ¡Bárbaro!
	Despiadado, irracional...
CONCIENCIA:	Mentecato, animal...

....

MORRIS:	Me ha llamado mi conciencia...
CONCIENCIA:	Lo ha llamado su conciencia... ¡Yo!
MORRIS:	Y me ha hecho comprender...
CONCIENCIA:	Y lo he hecho comprender...

MORRIS: Que ya todo me ha fallado. . .
CONCIENCIA: Y te va a fallar.
MORRIS: Nunca jamás le debí exigir.
CONCIENCIA: Nunca jamás la debiste obligar.
MORRIS: Ya no me puede amar. . .

....

MORRIS: Me arrepiento. . . Me arrepiento. . .
CONCIENCIA (*Guacamaya.*): ¡Eso no es práctico! ¡Eso es anárquico!
MORRIS: Me arrepiento. . . Me arrepiento. . .
CONC. G.: ¡Es paradójico! ¡Eso no es lógico!
MORRIS: Ya no soy lógico. . . Ya no soy sano. . .
CONC. G.: ¡Eso no es sano! ¡Es inhumano!
MORRIS: Ya no soy. . .
CONCIENCIA: Ya no eres. . .
A CORO: Un buen norteamericano. . .

Termina la canción.

MORRIS: ¡Es el fin! (*Sale.*)
CONCIENCIA (*Homosexual.*): ¡Es el fin! (*Sale.*)
SEÑORA MARSHALL (*Entra empujando a* Archie, *con su pijama y en su silla de ruedas; ya le cortaron el otro brazo.*) ¡Qué locura, muchacho, que locura!. . . No comprendo cómo Lenny pudo traerte aquí.
ARCHIE: Empujando la sillita, señora Marshall.
SEÑORA MARSHALL: No puedes ver a Bonnie. ¡Es su noche de bodas!
BONNIE (*Entrando, vestida de novia.*): ¡Archie!
ARCHIE: ¡Bonnie!
BONNIE: ¡Oh, Archie!. . . Tu otro brazo. . .

ARCHIE: Sí, Bonnie. Sólo quedó... el tronquito.

BONNIE: ¡Te amo Archie! ¡Quiero casarme contigo!

SEÑORA MARSHALL: Pero niña, si ya estás casada. ¡Esta juventud!...

BONNIE (*Saca una pistola y canta.*): ¡Me mataréeeee!

SEÑORA MARSHALL: ¡Bonnie!

ARCHIE: ¡No, Bonnie, no!

BONNIE: Entonces mataré a Morris.

ARCHIE (*Macho.*): Dame esa pistola. ¡Lo mataré yo!

BONNIE (*Trata de darle la pistola.*): Con cuidado, no te vayas a lastimar tus manitas... Quiero decir, no te vayas a lastimar.

ARCHIE (*Macho.*): ¡Dame la pistola!

BONNIE: ¿Cómo te la doy? (*La pistola cae al suelo. Entra* Morris *con otra pistola y va hacia* Archie *y* Bonnie.)

SEÑORA MARSHALL: ¡No, Morris, hijo mío!

MORRIS: He perdido mi sentido práctico. ¡Estoy deshonrado! (*Voltea hacia sí la pistola y dispara. Cae.*) Mi testamento está a favor de mi esposa. Bonnie es mi única heredera. (*Muere, con la sonrisa en los labios.*)

NARRADOR (*Entrando.*): ¡Un cadáver siempre estorba para un happy end! (*Arrastra el cadáver fuera de escena.*)

SEÑORA MARSHALL: ¿Oyeron lo que dijo Morris? Somos sus únicas herederas. ¡Somos millonarias! ¡Hija mía, eres viuda! Puedes casarte con el tullido.

BONNIE: ¡Mamá!

SEÑORA MARSHALL: Con este joven... con este pedacito de joven tan simpático.

LENNY (*Entrando, termina de transformarse de* Narrador *a su actual personaje.*) Hasta que Morris hizo algo bueno.

ARCHIE: Lenny, ¿dónde andabas?

LENNY: Por ahí, haciéndole a la conciencia... digo, a la narración.

BONNIE: Archie, ¡nos casamos!

ARCHIE: ¿Tú crees, Bonnie?

BONNIE: ¡Claro que sí! ¿Qué te pasa?

ARCHIE: No, yo decía por mi salud...

LENNY: ¡Qué salud ni qué nada! Los médicos ya lo dieron de alta... Ya no hay de dónde cortar.

ARCHIE: No, ya no hay de dónde.

LENNY: Ahora no se me vaya a acatarrar. (*Le amarra al cuello como bufanda las mangas del pijama.*)

BONNIE: ¡Seamos optimistas, Archie!

ARCHIE: ¡Seamos optimistas, Bonnie! (*Pose de optimismo: la adopta* Bonnie *sola y a su lado* Archie *estira el cuerpo-tronquito.*)

SEÑORA MARSHALL: ¡Qué cuadro tan enternecedor!

LENNY (*A punto de llorar.*): ¡Qué cuadro! (*Sale.*)

Canción: Seremos felices. (Archie, Bonnie y Señora Marshall)

BONNIE: Sere... Seremos felices...

ARCHIE: Seremos felices...

SRA. MARSHALL:	Serán... Serán muy felices...
ARCHIE Y BONNIE:	Para siempre felicidad.
ARCHIE, B. Y SRA.:	Para siempre felicidad.

....

BONNIE:	Yo en la cocina, tú en tu sillita.
ARCHIE:	Tú en la cocina y yo en mi sillita. Yo en la oficina.
BONNIE:	Yo en la oficina y tú en tu sillita, mi amor, mi amorcito, mi amor...

....

BONNIE:	Yo en la cocina, tú en tu sillita.
ARCHIE:	Tú en la cocina y yo en mi sillita. Yo en la oficina.
BONNIE:	Yo en la oficina y tú en tu sillita mi amor, mi tronquito...

....

ARCHIE:	Serás mi mujer, mi mujer, mi mujercita...
BONNIE:	Yo te daré de comer en la boquita...

....

374

BONNIE:	Yo en la cocina,
	tú en tu sillita.
ARCHIE:	Tú en la cocina
	y yo en mi sillita.
	Iré al trabajo.
BONNIE:	Yo iré al trabajo
	y tú jugarás con los niños
	en el jardín del amor...
ARCHIE Y BONNIE:	En nuestro jardín de la fe-
	licidad...

....

BONNIE:	Yo en la cocina.
SRA. MARSHALL:	Tú en tu sillita.
ARCHIE (*A* Bonnie.):	Tú en la cocina
	y yo en mi sillita.
SRA. MARSHALL:	Yo en la oficina.
ARCHIE Y BONNIE:	Yo en la oficina.
BONNIE:	Y tú en tu sillita,
	mi amor, mi tronquito...

....

ARCHIE:	Serás mi mujer, mi mujer,
	mi mujercita...
BONNIE Y SRA.:	Yo te daré de comer en la
	boquita...

....

ARCHIE, B. Y SRA.:	Yo en la cocina.
BONNIE Y SRA.:	Tú en tu sillita.
ARCHIE (*A* Bonnie.):	Tú en la cocina
	y yo en mi sillita.
	Iré al trabajo.

BONNIE:	Yo iré al trabajo y tú jugarás con los niños
BONNIE Y SRA.:	en el jardín del amor...
ARCHIE, B. Y SRA.:	En nuestro jardín del amor, del amor...

....

(*Susurrado.*)

BONNIE:	Yo en la cocina,
SRA. MARSHALL:	tú en tu sillita.
ARCHIE (*A* Bonnie.):	Tú en la cocina y yo en mi sillita. Iré al trabajo.
BONNIE:	Yo iré al trabajo.

(*Brillante.*)

BONNIE Y SRA.:	Y tú jugarás muy feliz
ARCHIE, B. Y SRA.:	con los niños en el jardín, que será nuestro edén, nuestro nido de amor, nuestra felicidad, nuestro edén, nuestro nido de amor, nuestra felicidad, nuestra felicidaaad...

(*Salen y regresan: reprise.*)

BONNIE Y SRA.:	Y tú jugarás muy feliz
ARCHIE, B. Y SRA.:	con los niños en el jardín, que será nuestro nido de amor, nuestra felicidaaad.

Termina la canción. Quedan inmóviles mientras interviene el Narrador.

Narrador (*Entrando, eufórico.*): ¡Y fueron felices! ¡Y tuvieron muchos hijos!

Música para dar las gracias de la pieza "Archie and Bonnie". Los actores saludan bailando, enfocados desde la sala por el reflector, y salen.

Cuadro Noveno: Ellos.

Desaparecen el signo de ($) *y el letrero que dice "Chicago", mientras los actores van entrando en sus papeles de* Ellos, *con los scripts y bailando todavía. Luz de trabajo.*

Sófocles: Bueno, pues se acabó. Terminó la lectura. (*Cierra el script.*)

Bobby (*Irónico.*): ¿Tan cortita?

Marta (*Romántica.*): ¡Y tuvieron muchos hijos!

Brijinski: ¿Muchos hijos? ¿Y cómo le hicimos?

Luisa (*A* Sófocles.): Ya te gusté para suegra.

Marta: Lo malo es que yo no sé cantar.

Brijinski: Yo tampoco.

Sófocles: Tendrán que aprender en dos meses.

Bobby: Se es actor o no se es.

Sófocles: Por hoy nos vamos a casa. No olviden sus scripts. (*Baja a la sala.*) Empezamos a ensayar mañana. Misma hora. No admito retrasos.

LUISA: Sófocles, yo quería decirte. . .

SÓFOCLES: ¿Es acerca de la obra?

LUISA (*Enojada.*): ¡No! No es acerca de la obra.

SÓFOCLES: Entonces, hasta mañana. Puntuales, por favor. (*Sale por la sala.*)

LUISA: ¡Sófocles!. . . (*A los demás, enojada.*) ¡Hasta mañana!

BOBBY: Productor, ¿traes carro? ¿Me das un aventón?

BRIJINSKI: ¿Te damos un aventón, Martita?

MARTA: No, gracias, viene mi chavo a buscarme. . . (*Sale.*)

BRIJINSKI (*Suspira.*): ¡Martita!. . .

BOBBY (*Conyugal.*): Querido, te estoy esperando.

BRIJINSKI: ¡Vámonos! (*Sale por la sala.*)

BOBBY (*Saliendo tras él.*): Ai te voy, papi, ai te voy. . . Espérame, mi amor. . .

Bobby salió por la sala. Por el escenario entra ahora Sófocles *con pantalón y camisa de* Rogelio. *Va y viene, revisa colocación de reflectores, bambalinas, piernas del escenario, etc., mientras se oye:*

Grabación: Tictac de reloj; un cucú nueve veces. Rumor de voces y frases del público en el vestíbulo del teatro:

UNO QUE LLEGA TARDE: ¡Las nueve!

OTRO APRESURADO: ¿Qué ya van a empezar?

UNA JOVEN: A mí me sobra un boleto.

UN HOMOSEXUAL: A mí me hablaron, pero les boté el papel.

UNA CHISMOSA: Oye, que la obra no sirve.

UN INGENUO: Creo que es muy buena.

EL HOMOSEXUAL: ¡Lalito, cómo has estado!

UN SNOB: ¡Uy, teatro mexicano!

LA JOVEN: ¿Y tú con quién viniste?

EL HOMOSEXUAL: Ni siquiera me llegó invitación.

LA CHISMOSA: Están desorganizados.

UN NACO: Perdone, joven, ¿qué aquí es el tíatro Blanquita?

EL HOMOSEXUAL: Otro estreno, ¡qué flojera!

LA CHISMOSA: Dicen que están de llorar, de llorar...

SÓFOCLES: ¡Vamos, vamos, dense prisa! ¿Quién no está listo? (*Sale; se le oye fuera de escena.*) Ya hay gente en el vestíbulo... ¿Quién no está listo? (*Entrando.*) Dense prisa. Día de estreno, día de estreno... (*Sale.*)

MARTA (*Entrando, vestida de* Cristina, *con* Luisa, *que viste de* Beatriz.) ¿Tan pronto? ¿Ya pasaron dos meses?

LUISA: ¿Qué es el tiempo en el teatro, manita. Un parpadeo... ¡Me encantan estos telones a la antigüita! (*Ve la sala por el agujero de un telón imaginario.*)

MARTA: A ver, déjame ver... (*Ve por el agujero.*) Una sala vacía siempre es impresionante.

LUISA: Más impresionante es una sala llena...

Salen y entra Bobby, *con peluca de* Bobby *y pantalón y camisa de* Licenciado Godínez. *Trae en la mano la peluca de la* Nana y *la bata de hospicio de* Archie; *además el script.*

BOBBY: La peluca de la Actriz Dos en la Pierna Uno... (*Va hacia la Pierna Uno.*) No. La peluca de la Actriz Uno en la Pierna Dos... (*Va a la Pierna Dos y deja la peluca.*) Y la batita de Jacovlovichovito (*La besa.*) en la Pierna Seis. (*Va a la Seis.*) No, en la Cinco (*Deja la bata en la Pierna Cinco*); en la Seis va el pinche mantel de cuadros. (*Deja el mantel en la Pierna Seis y anota.*) La luz Seis B se recorrió a luz Seis C y el track Nueve A Prima no está editado... Con eso de que no alcanzó para asistente...

LUISA (*Entrando, reclama.*): Oye, Sófocles, quiero que sepas que en el ensayo de ayer... ¿Dónde está Sófocles?

BOBBY (*Desde su script.*): Por ahí anda... (Luisa *sale.*) Checada mi red para cazar mariposas... (*Ve por el agujero del telón.*) Doctor, donde no venga a mi estreno no le vuelto a dar las... buenas noches.

BRIJINSKI (*Entrando, con los calzoncillos ridículos de* Liquen.): ¡Mira, Bobby, me terminaron mi vestuario a tiempo! ¿Cómo me queda?

BOBBY: ¡Insensato! ¿Qué haces vestido de Chondrus Crispus? ¿Qué ya no te acuerdas que entras como hermano de tu hermano, como Abel; no, como Caín; ¡entras como Arturo, insensato!

BRIJINSKI (*Sale corriendo.*): Voy a cambiarme.

BOBBY: Se me fue enterito... (*Transición.*) La pelica, digo la peluca de la actriz... Bobby, ni que fueras principiante... Bobby, Bobby, no te pongas nerviosa, digo nervisa... (*Sale.*)

LUISA (*Entrando.*): Sófocles... ¿Dónde estará el pinche director?

SÓFOCLES (*Entrando.*): Aquí estoy. Luisa, ¿cómo andas de tiempo? ¿Qué tienes que hacer, por ejemplo hoy, después del estreno?

LUISA (*Feliz.*): ¿Hoy?... ¡Nada, Sófocles, nada! ¡No tengo nada que hacer!

SÓFOCLES (*Saliendo con ella.*): Vamos a tu casa.

LUISA: ¡Te invito a tomar el té! (*Salen.*)

BOBBY (*Entrando, con un micrófono imaginario.*): Bueno, bueno... Porquería de micrófono, no funciona... (*Sopla en el aparato, lo inspecciona. Abre el apagador.*) Bueno... Sí funciona; estaba apagado. ¡No, si el debut de la Brijinski me trae loca, loca, loca!... (*Sale.*)

BRIJINSKI (*Entrando, con pantalón y camisa de Arturo, ensaya.*): ¡Lo mato! ¡Le descerrajo un tiro al cabrón de mi hermano! (*Cambia de personaje y se convierte en Señor Mercier.*) Ya me parecía a mí que hablaba inglés. (*Cambia y se convierte en Liquen.*) No vuelvas a llamarme liquencito, vieja puta.

SÓFOCLES (*Entrando.*): ¿Nervioso?

BRIJINSKI (*Salta del susto.*): ¡No, no, nada nervioso!... (*Conquistador.*) Voy a echarme a Beatriz, Matilde, la criada, Bonnie y el alga y regreso. (*Sale.*)

BOBBY (*Entrando.*): Estamos listos.

SÓFOCLES: Di orden de que dejen entrar al público a la sala. Bobby, das primera.

BOBBY: Doy primera. (*Van a salir, por extremos opuestos, pero se inmovilizan.*)

MARTA (*Fuera de escena.*): ¡Van a dar primera!

LUISA (*Fuera de escena.*): ¿Qué te pasa? Van a dar tercera.

SÓFOCLES: Bobby, das tercera.

BOBBY: Doy tercera. (*Salen, cada quien hacia donde iba. Inmediatamente, Bobby regresa y actúa con play back; como vedette hace su número pasándose entre las piernas el cable imaginario del micrófono.*)

GRABACIÓN (*Voz de Bobby.*): Atención, atención. Tercera llamada. Tercera. Se suplica al público pasar a ocupar sus localidades. Tercera llamada. Comenzamos.

Sale Bobby y entra Sófocles, poniéndose el saco de Rogelio. Atraviesa el escenario para ir a colocarse en su lugar y se cruza con Brijinski, que entró con el saco de Arturo en la mano. Jugando, Sófocles lo asusta.

SÓFOCLES: ¡Arturo!

BRIJINSKI (*A punto de llorar.*): ¿Rogelio?

SÓFOCLES: Suerte. (*Sale. Brijinski se pone el saco y coloca la silla.*)

BRIJINSKI (*Melodramático.*): ¡Golpeado por la vida!

En la actitud que ya le conocemos se derrumba en la silla y queda convertido en Arturo. Al mismo tiempo, Beethoven: la Quinta Sinfonía, entran de golpe las luces para En Las Lomas, esa noche *y bajan de pronto la cantina y el candil.*

Cuadro Décimo: En Las Lomas, esa noche.
(*Parodia en un acto*)

Se abrió el telón imaginario y la función empieza. Como en el Cuadro Segundo, Arturo *se sirve su trago. Entra* Rogelio.

ROGELIO (*Melodramático.*): ¡Arturo!
ARTURO (*Melodramático.*): ¡Rogelio!...

Sube la música y cubre sus voces. Siguen actuando sin que se les oiga, a ritmo cómicamente acelerado, mientras en escena las luces se van apagando por secciones. Quedan inmóviles.

OSCURO

PEQUEÑA HISTORIA DE HORROR (Y DE AMOR DESENFRENADO)

(obra en dos actos)

Removedor, desenfadado y a la vez desconfiado, atento al examen de sus recursos íntimos, el teatro de Maruxa Vilalta evoluciona cada vez más hacia los matices de una madurez plenamente conquistada. La opción es múltiple: ¿Jarry, Beckett, Ionesco, Artaud? ¿Teatro-del-absurdo y de la crueldad; la ácida comicidad de un lenguaje que se cuestiona a sí mismo; el nihilismo como posición privilegiada, la impotencia y la carcajada maliciosa y destructiva, tras la cual sólo caben otras construcciones? ¿Surrealismo o hiperrealismo? ¿Barroquismo a lo Borges ("lo que agota y dilapida sus medios")? ¿Teatro dentro-del-teatro, a lo Pirandello? ¿La tragedia y la parodia, la paradoja, el encierro de lúcida desesperación de Albee, el teatro épico y de ideas, que va desde Brecht hasta la comedia grotesca en Dürrenmatt?... Sí. Todo ello, y los propios aportes, excepcionales a juzgar por el marco de una dramaturgia más bien conservadora, cautelosa, como es la mexicana; un teatro sin embargo nuevo, que debe atender cada día más a estos experimentos excéntricos de algunos autores desconformes, de algunas compañías aún semimarginales: el trabajo independiente. Todo lo que define y llena las interrogantes de Vilalta.

Su inmenso cuestionamiento, que pese a lo no complaciente ha cumplido temporadas por encima de las 200 funciones, va formando, desafiando a un público también insatisfecho, volcado a las gradaciones del cuestionamiento, del látigo que se alza tras lo irrisorio-inmediato. Un teatro de esta longitud de onda, así, cumple idealmente la misión fundamental: ir, a la vez que entrecomillando todo el tinglado de "la gran costumbre", formando un espectador más versátil, lúcido, crítico y participativo; un espectador al día con estas propuestas por fin dirigidas a la introspección del hombre de la segunda mitad del siglo XX. Los recursos de que se vale Vilalta al efecto, claro· está, son múltiples. Es menester detenerse en su última obra, *Pequeña historia de horror (y de amor desenfrenado),* para dilucidar la rara magia, la madurez y el curioso desafío que suponen estos riesgos, estos vertiginosos desvelos.

La obra, a la vez publicada —junto a *Una mujer, dos hombres y un balazo,* su inmediata antecesora— y puesta en escena, bajo la dirección de la misma autora, supone de antemano un interesante experimento de cotejo entre tres actividades (dramaturgia; escenificación; pensamiento) de Vilalta. Hay también una extensa obra narrativa que no debe soslayarse, sobre todo en función de la cada vez más exigente alquimia que va de lo simple a lo complejo y viceversa. Es claro que la última sencillez, prístina, exacta, es la más difícil, la más intencionada. *Pequeña historia...* se desgrana en un diálogo fresco, jocundo, donde caben todos los matices, desde lo retórico (satirizado) a lo coloquial (camp), pasando sin descanso por una autocrítica feroz, por una parodia alerta a cada recurso, a cada proposición. De esa aparente fluidez azarosa, una segunda lectura obtiene la certeza de que no sobra ni falta una sola palabra. Tanto el lenguaje como los géneros convocados se mezclan: comedia de crímenes, investigación, horror, perversidad, travestismo, introspección, fantasmas, papeles inciertos, estrategias cómicas de un discurso sin embargo gradual, serio, grave, en la trama de intereses que subyacen cada conducta. Eslabonada, la peripecia se cierra hacia un final que, a la vez sorpresivo (como ha opinado Carlos Solórzano en el prólogo del libro, acerca del mismo: "La autora sólo los impulsa —a los personajes— a dar el último paso para lograr su aniquilación total"), es el mismo principio, el recomienzo de un ciclo infinito, la eterna egolatría que sólo recomenzando cumple el fin más extremo, la didáctica brechtiana del arte de Maruxa Vilalta.

El título, aviso primero, reúne a cuatro personajes en un espacio cerrado. Es inevitable, aquí, evocar a Virginia Woolf. El recargo antiguo, muy a la inglesa (casa vieja, Londres, un piano, etc.), se conjuga con los colores, negros y rojos estrictos, en la zona de juego cuyos contrastes refuerzan los elementos convocados. Jonathan, burgués venido a menos, llega, al son de La Polonesa de Chopin, en busca de una imagen sobreviviente de Margaret, su esposa, a quien él asesinó en la noche de bodas. Mildred, una ninfómana, bella y glacial, supone el alter-ego de la muerta. El proyecto de Jonathan es hacer por fin el amor con esa amada oscilante entre dos identidades escindidas. Dice en algún momento, él, aceptando el artificio: "la historia se repite".

Sin embargo, el lugar, la "alcoba nupcial", es más complejo, no se restringe a los amantes. Otros dos personajes (y la memoria de alguno más) intervienen; no sólo como estorbos para esa ceremonia de consumación amorosa, sino cada uno con un propio interés creado. Son el mayordomo Williams, último de una larga estirpe de mayordomos, vampiresco y sarcástico, y la tía Emily, un complejo personaje, travestista, hombre, anciana, con caídas al infantilismo, tullido de a ratos, que entra y sale en su silla de ruedas siempre inquietante, siempre cambiante y obsceno.

Poco a poco, entre la serie cuasidemencial de encuentros y desencuentros, se va viendo el sesgo subyacente, de apretada coherencia, que mueve a estas marionetas. Todo se define en correspondencias familiares, en parentescos, disputándose una herencia: la del finado Charles —asesinado por Mildred, su esposa y ex empleada en una galería de arte—, sobrino carnal del hombre autodenominado Tía Emily, quien le disputa a la viuda un testamento puesto en favor de ella; disputado, a su vez, por otro, el legado al mayordomo Williams. Todo, por encima de esas apretadas acechanzas mutuas, es falso. Charles muere envenenado, no bajo las ruedas del metro. Mildred, la asesina, es una loca escapada del manicomio. La tía es un niño, es un andrógino, es un personaje tullido, es un criminal, según convenga. El cuerdo y pulcro Jonathan también acaba de huir de un manicomio. Williams, vampiro, sobreactúa siempre, admira al Monje loco, es incluso un pistolero y un maquereau. Charles, personaje apenas evocado, era rico, homosexual y cobarde. Etc. La falsedad, llevada a los límites de lo grotesco, sólo puede conducir a una coherencia contraria: todo es falso porque es verdadero; así como La carta robada de Poe está más escondida que nunca porque está a la vista, tapándose con su propia evidencia. Entre parodias a la comedia radial, a la historia truculenta, al intríngulis policiaco (incluso los propios personajes planean, en escena, la forma en que debería continuar el desarrollo de la trama; de alguna manera, hasta el espectador tiene una participación tácita), al transformismo, el fondo, el quid aparece con una precisión admirable: su montaje es el de una trenza de intereses combinados; su forma superlativa, el movimiento freudiano de los fantasmas interiores de Jonathan, cuya frase final (luego del múltiple asesinato, en la abolición violenta de tantas proyecciones interiores) define con dos palabras la paradigmática sentencia del cierre-recomienzo: "Tengo hambre".

El hambre, precisamente, del pequeño burgués es el móvil para una serie de malentendidos, cuyo diseño encuentra en la puesta teatral su dinámica adecuada: "La perversión de los instintos sexuales (volvemos a citar a Solórzano) [que] no se opera solamente por distorsiones del yo individual sino por la disociación que se establece entre los deseos del personaje, debido a la incongruencia existente entre la sociedad y el individuo".

Estas apreciaciones, pocas, acerca del último opus de Maruxa Vilalta, intentan atrapar el extraño haz de sugerencias que su teatro maduro, exacerbado, se propone a sí mismo y al espectador sagaz. ¿Cuál será el próximo paso, en esta cosmovisión, luego de los niveles alcanzados? Pronto, sin duda, lo sabremos. Mientras tanto, digamos que Maruxa Vilalta, hoy por hoy, se sitúa en el nivel más alto de la dramaturgia mexicana. Y que, por supuesto, todo México, en su amplio espectro oscilante entre polos extremos, está involucrado en la propuesta. Una obra sin duda altamente recomendable, que no debemos perder de vista.

ARIEL MUÑIZ

Pequeña historia de horror (y de amor desenfrenado) se estrena el 19 de abril de 1985 en le Teatro Santa Catarina, de la ciudad de México. Obra presentada por la Dirección General de Difusión Cultural de la Universidad Nacional Autónoma de México y por la Dirección de Actividades Teatrales; dirección de escena de la autora, escenografía de Félida Medina, asistente de dirección Luis Mercado, actuación de José Luis Castañeda, Luis Mercado, Mercedes Boullosa y Enrique Castillo.

Una segunda temporada en el Teatro del Granero, del Instituto Nacional de Bellas Artes, a partir del 3 de octubre de 1985, alcanza más de doscientas representaciones, con los mismos actores y la actriz Carmen Erpenbach.

Pequeña historia de horror (y de amor desenfrenado) ha sido publicada por Difusión Cultural de la UNAM, Textos de Teatro 17, libro *Dos obras de teatro* (que contiene también la pieza *Una mujer, dos hombres y un balazo),* México, 1984. Hay otra edición de la Universidad Autónoma Metropolitana (UAM), Unidad Xochimilco, Colección de Teatro Mexicano (a cargo del dramaturgo Eduardo Rodríguez Solís), núm. 4, México, 1986.

A little tale of horror (and unbrided love), traducción de Kirsten F. Nigro, ha sido publicada en *Modern International Drama,* State University of New York at Binghamton, vol. 19, núm. 2, primavera de 1986.

Personajes

(por orden de entrada a escena)

JONATHAN
MILDRED
WILLIAMS
TÍA EMILY (un hombre)

ACTO PRIMERO

Quedo, lejos, La Polonesa "heroica", de Chopin, al piano. Estancia de casa vieja en Londres. En un extremo, al fondo, escalera de caracol hacia la planta alta. También al fondo, en un nivel quizás más elevado, un piano. Muebles antiguos. Al frente, un canapé y una mesa redonda con sillas. Salidas hacia la calle, cocina y cuarto de Tía Emily. Alfombra, carpetas, cortinajes de damasco rojo. Rojos y negros, junto con sepias oscuros, predominan como colores.

En un extremo de la calle, fuera del espacio escénico, irremediablemente atraído hacia él, Jonathan. Quizás 40 años, aspecto descuidado, abrigo y bufonda. Trae en mente La Polonesa, que con él se acerca. Ve hacia la casa, fascinado. En su mente La Polonesa crece. Ahora va hacia la puerta de entrada (puede ser imaginaria). La abre sin que ofrezca resistencia, entra y vuelve a cerrar. Da unos pasos; ve a su alrededor. El ambiente le gusta. Acaricia quizás la seda de los damascos, que le produce placer. El piano lo atrae; va hacia él.

De pronto, tremendo portazo proveniente de la planta alta. La Polonesa deja de oírse; Jonathan se sobresalta y se aleja del piano. Ve a su alrededor. Nadie. Va a sentarse pero, proveniente tam-

bién de la planta alta, carcajada macabra, escalo-
friante, como de "El Monje Loco".

WILLIAMS (*Fuera de escena.*): Uuuaaaaaaaaaa...
   (Jonathan *salta de su silla;* Williams *lanza carca-*
   jada todavía más siniestra.) Uuuaaaaaaaaaa...

Y portazo. Jonathan *prácticamente se embarra con-*
tra la pared, tratando de desaparecer. Recupera
el control. Aguarda. Pero tiene la sensación de que
alguien lo está observando y voltea poco a poco.
Por la escalera bajan dos pies de hombre, zapatos
negros y piernas de pantalón negro también. A la
altura de la rodilla, pies y piernas se detienen, sin
dejarnos ver a quién pertenecen. Jonathan *decide*
ser amable. Se acerca al par de pies y se dispone
a saludar. Pero los pies dan media vuelta y des-
aparecen, escaleras arriba; Jonathan *se queda salu-*
dando solo. Otra vez ve a su alrededor. Va hacia
la cocina y se asoma. Proveniente de otro extremo
se escucha, en voz de mujer, angustioso lamento,
en el tono de "La Llorona" llamando a sus hijos.

TÍA EMILY (*Fuera de escena*): ¡Charles!... ¡Charles!...

Jonathan *va hacia el lugar de donde provino la voz*
y se asoma. Nadie. Regresa, desconcertado; da unos
pasos. Ahora sí, alguien está detrás de él. Se da
vuelta y se encuentra ante Mildred. *Tiene ella la*
palidez enfermiza de toda mujer joven y hermosa
en toda historia de terror. Círculos oscuros alrede-

*dor de los ojos, boca también pintada de oscuro,
cabello negro. Un vestido blanco se pega al cuerpo, que ella maneja en forma sensual.*

JONATHAN: ¡Ah, es usted!

MILDRED: ¿Hace mucho que está aquí?

JONATHAN: Acabo de llegar... La puerta estaba
abierta.

MILDRED: Sí, la dejé abierta para usted.

JONATHAN: Hoy no la vi frente a la ventana.

MILDRED: Esperaba que entrara.

JONATHAN: Estaba seguro. Sabía que bastaría con
empujar y la puerta se abriría... Tres noches
ahí afuera, aguardando para verla.

MILDRED: Y yo exhibiéndome para usted.

JONATHAN: ¿Por qué lo hacía?

MILDRED: Porque usted me miraba.

JONATHAN (*Ríe.*): Transparente y blanca... El piano y la mujer... Los damascos suaves al tac-
to... Lo supe desde la primera noche que la
vi. Supe que usted era Margaret y se desnudaba
para mí frente a su ventana.

MILDRED: Me llamo Mildred.

JONATHAN: ¿Mildred? Qué coincidencia; suena casi como Margaret, ¿no es cierto?

MILDRED: ¿Margaret?

JONATHAN: Hola, Mildred. Yo soy Jonathan.

MILDRED: Bienvenido, Jonathan.

JONATHAN: La historia se repite...

MILDRED: No comprendo.

JONATHAN: Olvídelo. Me encantan las frases hechas.

MILDRED: ¿Cómo es eso?

JONATHAN: Tengo predilección por las mujeres vestidas de blanco.

MILDRED: Ah, eso sí lo entiendo.

JONATHAN: No, no entiende nada. Pero no importa.

MILDRED: ¿Se quita el abrigo?

JONATHAN: Gracias. (*Se lo quita y ve a su alrededor.*) Y... ¿está usted sola?

MILDRED: Bueno, todos estamos solos.

JONATHAN: Sí. La soledad es... (*Melodramático.*) ¡como la bruma en las calles! ¡A veces nos golpea el rostro!

MILDRED: ¿La bruma?

JONATHAN (*Despreocupado.*): La soledad.

MILDRED: ¿Hay mucha bruma por las calles?

JONATHAN: No, no hay.

MILDRED: ¿Y cómo llegó? ¿Vino a pie?

JONATHAN: Primero en metro y después a pie.

MILDRED: ¿Viene de lejos?

JONATHAN: De muy lejos.

MILDRED: Pero vive en Londres.

JONATHAN (*Melodramático.*): ¡Ciudad cruel y maldita! (*Despreocupado.*) Le pregunté si estaba sola porque hace rato escuché risas... Más bien, carcajadas. Y también voces.

MILDRED: ¡Ah, sí, no haga caso! No tiene importancia.

JONATHAN: Sí la tiene. Estoy aquí con un propósito determinado y preferiría no ser interrumpido.

MILDRED: ¡Ah! ¿Y... el motivo de su visita?

JONATHAN (*Natural.*): Hacer el amor con usted.

MILDRED: ¿Me decía?

JONATHAN: Lo supe desde hace... (*Consulta su reloj.*) casi setenta y dos horas. Desde la primera vez, frente a su ventana, supe que usted era Margaret y que íbamos a hacer el amor en este cuarto. (*No la deja hablar.*) Sí, ya sé, se llama Mildred.

MILDRED: ¿Y por qué en este cuarto?

JONATHAN: La veía a través de la ventana... Hace tres noches que en mi imaginación hacemos el amor aquí. Mucho mejor que hacerlo convencionalmente en una alcoba, ¿no le parece?

MILDRED: La verdad, a mí me da igual. Mi alcoba está allí arriba. Pero si lo prefiere también puede ser en la cocina. Podría resultar divertido. Hay una mesa grande y...

JONATHAN (*Interrumpe, indignado.*): ¿En la cocina? ¡Pero es que no se da cuenta! ¿En la cocina como los animales, como las cucarachas?

MILDRED: Es decir, yo solamente...

JONATHAN (*Interrumpe.*): ¡Jamás en la cocina! ¿Acaso no comprende la importancia de... de la puesta en escena? Será aquí, en este cuarto.

MILDRED: Muy bien, será aquí.

JONATHAN: Celebro que estemos de acuerdo. ¿Me permite? (*Se sienta ante el piano.*)

MILDRED: ¿Toca el piano?

JONATHAN (*Lejos.*): ¿Eh?... ¿Decía usted?

MILDRED: Preguntaba si sabe tocar.

JONATHAN: Era pianista.

MILDRED: ¡De veras!

JONATHAN: Hace mucho que no toco... (*Oprime

algunas teclas.) Pregunta si sé tocar... (*Inicia el leitmotiv de La Polonesa "heroica"; va entregándose con entusiasmo; acaba tocando en forma brillante. Al terminar, ríe complacido.*) Sí, sé tocar. Soy pianista.

MILDRED: ¿Y desde cuándo no tocaba?

JONATHAN: Desde que Margaret... (*Se interrumpe.*) ¿Le gustan los melodramas?

MILDRED: ¡Mucho!

JONATHAN: A mí también. Me gustan desde que soy personaje principal precisamente de un melodrama. (*Melodramático.*) No había tocado el piano desde que Margaret me abandonó.

MILDRED: ¿Su mujer?

JONATHAN (*Melodramático.*): Se fue con otro. Mejor dicho, con varios otros.

MILDRED (*Feliz.*): ¡De modo que es usted libre!

JONATHAN (*Despreocupado.*): Ahora vivo en un hotel; desde ahí he venido cada noche a su casa y... (*Recapacita.*) ¿Libre? No había pensado en eso... Pues sí, probablemente, ahora soy libre. (*Ríe.*) Eso implica toda una responsabilidad, ¿no es cierto? No es lo mismo tomar una decisión cuando se es libre que cuando no se sabe en qué momento alguien puede llegar y... (*Se interrumpe.*) ¿En serio cree usted que se puede ser libre?

MILDRED (*Provocativa.*): Yo no lo soy. Yo tengo muchos compromisos.

JONATHAN: ¿Por ejemplo?

MILDRED (*Mujer fatal.*): Por ejemplo, hago el amor con un gato persa.

JONATHAN: ¿Un... gato? ¿Un minino? ¿Miau?

MILDRED: Un gato persa de color azul. Son los más finos.

JONATHAN: La verdad, entiendo poco de gatos persas... ¿Y dice que hace el amor con él?

MILDRED: ¡Me viola cada noche!

JONATHAN: ¡Tanto así!

MILDRED: Es uno de los amantes más apasionados que he tenido.

JONATHAN: En fin, suena interesante... ¿Cada noche, dice? Espero que eso no estorbará nuestros planes. Quiero decir, por hoy podemos prescindir del gatito, ¿no?

MILDRED (*Sensual.*): Como tú quieras.

JONATHAN (*Ríe, observándola.*): Lo mismo que Margaret... La putita vestida de blanco...

MILDRED: ¿La... qué?

JONATHAN: La noche de bodas, Margaret me pidió que tocara el piano para ella. La Polonesa "heroica", de Chopin. A lo mejor no se sabía otra cosa; sus conocimientos en música eran más bien elementales.

MILDRED: ¿Y cómo resultó?

JONTAHAN: ¿La Polonesa?

MILDRED: La noche de bodas.

JONATHAN: ¡Oh, sensacional! Fue una noche como ninguna. (*Melodramático.*) ¡Una noche de amor desenfrenado!

MILDRED: ¿Amor desenfrenado? ¡Qué exictante!

JONATHAN: Sí, muy excitante. La noche de amor desenfrenado forma parte del grandioso melodrama y todo ello resulta inseparable de las putitas vestidas de blanco.

MILDRED: Como Margaret.

JONATHAN: Como tú. (*Ríen; Jonathan la abraza. Pero ve los pies de hombre en la escalera.*) Parece que tenemos compañía.

MILDRED: Ah, sí; es el mayordomo. (*Los pies dan media vuelta y empiezan a subir, pero Mildred llama.*) ¡Williams! ¡Williams!...

Los pies bajan; aparece Williams. Alto y fuerte, es el de las carcajadas que en el curso de la obra utilizará como forma habitual de expresión, no siempre para indicar necesariamente algo siniestro sino también para significar estados de ánimo diversos: expresar burla, desafío, amenaza, complicidad, satisfacción, autoelogio, por ejemplo. Adopta ahora actitudes de villano de caricatura.

WILLIAMS: ¿Llamaba la señora?

MILDRED: Sí, llamaba.

WILLIAMS (*Agresivo, va hacia Jonathan.*): ¡Ah, tenemos visita!...

JONATHAN (*Se hace pequeñito.*): Buenas noches, Williams.

WILLIAMS (*Amenazador.*): La señora no recibe a nadie.

MILDRED: Ay, Williams, ya deje de hacerse el malvado.

WILLIAMS (*En mayordomo.*): Como ordene la señora. Traeré el abrigo del señor.

MILDRED: El señor se queda. Es un viejo amigo.

WILLIAMS: ¿Un viejo amigo? Uuuaaaaaaaaaa. . .

JONATHAN: Así que usted era el de las carcajadas. . . Hace rato se oían más siniestras.

MILDRED: Trataba de ponerte nervioso.

JONATHAN: Ah, pues lo logró.

MILDRED: No le gustan las visitas.

WILLIAMS: Uuuaaaaaaaaaa. . .

MILDRED: Williams, ¡éste es un hogar inglés!

WILLIAMS: ¿Un hogar? Uuuaaaaaaaaaa. . .

MILDRED (*A* Jonathan.): Ha copiado esa odiosa
risa de un personaje de la televisión. Williams ve
demasiada televisión.

JONATHAN (*Inspeccionando a* Williams.): Simpático. . . Simpático muchacho. . . (*Pero* Williams *va
hacia él y* Jonathan *retrocede, prudente.*) Muy
fuerte, ¿no?, se ve muy fuerte. . . ¿Televisión?
¡Pero eso es nefasto, Williams, nefasto! ¿Y cuál
es su personaje favorito?

MILDRED (*A* Jonathan.): ¿No lo adivinas?

JONATHAN: ¡El ratón Miguelito!

WILLIAMS (*Muy digno.*): El Monje Loco. Uuuaaaaaaaaaa. . .

JONATHAN: ¿El Monje Loco en la televisión de
Londres? Creí que no había salido de México.

WILLIAMS: ¿México? ¿Dónde queda eso?

MILDRED: Por América del Sur. Un pequeño país
tropical. (*Sensual.*) Hay muchos plátanos.

WILLIAMS: Uuuaaaaaaaaaa. . .

JONATHAN: ¡Ya cállese!

WILLIAMS (*Amenazador.*): ¿Cómo dijo?

JONATHAN (*Adquiere prudente distancia.*): Dije
que su risa es muy melodiosa.

WILLIAMS: ¿Melodiosa?

JONATHAN (*Pedante.*): Como diría el célebre crítico, me parece, en todas sus inflexiones, bastante bien lograda.

WILLIAMS (*En mayordomo.*): Muchas gracias, señor.

JONATHAN (*En gran señor.*): Y ahora, Williams, puede retirarse.

MILDRED (*Mismo tono.*): Eso es, Williams; tenga la bondad de servirnos el té.

WILLIAMS: ¡Servirles el té! ¡Y a esta hora!

MILDRED: Qué importa la hora. No sea burgués, Williams.

JONATHAN: Y bien, Williams, ya oyó a la señora. ¡Desaparezca!

WILLIAMS (*Digno.*): Perfectamente. Voy por el té. (*Da unos pasos, pero regresa y le dedica a Jonathan otra carcajada.*) Uuuaaaaaaaaaa... (*Da media vuelta y sale. Se oye un portazo.*)

JONATHAN: Así que el de los portazos también era el mayordomo.

MILDRED (*Burguesa.*): ¡Cómo está el servicio!

JONATHAN: En fin, se trataba de deshacernos de él. Pero no quiero té.

MILDRED: ¿Un trago?

JONATHAN: Soy abstemio.

MILDRED: ¡Abstemio!

JONATHAN: Curioso, ¿no?

MILDRED: Entonces, café.

JONATHAN: No vine aquí a tomar café.

MILDRED: No, no viniste a eso... (*Él la abraza,*

pero ahora los interrumpe el lamento de Tía Emily.)

Tía Emily (*Fuera de escena.*): ¡Charles!... ¡Charles!...

Jonathan: Y ese Charles... ¿anda por aquí?

Mildred: ¡Oh, no! Charles murió

Jonathan: ¿Murió? Sin embargo, parece que alguien lo llama.

Mildred: Es tía Emily. Llama a Charles cuando quiere impresionar a la gente.

Jonathan: Hace rato también la oí.

Mildred: Seguro que te vio entrar. Siempre espía.

Jonathan: Ah, lo mismo que el mayordomo.

Mildred (*Viendo que se acerca* Tía Emily.): Qué tal, tía Emily.

Entra Tía Emily, *que se desplaza en silla de ruedas. Es un hombre vestido de mujer, con largas faldas de tosca tela bajo las que asoman grandes zapatos de hombre.*

Tía Emily (*Entrando, como hombre, grotesca.*): ¡Buenas noches! (*Ve que* Jonathan *la observa, asombrado, y se vuelve ancianita indefensa. Se aleja un poco, dejando oír su lamento.*) ¡Charles!... ¡Charles!... (*Voltea hacia* Jonathan *y se hace simpática; le dedica una risita.*) Ji, ji, ji, ji, ji, ji, ji...

Mildred: Jonathan, te presento a tía Emily.

Tía Emily (*Se vuelve hombre.*): Cómo le va. (*Se corrige y se vuelve ancianita.*) Ay, cómo le va, ji, ji, ji...

JONATHAN (*Que inició un saludo.*): Señora... digo, señor... (*A* Mildred.) ¿Tía Emily? Más bien parece hombre.

MILDRED: Bueno, es como hombre. Le gustan las mujeres.

JONATHAN: ¿Es lesbiana?

TÍA EMILY (*Se hace la disimulada.*): Ji, ji, ji, ji, ji, ji, ji...

MILDRED (*Aparte, a* Jonathan.): Finge andar mal de la cabeza. Pero no es cierto. Empezó así hace seis meses, cuando murió su sobrino Charles.

JONATHAN: Lo quería mucho.

MILDRED: ¡Lo odiaba!

TÍA EMILY (*Ahora se vuelve joto.*): ¡Chismosa!

JONATHAN (*A* Mildred.): Por fin, ¿es lesbiana o joto?

MILDRED: Tiene un poco de todo.

TÍA EMILY (*Ve que* Jonathan *la observa y se vuelve ancianita.*): Ji, ji, ji, ji, ji, ji, ji... ¡Ji! (*Se aleja hacia un extremo.*)

MILDRED: Charles era mi marido.

JONATHAN (*Que observaba a* Tía Emily.): ¡Tu marido!

MILDRED: Soy viuda. Espero que no te importe.

JONATHAN: En fin, por qué había de importarme...

MILDRED: De todos modos como marido Charles apenas contaba. Era un exquisito. Un homosexual.

JONATHAN: Así que un marido homosexual...

MILDRED: Tenía una galería de arte. Era el dueño de esta casa, del piano y del mayordomo. ¡Yo heredé todo!

Tía Emily (*En su rincón, se vuelve hombre.*): ¡Desgraciado Charles! (*Se vuelve ancianita.*) Ji, ji, ji, ji, ji, ji. . .

Mildred: Pobre Charles, tan joven. . .

Jonathan: ¿Y de qué murió?

Mildred: Oh, un accidente. Esperábamos el metro. . . Para la ciudad a Charles no le gustaba sacar el coche. . . Esperábamos el metro, Charles y yo, y de pronto se sintió mal. Un vértigo. Cayó sobre la vía. Empecé a gritar, pero era demasiado tarde. Quedó hecho picadillo.

Tía Emily (*Joto.*): Picadillo, picadillo.

Jonathan: Muy interesante. . . De modo que heredaste de Charles cuando él se cayó a la vía del tren. . . Estás segura: se cayó. Tú no lo empujaste.

Mildred: ¿Yo? ¡Claro que no! ¿Por quién me tomas? ¡Soy una mujer decente!

Jonathan (*Ríe.*): Lo mismo que Margaret, blanca y pura. . .

Tía Emily (*Joto.*): ¡Pu. . . ta, puta, puta!. . . (*Se vuelve ancianita.*) Ji, ji. . . Pura.

Mildred: Yo no empujé a Charles. Se cayó solito. Afortunadamente, hubo testigos.

Tía Emily (*Joto, asiente.*): Testigos, sí; hubo testigos.

Jonathan (*Divertido.*): Lástima. Si lo hubieras empujado habría sido más interesante.

Mildred: ¿En serio?

Tía Emily (*Joto, llama a un gato.*): Uisho, uisho, uisho, uisho. . . Mike. . . Mike, ¿dónde estás?. . . Uisho, uisho, uisho. . .

Jonathan: ¿Más fantasmas?

MILDRED: Oh, no, Mike no es un fantasma.

TÍA EMILY (*Joto, ve al gato fuera de escena.*): ¡Mike, querido! (*Va por él y regresa con un gato azul, de peluche.*) Véngase, Mikito, véngase con su papi chulo...

JONATHAN: Así que éste es el gatito.

MILDRED: Mike es un gato persa muy fino.

JONATHAN: ¿El que te viola cada noche? Pero si es de utilería, de peluche.

MILDRED: Y eso qué importa. Con un poco de imaginación una sola puede hacerlo todo. Por ejemplo, me abrazo de Mike y...

JONATHAN (*Interrumpe.*): Sí, sí, no hacen falta detalles.

TÍA EMILY (*Se vuelve mujer, pero ya no anciana, y abraza a Mike, sensual.*): ¡Mike!... ¡Oh, Mike!...

JONATHAN (*Burlón.*): ¿También a ella la viola?

MILDRED: De vez en cuando.

JONATHAN: Ya no se ve ancianita.

MILDRED: No es ancianita. Finge serlo por parecer indefensa.

TÍA EMILY (*Mujer, sigue abrazando al gato.*): ¡Ah!... ¡Oh!... ¡Mike!... ¡Ooh... Mike!...

MILDRED (*Se acerca a Tía Emily, sensual*): Ya déjalo... (Tía Emily *suelta a* Mike. *Mira a* Mildred. *Se vuelve hombre y ríe, lascivo. Para* Mildred *empieza a silbar una melodía popular. Cuando la obra se represente en México, será una canción popular mexicana; ya a estas alturas el lector habrá notado que estos londinenses personajes hablan todos en mexicano. La melo-*

día podría ser, por ejemplo, "Amorcito cora-
zón.")

Tía Emily: Fi fifufi... fififiu... / fifufi... fififiu... / fi,fiiiiu... (*Reinicia.*) Fi, fifufi.... fififiu... / fifufi... / fi,fiiiiu... (*Ríe como hombre
y extiende la mano hacia* Mildred, *que va hacia
ella, sensual.* Tía Emily *atrae a* Mildred *hacia sí.
Ahora* Mildred *está sentada en las rodillas de*
Tía Emily. *Las manos de* Tía Emily *recorren el
cuerpo de* Mildred, *que se estremece de placer.*)

Mildred: ¡Tía Emily!...

Tía Emily (*Hombre.*): ¡Mamacita!... (Jonathan,
*que primero las observó con asombro, ahora ríe
a carcajadas.* Tía Emily y Mildred *interrumpen
su apasionada escena;* Mildred *se levanta, po-
niendo orden en su ropa.*)

Mildred: No veo lo cómico.

Jonathan (*Serio.*): No es cómico. ¡Es grotesco!
(*Toma a* Mildred *por un brazo y bruscamente
la aparta de* Tía Emily. Mildred *parece fascinada.*)

Mildred: ¡Jonathan! (*Él ríe y deja de interesarse
po*r Mildred. Tía Emily, *que los observaba, ahora
disimula; se vuelve ancianita, recoge a* Mike *del
suelo y lo acaricia, maternal.*)

Tía Emily: Mike... Mike, mi niño, mi bebito...
Véngase con chu mamá. (*Canta, arrullándolo.*)
"A la rurru niño, duérmaseme ya..."

Jonathan (*Divertido.*): Y además, incestuosa.

Tía Emily (*Sigue arrullando al gato.*): Duérmase,
mi nenita... Duérmase, mi Michelle... A la
rurru niña... (*Deja de ser maternal se vuelve*

hombre y sigue dirigiéndose al gato.) ¡Mi nenota! ¡Véngase, mi Michelle!

JONATHAN (*A* Mildred.): ¿Michelle? ¿Qué también el gato es andrógino?

MILDRED (*Enojada.*): ¡No! Son calumnias.

TÍA EMILY (*Se vuelve joto y* Mike *le hace cosquillas.*): ¡Ay, ay, ay, ay, ay, ay... estate quieto, Mike! ¡Ay, Mike, no me pellizques, Mikito, no me pellizques!... (*Va hacia la salida, pero al pasar junto a* Mildred *se vuelve hombre.*) ¡Bizcocho! (*Todavía regresa, se vuelve joto y se despide de* Jonathan.) Hasta luego, mi rorro. (*Sale.*)

JONATHAN (*Irónico.*): Curiosa familia...

MILDRED: Tía Emily quiere mucho a Mike. Pero me prefiere a mí.

JONATHAN: Mi blanca Mildred... Un marido, un gato andrógino y tía Emily.

MILDRED: Espero que no te importe.

JONATHAN: De ninguna manera; así te pareces más a Margaret.

MILDRED: ¿Estás seguro?

JONATHAN (*Viéndola.*): Margaret, tan blanca... (*Ríe.*) Todo se descubrió la noche de bodas. Ella se había acostado con todo Londres; sólo yo no estaba enterado... Siempre suele suceder así, ¿no es cierto?... He tenido muy buena suerte en dar con esta casa.

MILDRED: ¿Por qué?

JONATHAN: El ambiente que necesitaba para hacer el amor con Margaret. (*Está sentado ante el piano y empieza a tocar el tema de la "heroica". Empieza fuerte, pensando en* Margaret, *y des-*

pués toca suave; toca para atraer a Mildred. *Ella se va acercando. Poco a poco,* Jonathan *deja de tocar.*) ...Para hacer el amor con Mildred. (*Va hacia ella; la abraza. Pero ahí está el mayordomo.*) ¡Detesto que me interrumpan!

WILLIAMS: Lo siento mucho. Señora, no hay té.

MILDRED: ¡Cómo que no hay té! Eso es imposible.

JONATHAN: Es imposible, Williams, ¡ya lo oyó! (*Pero está demasiado cerca del mayordomo, que tiene cara de pocos amigos.* Jonathan *retrocede.*) ...Espero que lo haya oído.

MILDRED: Williams, ¡éste es un hogar inglés!

WILLIAMS: De todos modos no hay té; olvidé comprarlo.

MILDRED: Descuida sus obligaciones.

JONATHAN (*Severo.*): La señora tiene razón, Williams. Descuida sus obligaciones. ¿Acaso no sabe quién es usted?

WILLIAMS (*Muy digno.*): Lo sé muy bien, señor. Soy mayordomo, hijo de mayordomos, nieto de mayordomos. De rancia estirpe, señor.

JONATHAN: Lo felicito por su pedigree. Ahora, váyase a la cocina y no vuelva.

WILLIAMS: Sí, señor. (*Da unos pasos, pero recapacita y regresa.*) Uuuaaaaaaaaa... Mayordomo, pero no pendejo.

MILDRED (*A* Jonathan.): Es una de sus ideas fijas. Cree que no es pendejo.

JONATHAN: ¿Lo cree? ¡Ah, pues se equivoca, Williams, se equivoca!

WILLIAMS: ¿Me equivoco? No comprendo.

JONATHAN: Ahí tiene. Lo que le decía.

WILLIAMS: ¿Qué me decía?

JONATHAN: Nada, Williams, nada. Olvídelo. Y recuerde su abolengo: la primera cualidad de un buen mayordomo es no estorbar. Puede retirarse.

WILLIAMS (*Irónico.*): Como ordene el señor.

JONATHAN: ¡No, espere!

WILLIAMS (*Irónico.*): ¿Llamaba el señor?

JONATHAN (*A* Mildred.): Voy a revisar la casa. Usted, Williams, quédese aquí.

MILDRED: ¿Revisar la casa? ¿Para qué?

JONATHAN: Además del gato...

WILLIAMS (*Ofendido.*): ¿De quién?

JONATHAN: Me refería a Mike.

WILLIAMS: ¡Ah, vaya!

JONATHAN: Además de... (*Subraya.*) los dos gatos, tía Emily y el espectro de Charles, ¿quién más hay aquí?

WILLIAMS (*Enojado.*): ¿Los dos gatos?

MILDRED (*A* Jonathan.): No hay nadie más. Solamente tú y yo.

JONATHAN: Prefiero cerciorarme. Williams, no se mueva de esta habitación. ¡No quiero que vuelvan a aparecer sus pies detrás de mí! (*Va hacia el cuarto de* Tía Emily.)

WILLIAMS (*Enojado.*): ¡No, señor!

MILDRED: No es necesario revisar, Jonathan, no hay nadie... (*Pero* Jonathan *ya salió; el mayordomo adquiere actitudes de maleante.*)

WILLIAMS: Uuuaaaaaaaaaa... (*Avanza hacia ella, para pegarle, en tanto que* Mildred *retrocede,*

melodramática. Queda acorralada y el mayordo-
mo levanta el brazo.)

MILDRED (*Ahora se vuelve sensual; saborea ya el golpe.*): ¡Oh, Williams!... (*Pero* Williams *se detiene porque en esos momentos entra* Jonathan, *retrocediendo desde el cuarto de* Tía Emily.)

JONATHAN: Perdón, le ruego que me disculpe, señora, digo señor; no pensé encontrarla, encontrarlo así, le ruego que me disculpe.

TÍA EMILY (*Joto, fuera de escena.*): ¡Papacito!...

JONATHAN (*Para sí.*): ¿Señora? ¿O señor? La verdad, no me fijé bien... (*A* Mildred.) Tía Emily se estaba vistiendo... Bueno, lo que importa es que nadie más anda por ahí. Ahora echaré un vistazo a la cocina. ¡Williams, le prohibo que me siga! (*Sale.*)

WILLIAMS: Uuuaaaaaaaaa... (*Recupera la actitud que tenía, amenazando a* Mildred, *que se estremece de placer.*)

MILDRED (*Sensual.*): Vas a pegarme...

WILLIAMS (*La observa y desiste.*): ¡No, no, no, por favor, ya no más! ¡Ya no!

MILDRED: ¿Qué pasa?

WILLIAMS (*Para sí, desesperado.*): ¡Hasta las palizas la calientan!

MILDRED (*Enojada.*): Ibas a pegarme. ¡Eres un bruto, Williams!

WILLIAMS: Cuando estemos solos puedes llamarme James.

MILDRED: ¡Eres un bruto, James!

WILLIAMS: ¿Qué hace aquí ese individuo? ¿Por qué lo dejaste entrar? Échalo inmediatamente.

MILDRED: No quiero echarlo. Yo lo invité.

WILLIAMS: Pues dile que se vaya.

MILDRED: ¿Celoso?

WILLIAMS: ¿Celoso? Uuuaaaaaaaaaa... No se me había ocurrido... No me vendría mal un relevo... Muy bien, tu amigo puede quedarse. Conquístalo y así descansaré. (*Lastimero, se derrumba en el canapé.*) Por lo menos, esta noche.

MILDRED (*Cariñosa.*): ¿Estás muy cansadito?

WILLIAMS (*Gime.*): Es terrible lo que una ninfomaniaca puede hacer con uno.

MILDRED: ¡Ninfomaniaca! ¿Me llamaste ninfomaniaca?

WILLIAMS (*Macho, se pone en pie.*): ¡Sí! ¿Y qué?

MILDRED (*Fascinada.*): ¡Oh, James, ven!...

WILLIAMS (*Lastimero.*): No, no, no, por favor, déjame.

MILDRED: En lo que Jonathan regresa, si nos apuramos nos da tiempo. (*Lo tumba en el canapé y lo besa.*)

WILLIAMS (*Da patadas, tratando de desasirse.*): ¡No, no, por favor!... Por favor, hoy no... ¡Auxilio! ¡Socorro!...

MILDRED (*Enojada, lo suelta.*): Está bien. Como quieras.

JONATHAN (*Entrando.*): Nadie en la cocina. Revisaré la planta alta.

MILDRED (*A Jonathan.*): Williams está insoportable. ¡Me tiene harta!

JONATHAN: ¿Escuchó usted, Williams? ¡Nos tiene hartos!

WILLIAMS: Sí, sí, señor. Digo ¡qué bueno que vino,

señor, qué bueno que vino! Bienvenido a esta casa, señor.

JONATHAN: Celebro que mi presencia ya le sea grata. Voy arriba. Espero no tener más quejas de usted, Williams. ¡Cállese! Espéreme aquí. (*Sale, escaleras arriba.*)

WILLIAMS: Sí, señor.

MILDRED (*Sensual, va hacia* Williams.): Te perdono.

WILLIAMS: ¡No te acerques!

MILDRED: ¿Me tienes miedo?

WILLIAMS: Debo cuidar mi salud.

MILDRED: ¿Estás enfermo?

WILLIAMS (*Lastimero.*): Se me doblan las piernas. Apenas duermo. Me mareo. Me duele un... En fin, ya no... ya nada... ¡Ya ni los ostiones me hacen efecto!

MILDRED: Si sigues así de inútil, ¡te desheredo!

WILLIAMS: Cada vez estás más trastornada.

MILDRED: Ya vas a llamarme loca.

WILLIAMS: No comprendo cómo ese pobre putito de Charles pudo dejarte todo su dinero.

MILDRED: Williams, más respeto para tu amo.

WILLIAMS: ¿Mi amo? ¡Hasta se me hincaba para que le diera por su lado!... En esta casa tengo demasiado trabajo. Por lo menos la paralítica es lesbiana, aunque cuando le da por volverse joto también hay que entrarle. (*Gime.*) No me doy abasto...

MILDRED: Williams, ¡valor! Recuerda que eres un mayordomo hijo de mayordomos.

WILLIAMS: Empleada de su galería, ¿no es cierto?

Así te conoció Charles. Lo que nunca supo es que salías de un asilo para enfermos mentales.

MILDRED: Dijiste que si hacía testamento a tu favor no le contarías lo del asilo a nadie.

WILLIAMS: No lo estoy contando. Nadie va a declararte loca. (*Macho.*) Aquí estoy yo, para protegerte.

MILDRED: ¿Protegerme? Ahora que eres mi heredero lo que quieres es que yo muera. Pero no pienso morirme; tendrás que esperar mucho tiempo. ¿O vas a poner algo de tu parte para no esperar tanto?

WILLIAMS: Lo pensaré, baby, lo pensaré... ¿Poner de mi parte para que mueras? (*En un aparte, carcajada dirigida al público, al que muestra una bufanda de seda que sacó del bolsillo.*) Uuuaaaaaaaaaaa... (*A* Mildred, *escondiendo la bufanda.*) Eso nunca, baby, eso nunca.

MILDRED (*Lo abraza.*): ¡Oh, James!...

WILLIAMS: Jamás he pensado en quitarte la vida. Uuuaaaaaaaaaa... (*Sin que* Mildred *se lo espere, de pronto le pone la bufanda alrededor del cuello y cruza los dos extremos, con el propósito de apretar. Pero* Mildred *logra desasirse.*)

MILDRED: Déjame... ¿Qué haces? (*Se quita la bufanda.*)

WILLIAMS: Para un hermoso cuello, una bufanda de seda. La compré especialmente para ti.

MILDRED: ¿Para mí? Muchas gracias, pero no voy a ponérmela.

WILLIAMS: ¿Cómo que no? Es muy bonita.

MILDRED: No la quiero.

WILLIAMS: Claro que la quieres. ¡Póntela! (*Se la vuelve a poner, cruza los extremos y los afianza.*)

MILDRED: Déjame, suéltame.

WILLIAMS: Te queda muy bien. (*Voltea a ver al público y suelta diabólica carcajada.*) Uuuaaaa-aaaaaa... (*Como para una fotografía los dos se inmovilizan de pronto, en melodramática actitud de víctima y verdugo. Recobran movimiento.*)

MILDRED: ¡Suéltame!... (Williams *va a apretar, pero ve a* Jonathan *que baja la escalera. Deja ir a* Mildred, *que se quita la bufanda y se la avienta.*) ¡Toma tu bufanda! Puedes quedarte con ella.

JONATHAN (*Bajando.*): Menos mal, arriba tampoco hay nadie... ¿Sucede algo?

MILDRED: Williams se empeñó en atarme al cuello esa horrible bufanda.

WILLIAMS: Solamente traté de darte un regalito, baby. (*Se corrige.*) Un modesto regalito, señora.

MILDRED (*A* Jonathan.): No me dejaba ir. ¡Es un bruto!

WILLIAMS (*A* Jonathan.): Estábamos jugando.

JONATHAN: ¿Acostumbra usted "jugar" con la señora, Williams?

WILLIAMS: ¡Oh, sí, señor! Quiero decir, no; no, señor. Quiero decir, la señora y yo...

JONATHAN (*Interrumpe.*): Puede ahorrarse las explicaciones.

MILDRED (*A* Jonathan.): Un animal. ¡Me asustó!

WILLIAMS: Fue sin querer, señora. Me disculpo, baby.

JONATHAN: Williams, detesto los criados con iniciativa. Si alguien tiene que asustar a la señora, seré yo.

MILDRED (*Feliz.*): ¡De veras!

WILLIAMS (*Feliz.*): ¡De veras!

JONATHAN: Williams, ya no lo necesitamos; muchas gracias.

WILLIAMS: Al contrario, señor, soy yo quien tiene que darle las gracias. Uuuaaaaaaaaaa...

JONATHAN: ¡Eso es todo, Williams!

WILLIAMS: Sí, señor. (*Sale, escaleras arriba. Portazo.*)

JONATHAN (*Divertido.*): De modo que también el mayordomo...

MILDRED: Bueno, el tiempo es largo y las noches tan aburridas...

JONATHAN: ¿A pesar de Mike y de tía Emily?

MILDRED: En fin, un gatito de peluche no siempre es lo mismo, aunque sea persa. Y tía Emily no es realmente un hombre... bueno, no lo es siempre. En cambio Williams, ¡ya en vida de Charles me era tan útil!... Espero que no te importe.

JONATHAN (*Divertido.*): ¿Importarme?... (*De pronto la toma por un brazo.*) ¡El mayordomo! (*Le planta tremenda bofetada, que ella recibe en melodramática actitud.*)

MILDRED: ¡Ay!

JONATHAN: ¡Tía Emily! (*Bofetada.*)

MILDRED: ¡Oh!

JONATHAN: ¡El gato persa! (*Bofetada.*)

MILDRED: ¡No!

JONATHAN: ¡El marido! (*Bofetada y la avienta; ella cae al suelo, desmelenada.*)

MILDRED: ¡No!... (*Llora, pero de inmediato se recupera y se vuelve sensual: le gustaron las bofetadas.*) Me hiciste daño.

JONATHAN (*Ríe.*): También el mayordomo... Vulgar, pero vestida de blanco... También el criado... (*Ante el piano, agresivo, inicia el tema de la "heroica" de* Chopin.) Vulgar, Margaret, qué vulgar eres... (*Toca con enojo creciente. Se interrumpe, de pronto.*) ¡No llores!

MILDRED (*Sensual.*): No lloro.

JONATHAN: Margaret sí lloraba. Pretendía que no era justo que la noche de bodas yo la abofeteara... (*Ríe y va hacia ella.*) Vulgar, Mildred, eres vulgar...

MILDRED: Tienes unas manos muy fuertes.

JONATHAN (*Divertido.*): De modo que te gustaron las bofetadas.

MILDRED: Sí, me gustaron... (*Ríen y* Jonathan *la abraza. Después, serio, la acaricia. Pero vuelven a interrumpirlos.*)

TÍA EMILY (*Entrando, joto, busca a* Mike.): Uisho, uisho, uisho... ¿No vieron a Mike? Se me volvió a perder.

JONATHAN (*Suelta a* Mildred, *enojado.*): Aquí entra y sale todo el mundo. ¡Esto parece burdel!

TÍA EMILY (*Joto, a* Jonathan.): ¡Papacito!

JONATHAN: Señora... señor, hay un malentendido. Abrí la puerta de su cuarto con buenas intenciones.

TÍA EMILY (*Joto, le avienta un beso.*): ¡Muy buenas!... (*Se vuelve hombre y pellizca a* Mildred.) Nos vemos al rato, preciosa.

MILDRED (*Sensual.*): Nos vemos.

JONATHAN (*A* Tía Emily, *burlón.*): Decídase de una vez: ¿es hombre, mujer, lesbiana, o joto?

TÍA EMILY (*Joto.*): Nunca lo sabrás, mi cielo. (*Le hace señas obscenas y sale por la cocina.*)

JONATHAN (*Hacia donde salió* Tía Emily.): ¡Ni me importa! (*Da media vuelta y regresa, justo a tiempo para ver los pies de* Williams *en la escalera.*) ¡Otra vez! (*Los pies se dan prisa, escaleras arriba. Portazo.*)

MILDRED (*Quedo.*): Sospecho que me quiere matar.

JONATHAN (*Irónico.*): ¿Williams? ¿Porque es tu amante?

MILDRED: No. Porque lo nombré mi heredero.

JONATHAN: ¡Al mayordomo!

MILDRED (*Otra vez quedo.*): Pero eso no es todo. También tía Emily me quiere matar.

JONATHAN: ¡También tía Emily!

MILDRED: ¡Shht!, habla más bajo. Ha de estar escuchando.

JONATHAN: Por lo visto es costumbre de la casa.

MILDRED (*Quedo.*): Tía Emily creyó que ella iba a heredar de Charles y cuando supo que Charles me había dejado todo lo que tenía empezó a hacerse pasar por loca para mejor vigilarnos a Williams y a mí. En realidad, desde entonces tía Emily decidió asesinarme.

JONATHAN: Para qué, si tu heredero es Williams.

MILDRED: ¡Shht! (*Quedo.*) En vida de Charles yo había hecho testamento a favor de tía Emily... Bueno, como estaba yo tan aburrida y ella me distraía... Después hice el otro testamento nombrando heredero a Williams, pero tía Emily no lo sabe. Williams no quiere que se lo diga. Tía Emily cree que ella sigue siendo mi heredera y que si yo muero ella por fin se quedará con lo que dejó Charles... ¡Cuidado, ahí viene!

Tía Emily (*Joto, entrando con* Mike.): Andaba en la cocina; es muy travieso. Mikito, mi amor. (*De pronto se vuelve ancianita.*) Ji, ji, ji, ji, ji, ji, ji... Mike, mi niño, mi bebito...

Mildred (*Quedo, a* Jonathan.): Trata de parecer inofensiva, pero no está paralítica.

Jonathan: ¿No?

Mildred (*Para* Tía Emily, *grita.*): ¡Y tampoco loca!

Tía Emily (*Joto.*): Loca, loca, loca.

Mildred (*A* Jonathan.): Es muy peligrosa.

Jonathan: ¿Quién? ¿Esta cosa?

Tía Emily (*Joto.*): ¿Cosa? (*Se vuelve hombre para* Mildred.) ¡Bizcocho! (*Empieza a silbar para ella.*) Fi, fififi... fififiu... / fififi... fififiu...

Jonathan (*A* Tía Emily.): Ya está bien. ¡Ya basta!

Tía Emily (*Otra vez joto.*): Ay, pero no te enojes... (*Se vuelve hombre y regaña al gato.*) ¡Desgraciado Charles!

Jonathan (*A* Mildred.): ¿Confunde a Mike con Charles?

Mildred: Pretende confundirlos.

Tía Emily (*Joto, al gato.*): Charles, te va a ir muy mal... (*Empieza a golpear a* Mike *contra la silla de ruedas, a la vez que ella misma emite*

423

maullidos de dolor.) ¡Mew, mew, mew, mew, mew, mew, mew!... (*Lo azota contra el suelo.*) ¡Mew! (*Viéndolo tirado.*) ¡Ay, pobrecito Mike, quién te pegó; mira nada más cómo te dejaron!... (*Se vuelve ancianita inocente.*) Ji, ji, ji... Ahora les voy a dedicar una cancioncita. Siempre que alguien le pega a Mike me dan ganas de cantar, ji, ji, ji...

Se vuelve hombre y entra grabación de viejo disco, probablemente rayado, de una antigua pieza infantil francesa, "La Mère Michel", en voz de hombre también. Tía Emily finge ser ella la que canta, moviendo grotescamente la quijada.

Grabación: "C'est la mère Michel qui a perdu son chat,
qui crie par la fenêtre qui est-ce qui lui rendra,
et c'est le compère Lustucru qui lui a répondu:
Allez, la mère Michel, votre chat n'est pas perdu..."

Se desvanece la grabación y Tía Emily, hombre, mueve cada vez más lento la quijada. Finalmente cierra la boca, angustiada.

MILDRED: Me angustia. ¡Esa canción me angustia!

TÍA EMILY (*Joto.*): Es porque no hablas francés. (*Para* Jonathan, *se vuelve ancianita amable.*)

Ji, ji, ji... Es una canción de un gato que se perdió y cuando lo encontraron lo hicieron pasar por liebre, ji, ji, ji... (*Otra vez joto.*) ¡Vámonos, Mike! (*Va a salir, pero regresa porque se da cuenta de que* Mike *sigue en el suelo. Lo recoge.*) ¡Ay, Mike, ya te andaba dejando! (*De pronto se vuelve hombre y se enfrenta al gato.*) ¡Desgraciado Charles! (*Se vuelve joto, se sienta encima del gato, y lo aplasta a la vez que emite desgarrador maullido.*) ¡Meeeeeeeeeeww! (*Sale.*)

JONATHAN: Me temo que todo esto nos está distrayendo del motivo de mi visita a esta casa.

MILDRED: Tienes razón; nos está distrayendo.

JONATHAN: ¿En qué íbamos?

MILDRED (*Feliz.*): ¡En las bofetadas!

JONATHAN: No, eso ya pasó. Íbamos más adelantados. (*La abraza.*)

MILDRED: Tienes unas manos muy fuertes... A Charles le sudaban las manos.

JONATHAN (*Molesto, se aleja.*): ¿No podríamos olvidar a Charles?

MILDRED: Él habría sido incapaz de darme una bofetada... Charles era gordito y le sudaban las manos... Por eso lo maté.

JONATHAN: ¿Cómo?

MILDRED: Su dinero no me interesaba, de veras. Tampoco me importaba que fuera homosexual. Pero... le sudaban las manos. ¡Oh Jonathan, eso era horrible! Charles no tenía unas manos fuertes como las tuyas; las manos de Charles eran blanditas; parecían manitas de... ¡de rana!

Siempre sucias y pegajosas. ¡Repugnantes! Por eso lo maté.

JONATHAN: Lo empujaste al metro.

MILDRED: No, no lo empujé. (*Despreocupada.*) Le di cianuro.

JONATHAN: ¡Cianuro! ¿De dónde lo sacaste?

MILDRED: Se lo robé a una compañera cuando estuve en... en el asilo. Un asilo para enfermos mentales.

JONATHAN: ¡Un asilo! Qué coincidencia, no puede ser...

MILDRED: ¿Por qué? ¿Tu mujer también estuvo en un asilo?

JONATHAN: No, Margaret no estaba loca.

MILDRED: Yo ya estoy curada.

JONATHAN: Eso dicen todos... Cuéntame de Charles; cómo le diste el cianuro.

MILDRED: Le sudaban las manos... De modo que lo convencí para que saliéramos. No quería que muriera en casa; luego hay recuerdos tristes en las habitaciones. Así que lo convencí y salimos a dar una vuelta y yo llevaba su termo con leche. Charles tenía úlcera. ¡Cómo le ha de haber quedado con el cianuro!

JONATHAN: Pusiste el cianuro en la leche.

MILDRED: Sí. Apenas salimos, Charles dijo que ya no quería pasear y se iba a ver a un amigo y que yo regresara a casa. Pero lo acompañé hasta el metro y cuando bajamos le di su vasito de leche. No creí que el cianuro fuera tan rápido. Apenas tragó la leche se dobló en dos. Y yo le dije: "Charles, te aborrezco. Acabo de envenenarte." Y él todavía alcanzó a mirarme y me insultó; me dijo algo así como: "¡Maldito culo caliente!" Después se tambaleó y cayó a la vía del tren. Por fortuna varias personas se dieron cuenta de que se caía solito, de modo que no hubo ningún problema. Yo no había contado con que se cayera. Tuve mucha suerte, ¿no crees?

JONATHAN: Sí, mucha.

MILDRED: Ni siquiera había yo pensado en qué iba a suceder después de envenenarlo. Pero todo se resolvió, porque Charles se cayó a la vía. Dio un grito terrible. (*Melodramática.*) ¡Pero ya su destino estaba marcado: el tren venía!... (*Despreocupada.*) Los que lo vieron caerse gritaban. Yo también empecé a gritar, muy asustada. Pero era tarde. Vino el tren y... picadillo. Pedacitos. Ya ni autopsia. ¡Pobre Charles! Pedacitos. ¿Te lo imaginas?

JONATHAN: Sí, sí, me lo imagino.

MILDRED: Nadie lo sabe. Si se enteraran me declararían loca y me enviarían otra vez al asilo.

JONATHAN: Probablemente.

MILDRED: ¡Nunca volveré al asilo! Prefiero que Williams o tía Emily me maten. O matarlos yo.

JONATHAN (*Impaciente.*): Si todo eso pudiera esperar hasta mañana, hoy estoy aquí con un propósito determinado.

MILDRED (*Sensual.*): ¿Todavía me parezco a Margaret? ¿Ella también envenenó a alguien?

JONATHAN: No, no, ella no envenenó a nadie.

MILDRED (*Melodramática.*): En cambio yo asesiné

a Charles... (*Despreocupada.*) Espero que no te importe.

JONATHAN (*Ríe.*): Me excita. Como a ti las bofetadas.

MILDRED: ¿Entonces todavía quieres hacer el amor conmigo?

JONATHAN: A eso vine. Y no cambio de ideas fácilmente... Ah, pero eso sí, no tolero más interrupciones. Tendremos que deshacernos del mayordomo y de tía Emily.

MILDRED: Y de Mike. Si quieres, les damos un poquito de cianuro.

JONATHAN: De modo que guardaste un poquito.

MILDRED: Sí. Lo tengo escondido en la cocina.

JONATHAN: ¡En la cocina! Pero eso es peligroso; alguien puede encontrarlo.

MILDRED: No saben qué es. Y si se lo toman, mejor. ¡Ya me tienen aburrida todos!... Sólo tú no me aburres.

JONATHAN: Es porque todavía no empezamos. Vamos a la cocina, tengo que ver ese cianuro.

TÍA EMILY (*Ancianita, entra sin* Mike; *maúlla lastimera.*): Mew, mew, mew... Ji., Ji... Es Mike que me está llamando. Lo tengo en cama, enfermito. Alguien se sentó sobre él.

JONATHAN: Que se mejore. (*A* Mildred.) Vamos por el cianuro.

MILDRED: ¡Vamos! (*Salen. A* Tía Emily *una risita que había iniciado se le congela en la boca.*)

TÍA EMILY: Ji, ji, ji... (*Se vuelve hombre.*) ¡Cianuro! ¿Dijo cianuro? (*En la escalera ve los pies de* Williams.) Ahí viene la fámula. (*Como hom-*

bre, se apresura hacia un extremo del escenario y ahí queda, escondido. Williams *baja la escalera. Oculta algo en la mano, tras la espalda. Ve a su alrededor. Se acerca y muestra al público lo que esconde: un puñal.*)

WILLIAMS: Uuuaaaaaaaaaa... (*Truculento, puñal en mano, se pasea en escena. Ubica a una* Mildred *imaginaria.*) ¿Llamaba la señora? Uuuaa- aaaaaaaa... (*Se vuelve conquistador.*) ¡Mildred, ven aquí!... (*Apasionado, creyéndose quizás* Rodolfo Valentino, *la abraza. Se inclina sobre ella y la besa. Se escucha un tango y empieza a bailar con ella. Después, sin dejar de abrazarla.*) Esta noche estás increíblemente hermosa... (*Vuelve a inclinarse sobre ella.*) Muy hermosa... (*Pero en vez de besarla, la apuñala.*) ¡Toma! (*Sin soltarla, retira el puñal.*) Uuuaaaa- aaaa... Sugar baby... (*La vuelve a apuñalar, esta vez por la espalda.*) ¡Toma! (*La deja caer al suelo.*) Uuuaaaaaaaaaa... (*Otra puñalada.*) ¡Te mato! (*Se incorpora.*) Uuuaaaaaaaaaa.. (*Se la queda viendo con desprecio.*) ¡Ninfomaniaca! (*Saca un pañuelo y limpia la sangre del puñal. Descubre a* Tía Emily, *hombre, que lo observa. Ella se vuelve ancianita y disimula.*)

TÍA EMILY: Ji, ji, ji... Ninfomaniaca...

WILLIAMS: Vaya, vaya, tía Emily... Por poco te resuelvo tu problema. Te vendría muy bien que matara yo a Mildred, ¿no es cierto? Si Mildred muere, tía Emily recupera el juicio. ¡Y la herencia!

TÍA EMILY (*Ancianita.*): Ji, ji, ji, ji, ji, ji, ji...

WILLIAMS (*Aparte, al público.*): Uuuaaaaaaaaa...
No sabe que el heredero soy yo. (*A* Tía Emily.)
Por otra parte, si tú te me adelantas y matas a
Mildred no corres ningún peligro. Le echarían
la culpa al mayordomo.

TÍA EMILY (*Se vuelve joto.*): ¡Al mayordomo!

WILLIAMS (*Melodramático.*): ¡El mío sería un crimen pasional!... (*Gime.*) ¡Ya no la aguanto!...
Tía Emily, podríamos ser socios. Los dos queremos que Mildred desaparezca. Uuuaaaaaaaa...
Aunque por motivos diferentes. (*Aparte, al público.*) Nada diferentes: ¡la lana! (*A* Tía Emily.)
Lástima que coincidimos en algo más: cada uno
querría echarle la culpa al otro.

TÍA EMILY (*Se vuelve ancianita y asiente.*): Ji, ji, ji,
ji, ji, ji, ji...

WILLIAMS: De acuerdo, yo tomo la iniciativa. Lo
malo es que para echarle la culpa del asesinato
de Mildred a tía Emily tengo que empezar por
matar a tía Emily. (*Va hacia ella puñal en mano. Pero* Tía Emily *salta de la silla de ruedas, no
muy femeninamente por cierto, y apunta a* Williams *con una pistola.*)

TÍA EMILY (*Hombre.*): ¡No te acerques!

WILLIAMS: Ya sabía que podías caminar... (*Levantándose las enaguas,* Tía Emily *da grandes
zancadas de hombre en escena.*) ¡Lesbiana!

TÍA EMILY (*Joto.*): Tú lo serás, mi cielo.

WILLIAMS: Señora, lo nuestro ya terminó. (*Gime.*)
¡No me doy abasto!...

TÍA EMILY (*Hombre.*): ¡Defiéndete!

WILLIAMS (*Salta, diabólico, puñal en alto.*): Uuuaaaaaaaaaa... El que quede vivo termina con nuestra querida Mildred. (*Tía Emily-hombre va hacia* Williams, *apuntándole con la pistola. Está impresionante: un verdadero matón.* Williams *retrocede. Pero* Tía Emily *tropieza con las enaguas y se cae, dejando escapar el arma.*) Uuuaa-aaaaaaaa... Tía Emily, ahí te voy... (*Se lanza hacia ella, pero también tropieza y cae dejando escapar el puñal. Otra vez en pie, los dos giran, acechándose. Se lanzan el uno contra la otra. Algunas llaves de lucha libre. Descubrimos que* Tía Emily *trae bajo las enaguas coquetos calzones largos, de mujer, con moñitos. En una de éstas,* Tía Emily *logra tomar la pistola y apunta a* Williams. *Pero él también atrapó el puñal y amenaza a* Tía Emily, *macabro, puñal en alto.*) Uuuaaaaaaaaa...

TÍA EMILY (*Hombre.*): Suelta ese puñal o disparo. (*Poco a poco,* Williams *baja la mano con el puñal.*) ¡Suéltalo! (Williams *deja caer el puñal.*) Y ahora, de todos modos te mato.

WILLIAMS: ¡No, por favor, no!

TÍA EMILY (*Hombre.*): Mataste a Mildred y te suicidaste. Apenas se vaya nuestro visitante, me echo a Mildred. Y a ti te suicido desde ahorita, en caliente.

WILLIAMS: ¿En caliente? Buena idea. Si quieres lo volvemos a hacer. Quiero decir, no lo pasamos tan mal juntos.

TÍA EMILY (*Joto.*): Demasiado tarde, muñeco.

WILLIAMS: No puedes matarme. Jonathan te delataría.

TÍA EMILY (*Hombre.*): Está muy ocupado con Mildred. Esconderé tu cuerpo hasta que se vaya.

WILLIAMS: ¿Me esconderás? ¿Dónde?

TÍA EMILY (*Joto.*): En mi cuarto.

WILLIAMS: ¡Ah, no, necrofilia no!

TÍA EMILY (*Hombre.*): Desde dónde estaría bueno dispararte...

WILLIAMS (*Angustiado.*): ¿Dispararme?

TÍA EMILY (*Hombre.*): ¡Ya está! Desde aquí podrá parecer un suicidio. Abre la boca.

WILLIAMS (*Cae de rodillas.*): ¡No, no, por favor! ¡Piedad! (*Abre la boca para gritar.*) ¡Nooooo! (*Cierra los ojos, se tapa los oídos y queda con la boca abierta. Tía Emily-hombre estira el brazo con la pistola. De pronto, los dos se inmovilizan.*)

TÍA EMILY (*Recobra movimiento y se dirige al público.*) ¡Maldición! Intermedio. (*Pistola en mano regresa a* WILLIAMS, *que también recobró movimiento y trata de alcanzar el puñal.*) ¡Quieto! ¡Abre la boca!

WILLIAMS (*Vuelve a caer de rodillas.*): ¡Nooo!...

Y los dos vuelven a inmovilizarse a un mismo tiempo en las actitudes que tenían, Williams con la boca abierta y Tía Emily-hombre con el brazo estirado, a punto de disparar.

Williams y Tía Emily *inmóviles, tal como queda-*
ron. Recobran movimiento. Tía Emily da unos pa-
sos para mejor apuntar y Williams, *como disco que*
vuelve a empezar a girar bajo la aguja, arrastra
desde donde las había dejado las "oes" de su grito:

WILLIAMS: ...ooooo... (Tía Emily *aprieta el ga-*
tillo, pero la pistola se encasquilla. Vuelve a
probar. La pistola está atascada.)

TÍA EMILY (*Hombre.*): ¡Maldición! No sirve. (*La*
avienta. Williams, *todavía con la boca abierta,*
abre los ojos, se destapa los oídos, ve la pistola
en el suelo. Se pone en pie.)

WILLIAMS: ¡Volví a nacer!... No sirve... ¡La pistola no sirve! Uuuaaaaaaaaaa...

TÍA EMILY (*Hombre, recoge el puñal.*): ¡Pero aquí
está el puñal!

JONATHAN (*Entra, jugando con* Mildred; *pelean*
por un sobrecito.): No, no, no, de ninguna manera, no te lo doy.

MILDRED: Dámelo, Jonathan.

JONATHAN: Pues sí era cierto; de no verlo no lo
habría creído. Será mejor que lo guarde yo.
(*Se guarda el sobre.*)

MILDRED (*Enojada.*): ¡Ese cianuro es mío!

WILLIAMS: ¡Cianuro!

Tía Emily (*Hombre, puñal en mano.*): ¡Cianuro!

Jonathan: ¡Tía Emily! De modo que no está paralítica, digo, paralítico.

Mildred (*A Jonathan.*): Te lo dije.

Tía Emily (*Se vuelve ancianita, corre a sentarse en su silla de ruedas y hace berrinche.*): ¡Quelo cianuro, quelo cianuro, quelo cianuro!

Jonathan: Señor... Señora, ¿qué significa ese puñal?

Williams: ¡Es mío!

Mildred: Williams, ¡éste es un hogar inglés!

Williams (*En mayordomo.*): Sí, señora.

Jonathan: ¿De quién es el puñal?

Tía Emily (*Ancianita.*): ¡Mío, mío, mío, mío! (*Hombre y puñal en mano, a Williams.*) Peleamos y te gané. ¡Quítamelo si puedes! (*Ve que Jonathan la observa y se vuelve ancianita.*) Ji, ji, ji, ji, ji, ji, ji...

Williams: Está bien, quédate con el puñal. (*Aparte, al público.*) Uuuaaaaaaaaaa... Tengo otro.

Jonathan (*A Tía Emily.*): ¿Y para qué quiere un puñal (*Subraya.*), señora?

Tía Emily (*Apenada, como si se tratara de una prenda íntima.*): Es una prenda... personal, ji, ji, ji... Muy personal... (*De pronto se vuelve hombre, juega con el puñal, lo lanza al aire y lo pesca; finalmente se lo guarda con actitudes de matón.*)

Mildred (*A Jonathan.*): Te dije que era peligrosa.

Williams: Hace rato quiso matarme con... (*Muestra la pistola en el suelo.*) con esa pistola.

Tía Emily (*Se vuelve ancianita.*): Ji, ji, ji...

(Williams *va por la pistola pero* Tía Emily, *disimuladamente, le mete zancadilla y* Williams *cae de bruces. En seguida* Tía Emily *se vuelve hombre y se apresura en su silla de ruedas hacia la pistola.* Jonathan, *se interpone.*)

JONATHAN: ¿A dónde va?

TÍA EMILY (*Joto.*): ¡Ay, papi, me asustaste!

WILLIAMS (*Aprovecha para tomar la pistola.*): Uuuaaaaaaaaaa... ¡Esta vez te gané, tía Emily!

MILDRED: Williams, no sea irrespetuoso.

JONATHAN: ¿Y la pistola de quién es?

TÍA EMILY (*Ancianita.*): ¡Mía, mía, mía, mía!

WILILAMS: Sí, es de ella. Uuuaaaaaaaaaa... (*A* Tía Emily.) ¡Aquí la tienes! (*Se la da.*)

TÍA EMILY (*Joto.*): Mía, mía.

WILLIAMS (*A* Jonathan y Mildred.): Esa pistola no sirve.

TÍA EMILY: ¿No sirve? (*Dispara. Sobresalto general.*)

WILLIAMS (*Aterrado.*): ¡Sí sirve! ¡Pudo haberme matado!

MILDRED: La pistola es de tía Emily. La vi un día, no, una noche, en... en su cuarto.

JONATHAN: No lo dudo. (*A* Tía Emily.) ¿Y la pistola, para qué la quiere?

TÍA EMILY (*Se vuelve ancianita.*): Es para mi defensa, ji, ji, ji... Para mi defensa personal... (*Joto.*) Son mis cositas... (*Se guarda la pistola en el pecho.*)

JONATHAN (*Burlón.*): ¿Sus... cositas?

MILDRED: Jonathan, pensándolo bien, te regalo el cianuro.

435

JONATHAN: Gracias. No esperaba menos de ti.

WILLIAMS (*Enojado.*): ¡Cianuro! Aquí hay mucha competencia. (*Da media vuelta y se va; desaparece escaleras arriba.*)

TÍA EMILY (*Joto, hacia donde salió* Williams.): ¡Díscolo! (*Fuera de escena, portazo.*)

MILDRED: Desde que se cambió a mi recámara está insoportable.

JONATHAN: ¿Y si no me hubieras dado todo el cianuro? ¿Si tuvieras otro poquito?

MILDRED: Nada más un poquito.

JONATHAN: ¡Esto no tiene fin! Ya me tienen fastidiado con sus mentes criminales.

TÍA EMILY (*Hombre.*): ¿Mentes criminales? (*Joto.*) ¡Ay, qué horror!

JONATHAN: Yo vine aquí a otra cosa.

TÍA EMILY (*Joto.*): ¿A qué cosa, papacito, a qué cosa?

JONATHAN: Señora, no sea ridícula. Debe saber que cuando me propongo algo siempre lo logro. Y vine a esta casa con un objetivo que decidí hace tres noches y todavía no puedo realizar. Se han presentado circunstancias... han aparecido personas a las que no esperaba. Pero controlaré ahora mismo esta situación. Voy a eliminar a dos estorbos: el mayordomo y usted. Empiezo por usted: voy a encerrarla con llave en su cuarto.

TÍA EMILY (*Hombre.*): ¡Encerrarme! (*Se vuelve joto.*) Ay, ¿encerrarme? ¿Para qué?

JONATHAN: Para que no nos moleste.

MILDRED: Jonathan vino a hacer el amor conmigo.

Tía Emily (*Ancianita.*): ¡Ah, cómo no, cómo no!... (*Recapacita y se vuelve hombre.*) ¿Hacer el amor con Mildred? (*A* Jonathan.) ¡Órale, cuando quieras!

Jonathan: Ella y yo. ¡Solos! En estas cosas soy algo anticuado.

Tía Emily (*Joto.*): Tú te lo pierdes.

Jonathan: De modo que la encierro en su cuarto y va a estarse ahí, quietecito, quietecita, hasta mañana.

Tía Emily (*Joto.*): No tengo ganas de irme a mi cuarto. Me voy a aburrir.

Jonathan (*Irónico.*): Puede distraerse con Mike.

Tía Emily (*Joto.*): Lo tengo malito.

Jonathan: ¡Pues entonces haga lo que quiera, pero se mete a su cuarto y no la volvemos a ver! Le iremos a abrir mañana por la mañana.

Tía Emily (*Joto.*): ¿Y después?

Jonathan: ¡Después me largo y los dejo con sus puñales, pistolas y cianuros!

Tía Emily (*Ancianita.*): ¡Cianuro, quelo cianuro!

Jonathan (*Saca el sobre del bolsillo.*): Aquí está.

Tía Emily (*Hombre, se pone en pie.*): ¡Cianuro! (*Se corrige y se vuelve a sentar, ancianita.*) ¡Ay!, ji, ji, ji, ji, ji, ji, ji...

Jonathan (*Irónico.*): ¿También lo quiere para su "defensa personal"?

Tía Emily (*Ancianita.*): ¡Sí, sí, sí!

Mildred (*A* Jonathan.): Ese cianuro te lo regalé para ti. Los regalos no se regalan.

Jonathan (*Se guarda el sobre.*): El fin justifica los medios.

MILDRED: ¿Qué quiere decir eso?

JONATHAN: Que me encantan las frases hechas.

MILDRED: Bueno, puedes dárselo. De todos modos tengo más.

TÍA EMILY (*Hombre.*): ¿Y si no es cianuro? Necesito verlo.

JONATHAN: Caballero, podrá verlo si se deja encerrar y me da la llave.

TÍA EMILY (*Ancianita.*): ¡Quelo cianuro!

JONATHAN: Toma y daca. Primero la encierro y después se lo doy.

MILDRED (*A* Jonathan.): Los dos solos... Será una noche inolvidable.

JONATHAN (*Melodramático.*): ¡Una noche de amor desenfrenado!

TÍA EMILY (*Joto.*): Lástima que no estoy invitado.

MILDRED (*A* Jonathan.): Mientras la encierras, subiré a darme un baño.

JONATHAN: Termino con ésta y me deshago del mayordomo. (*A* Tía Emily.) Deme la llave.

TÍA EMILY (*Ancianita.*): ¿Qué llave?

JONATHAN: La de su cuarto.

TÍA EMILY (*Joto.*): Ay, ahorita te la doy, no seas impaciente.

JONATHAN: Vamos a su cuarto.

TÍA EMILY (*Joto.*): Cuando quieras, mi rorro.

JONATHAN: Déjese de tonterías; ¡vamos ya! (*Sale.*)

TÍA EMILY (*Hombre, silba para* Mildred.): Fi, fifi-fi... fififiu... / fififi... fififiu... Nos vemos mañana, pequeña.

MILDRED (*Sensual.*): Nos vemos.   .

TÍA EMILY (*Hombre.*): ¡Mamacita! (*Joto, hacia*

donde salió Jonathan.) ¿Jonathancito? ¡Espérame, mi rey!... (*Sale. Como en el primer acto*, Williams *baja la escalera con la mano tras de la espalda, ocultando algo.* Mildred *voltea y lo ve.*)

MILDRED: Otra vez espiando.

WILLIAMS: ¿No hay nadie?

MILDRED: Estoy yo.

WILLIAMS (*Aparte, muestra al público el puñal que ocultaba.*): Uuuaaaaaaaaaa... Éste es árabe... (*Se lo guarda, sin que* Mildred *lo vea.*) De modo que tu amigo se fue a encerrar a tía Emily.

MILDRED: Y cuando regrese se ocupará de ti. Jonathan y yo vamos a quedarnos solos.

WILLIAMS (*Feliz.*): ¡Entonces me das la noche libre!

MILDRED: Así es; no te necesito. Bueno, no te necesito hasta mañana.

WILLIAMS: ¡Parece un sueño! Toda una noche libre...

MILDRED: Hasta mañana, ¡temprano!

WILLIAMS: ¿Temprano? Pero amorcito, ya sabes que soy más bien vespertino. Temprano no puedo, digo no me viene la... inspiración. (*Aparte, al público.*) Tengo que darme prisa o es ella la que termina conmigo.

MILDRED: ¿Con quién hablas?

WILLIAMS: ¿Yo? Con nadie.

MILDRED: ¿Con nadie? Tanta televisión va a acabar por enfermarte. Bueno, subo a tomar un baño. (*Sensual.*) En tina... Pero no para ti. Para Jonathan.

WILLIAMS (*Falso.*): ¡Los celos me matan!... (*Co-*

mo en el primer acto, se vuelve Valentino; *la abraza y se inclina sobre ella.*) Uuuaaaaaaaaa... Esta noche estás increíblemente hermosa...

MILDRED (*Sorprendida.*): ¡James! Creía que ya estabas acabado. Quiero decir, que ya no... En fin, como hace rato parecías tan cansado.

WILLIAMS (*Conquistador.*): Ya no lo estoy. ¡Ven aquí!

MILDRED (*Feliz.*): Pero si estoy aquí. (*Se escucha el tango* y Williams-Valentino *empieza a bailar con ella. Después se inclina y la besa.* Mildred *está en el éxtasis.*) ¡Oooh... James!...

WILLIAMS: Azucarito... (*Aparte, al público.*) Y ahora, tal como lo tengo ensayado. (*Sin dejar de abrazar a* Mildred, *trata de sacar el puñal, pero no lo logra. Ella toma sus esfuerzos por movimientos eróticos.*)

MILDRED: ¡James, estás desconocido!

WILILAMS (*Logró sacar el puñal y, como en el primer acto, se dispone a clavárselo a* Mildred.): Muy hermosa... (*La apuñala.*) ¡Toma! (*Pero* Mildred *se aleja y el mayordomo, que tiró el golpe al aire, cae de bruces.*) ¡Ay, qué pasó, ¿dónde estás!

MILDRED: No, no puede ser; hoy ya me comprometí con Jonathan. (*Voltea y ve al mayordomo.*) Pero, ¿qué haces en el suelo?

WILLIAMS (*Apenas tuvo tiempo de esconder el puñal.*): ¿En el suelo? ¡Ah, pues sí, estoy en el suelo!... (*Se levanta.*) Estaba en el suelo.

MILDRED (*Severa.*): Cada vez más débil. Un solo abrazo y te caes.

WILLIAMS: Tendré que tomar vitaminas.

MILDRED: Eres un torpe, Williams.

WILLIAMS (*Macho.*): ¡Torpe! ¿Quieres decir, pendejo? (*La toma por un brazo y se lo tuerce con una llave de lucha libre.*)

MILDRED (*Fascinada.*): ¡Oh, James!... ¡Como en tus mejores tiempos!...

WILLIAMS (*Melodramático.*): ¡Bésame! (*La besa.*)

MILDRED: ¡Ah!... ¡Oh!... ¡James!... ¡Jamitos!... Me tienes... ¡desmayada! (*Se desmaya en brazos de él.*)

WILLIAMS (*Aparte, al público.*): ¿De veras se habrá desmayado? Tengo que darme prisa. (*Saca el puñal.*) Uuuaaaaaaaaaa... Sugar baby... (*Como en el primer acto, asesta a Mildred una puñalada por la espalda.*) ¡Toma! (*Pero Mildred revivió de pronto y se alejó a tiempo; el mayordomo por poco se clava el puñal en la barriga.*) ¡Ay, ay, ay, ay, ay, ay, ay!...

MILDRED (*Voltea a verlo.*): ¿Y ahora qué te pasa? ¿Qué haces con ese puñal?... ¡Oh, James, serías capaz!

WILLIAMS (*Gime.*): ¿De qué?

MILDRED (*Melodramática.*): ¡De matarte por mí!

WILLIAMS: ¿Matarme?... No, ni hablar, no se trata de eso.

MILDRED (*Severa.*): Entonces qué significa esa arma.

WILLIAMS: ¿Qué significa? Pues... nada, nada, no significa nada. Sencillamente iba a... ¡iba a cortar el pan! (*Enojado, clava el puñal sobre la mesa, en la que hay una carpeta.*)

MILDRED (*Severa.*): Cuál pan. Ya sabes que no compramos pan. Es malo para la silueta.

WILLIAMS (*Furioso.*): Está bien, ya que quieres saberlo, con ese puñal iba a...

MILDRED (*Interrumpe.*): ¡Williams, esa carpeta es etrusca! Si la rompiste vas a tener que coserla tú.

WILLIAMS (*Conteniéndose.*): ¡No se rompió!

MILDRED: Menos mal. Hasta mañana. (*Va hacia la escalera. Williams recupera el puñal y se precipita hacia Mildred. Jonathan entra y no lo ven.*)

WILLIAMS: ¡Mildred!

MILDRED (*Sin voltear, desaparece escaleras arriba.*): Dile a Jonathan que no tardo.

WILLIAMS: ¡Mildred! (*Furioso, puñal en alto, está ante Jonathan. Trata de disimular. Inicia tímida carcajadita, que le resulta femenina.*) Uuuaaa... (*De puntillas, como bailarina, da unos pasitos de ballet.*)

JONATHAN: ¡Ah, es usted bailarina! De modo que también el mayordomo resultó loca.

WILLIAMS (*Macho.*): ¡Yo soy muy hombre!

JONATHAN: ¿Y los pasitos de ballet?

WILLIAMS (*Melodramático.*): ¡Lady Macbeth! La escena del puñal.

JONATHAN: Oh, lee usted a Shakespeare.

WILLIAMS: ¡No! Veo la televisión. (*Se guarda el puñal.*)

JONATHAN: ¿No ha probado la radio?

WILLIAMS: Desde luego que no; no hay imagen. Uuuaaaaaaaaaa... Mayordomo, pero no pendejo.

JONATHAN: Se nota.

WILLIAMS (*Pendejo.*): No entiendo.

JONATHAN: Comprobado.

WILLIAMS: ¿Qué cosa?

JONATHAN: ¡Olvídelo! Así que... muy hombre. Pero de todos modos compartía las aficiones... exquisitas de su patrón Charles.

WILLIAMS: Más bien el jotito tenía que ver con tía Emily.

JONATHAN: Curiosa familia... Pero si la lesbiana también se vuelve gay. ¡Qué lío! La jotolesbiana y el jotito! ¿Cómo le hacían?

WILLIAMS: Quién sabe. Yo sólo me ocupaba de Charles de vez en cuando.

JONATHAN: ¿Muy de vez en cuando?

WILLIAMS: Siempre que se ponía histérico y se me hincaba. Ah, pero eso sí, le pedí aumento de sueldo. (*Lastimero.*) Lo malo fue que me lo dio... Bueno, de todos modos aquello era menos fatigoso que la ninfomaniaca.

JONATHAN: ¿Tía Emily?

WILLIAMS (*Gime.*): Mildred. ¡Ninfomaniaca insaciable!

JONATHAN: ¡No me diga!

WILLIAMS: Y la paralítica ahí se va. (*Gime.*) No me doy abasto...

JONATHAN: En fin, por esta noche no tendrá que preocuparse por tía Emily. Acabo de encerrarla en su cuarto; aquí tengo la llave. (*La muestra.*)

WILLIAMS: No creí que lo lograra.

JONATHAN: Según pude darme cuenta, tía Emily se quedó con un puñal. De modo, Williams, que el que usted tiene es otro.

WILLIAMS (*Orgulloso, muestra el puñal.*): Sí, es otro.

JONATHAN: Por lo visto esta casa es un verdadero arsenal.

WILLIAMS: Éste es árabe. Lo conseguí en la galería de Charles. Una verdadera pieza para coleccionistas.

JONATHAN: Buena arma para un crimen, ¿no es cierto, Williams?

WILLIAMS: Sí, muy buena arma. (*Puñal en alto.*) Uuuaaaaaaaaaa... Ahora mismo, yo podría... ¡atacarlo!

JONATHAN: ¿Atacarme? ¿Y por qué haría usted eso? Yo soy el único que comprende su problema.

WILLIAMS: ¡Lo comprende!

JONATHAN: Es más: estoy de su parte.

WILLIAMS: ¿Cómo es eso?

JONATHAN: Guarde el puñal y se lo explico. (*Williams guarda el puñal.*) Muy bien, Williams, es usted un buen muchacho.

WILLIAMS (*Macabro.*): Uuuaaaaaaaaaa...

JONATHAN: Pero supongamos que no fuera tan... inofensivo. Supongamos que fuera un asesino. Por lo menos, un asesino en potencia.

WILLIAMS (*Macho, puñal en mano.*): ¿Impotente? ¿Quién dice que soy impotente?

JONATHAN: Dije "en potencia". Dije que podría convertirse en asesino.

WILLIAMS: ¡Ah, vaya! (*Guarda el puñal. Pero recapacita.*) ¿Que puedo convertirme en asesino? (*Vuelve a sacar el puñal.*)

JONATHAN: Solamente era una suposición.

WILLIAMS: ¡Ah, vaya! (*Guarda el puñal.*) ¿Y por qué está de mi parte?

JONATHAN: Muy sencillo, Williams; porque lo necesito.

WILLIAMS (*Alarmado.*): ¿Me necesita? (*Gime.*) ¡También usted! ¡No me doy abasto!

JONATHAN: ¡No sea estúpido, Williams!

WILLIAMS (*Mano al puñal.*): ¿Estúpido?

JONATHAN: Quiero decir: sea todavía más inteligente. Mire, Williams, yo vine a esta casa para hacer el amor con Mildred.

WILLIAMS (*Suelta el puñal.*): ¡Ah, vaya! No tenga cuidado, no soy celoso.

JONATHAN: ¿No? Entonces estamos de acuerdo: nos va a dejar solos, a Mildred y a mí. Va a salir a la calle. Por ejemplo, puede ir a comprar el pan.

WILLIAMS (*Homosexual.*): ¿Que vaya por el pan? ¡No soy la criada! (*Se corrige y vuelve a ser hombre.*) Perdón, tanto andar con Charles... Dicen que eso se contagia. (*Homosexual.*) ¿Ir por el pan? (*Hombre.*): ¡Un mayordomo, hijo de mayordomos!... (*Lastimero.*) Me encanta el pan, pero ella dice que es malo para la silueta; en esta casa no comemos pan.

JONATHAN: Entonces no lo trae a casa. Alquila un cuarto en un hotel. Se sienta en la cama, con su bolsa de pan. Abre la bolsa y se lo come.

WILLIAMS: ¿Me como el pan? ¿Sentado en la cama de un cuarto de hotel?

JONATHAN: ¿Nunca lo ha intentado? Es una experiencia única, se lo aseguro.

WILLIAMS: ¿Y por qué iba a hacerlo? ¿Qué gano yo con eso?

JONATHAN: Recuerde que estoy de su parte: trato de ayudarlo.

WILLIAMS: ¿A mí?

JONATHAN: Supongamos que usted quiere matar a Mildred.

WILLIAMS: ¿Yo?

JONATHAN: Hace rato me pareció oírlo gritar: "¡Mildred! ¡Mildred!", puñal en mano.

WILLIAMS: Uuuaaaaaaaaaa... ¿Y para qué iba yo a matar a Mildred?

JONATHAN: Supongamos que además de su amante también es su heredero.

WILLIAMS: ¡Cómo lo sabe!

JONATHAN: Supongamos que quiere matar a Mildred para quedarse con la herencia y de paso no le vendría mal matar también a tía Emily, para evitar posibles acusaciones y quizás hasta para achacarle el crimen.

WILLIAMS: ¡Cómo lo sabe!

JONATHAN: Elemental, mi querido Williams, elemental.

WILLIAMS: Conoce mis planes. (*Melodramático, se derrumba en el canapé.*) ¡Estoy perdido!

JONATHAN: No es para tanto. Sólo se trata de un juego.

WILLIAMS: ¿Un juego?

JONATHAN: El juego de las suposiciones. Supongamos que usted quiere matar a Mildred y a tía

446

Emily. Pero, ¿y después? ¿A quién echarle la culpa? Si tía Emily mató a Mildred, ¿quién mató a tía Emily?

WILLIAMS: ¡Se suicidó! Uuuaaaaaaaaaa. . .

JONATHAN: Sería difícil probar que fue suicidio, ¿no cree?

WILLIAMS (*Abrumado.*): Sí, sería difícil.

JONATHAN: En cambio, supongamos que llegara a esta casa un desconocido. Un intruso.

WILLIAMS: ¿Un intruso?

JONATHAN: Yo, por ejemplo.

WILLIAMS: ¿Usted?

JONATHAN: El mayordomo ya tendría a quien echarle la culpa. Diría que a Mildred y a tía Emily las mató un ladrón. . . quizás un asaltante.

WILLIAMS: ¿Y el asaltante?

JONATHAN: Saldría huyendo.

WILLIAMS: ¿Y si la policía lo alcanzaba?

JONATHAN: ¡Jamás! Él nunca se dejaría atrapar.

WILLIAMS: Uuuaaaaaaaaaa. . . (*De pronto, serio.*) Mayordomo, pero no pendejo. ¿Qué se propone?

JONATHAN: Hacer el amor con Mildred. Sin que nadie me moleste.

WILLIAMS: No acabo de ver claro.

JONATHAN: Tiene que poner orden en sus ideas. Un paseíto le vendrá bien.

WILLIAMS (*Patadita de criada respondona.*): ¡No iré por el pan! (*Se corrige y se vuelve hombre.*) James, qué te sucede. (*Gime.*) ¡El agotamiento! ¡Es el agotamiento!

JONATHAN: Necesita aire fresco. Le daré dinero para el pan y para el hotel.

WILLIAMS: ¡Soy un mayordomo, hijo de mayordomos! (*Gigoló.*) No recibo dinero más que de la señora de la casa.

JONATHAN (*Guarda su billetera.*): Entonces no le doy nada. Pero se va.

WILLIAMS: ¿Y si de veras fuera usted un ladrón?

JONATHAN: No lo soy.

WILLIAMS (*Adivinando.*): ¡Asaltante!

JONATHAN: Frío, frío, frío. . .

WILLIAMS: Entonces, ¿qué es?

JONATHAN: Soy pianista.

WILLIAMS: Sí, ya lo oí tocar. . . ¿Y por qué quería fingirse ladrón?

JONATHAN: No quería fingirme nada. ¡Bueno, Williams, qué es esto! No voy a darle explicaciones al mayordomo. A la vieja jotolesbiana le propuse un trato. Ahora a usted le estoy proponiendo otro.

WILLIAMS: ¿Cuál?

JONATHAN: Se va a comprar el pan y después hablamos.

WILLIAMS (*Hombre.*): ¡No voy por el pan! (*Feliz.*) Ya se me quitó lo joto.

JONATHAN: Lo celebro. Si no se decide por el pan puede comprarse goma de mascar.

WILLIAMS (*Indignado.*): ¡No soy yanqui!

JONATHAN: Entonces no se compre nada. Se va al hotel, alquila un cuarto y regresa mañana por la mañana.

WILLIAMS (*Carcajadita irónica.*): Uuuaaaa. . . ¿Solamente necesita una noche?

JONATHAN: Ni Casanova aguantaba más de una noche sin vestirse y regresar a casa. Y ahora, Williams, la llave.

WILLIAMS: ¿Qué llave?

JONATHAN: La de la puerta de entrada. Cerraré cuando usted salga.

WILLIAMS: No acabo de ver claro... ¿Y el cianuro? ¿Todavía tiene el cianuro?

JONATHAN: Ya está comprometido con tía Emily, pero si se porta bien le daré un poquito. Y bien, Williams, la llave.

WILLIAMS: Está dentro de aquel jarrón.

JONATHAN (*Va hacia donde le indicaron.*): Más vale asegurarse.

WILLIAMS: Esto no me gusta... No entiendo nada...

JONATHAN (*Prueba la llave en la puerta.*): Sí, ésta es. (*Se la guarda.*) En fin, Williams, a usted entender las cosas suele resultarle más bien difícil, ¿no es cierto? Bueno, pues ya puede irse.

WILLIAMS: Imposible.

JONATHAN: ¿Por qué imposible?

WILLIAMS: No me gusta estar encerrado en un cuarto de hotel. (*Lastimero.*) Padezco claustrofobia.

JONATHAN: ¡No me diga!

WILLIAMS: Además, aquí falta algo. No acabo de ver claro...

JONATHAN: Está bien, se lo explicaré con más calma. Siéntese, Williams.

WILLIAMS (*Estaba sentado.*): Muchas gracias, señor.

JONATHAN: Vamos a ver: usted nunca se ha dis-

449

tinguido por ver claro; sus ideas son más bien confusas, ¿no es así?

WILLIAMS: Pues... sí, creo que así es... Ideas algo confusas...

JONATHAN (*En siquiatra.*): ¿Sentimientos de ambivalencia?

WILLIAMS: ¿Perdón?

JONATHAN: Le pregunto si en su mente surgen a veces las dudas, las contradicciones... En fin, se forma un caos.

WILLIAMS: ¿Un caos? Pues sí, creo que sí.

JONATHAN: Supongamos que usted fuera un loco peligroso.

WILLIAMS: ¿Yo? ¿Un loco?

JONATHAN: Su risa es más bien sospechosa, ¿no es cierto?

WILLIAMS: ¿Mi risa? (*Macabro.*) Uuuaaaaaaaa... Oh, no, señor, no tiene nada de sospechosa. Es la televisión, nada más.

JONATHAN (*Grave.*): Por ahí se empieza.

WILLIAMS: ¿La televisión vuelve loca a la gente?

JONATHAN: Peor aún. Los vuelve imbéciles.

WILLIAMS (*Imbécil.*): ¡Imbéciles!

JONATHAN: Supongamos que es usted un loco peligroso y como no le gusta estar encerrado en el hotel esta noche decide darse una vuelta por las calles de la ciudad. (*Melodramático.*) Las calles de Londres... ¡La bruma, que golpea el rostro! Se va a dar una vuelta por las calles llenas de bruma, con su puñal árabe, y de pronto, ¡zas!, la inspiración se le presenta.

WILLIAMS: ¿La inspiración?

JONATHAN: Los grandes asesinos siempre han actuado por inspiración, como los grandes artistas... ¡Jack el Destripador!... (*Melodramático.*) Ruido sordo de cuerpos que caen, que se desploman en la oscuridad.

WILLIAMS: ¿Cuerpos? ¿Cuáles?

JONATHAN: Los que usted quiera, Williams, los que usted quiera. Usted manda, ¿comprende?

WILLIAMS: Sí. Uuuaaaaaaaaaa... (*De pronto, serio.*) No, no comprendo. ¿Por qué mando yo?

JONATHAN: Va por esas calles, con el puñal, en la bruma... El destino de la gente es suyo. ¡El poder es suyo!

WILLIAMS: Me parece que Jack el Destripador ya murió.

JONATHAN: Claro que murió. Ahora usted puede ser su sucesor.

WILLIAMS: ¿Yo?

JONATHAN: Indiscutiblemente tiene aptitudes macabras.

WILLIAMS (*Macabro.*): Uuuaaaaaaaaaa... ¿Quiere decir, facultades? ¿Talento?

JONATHAN (*Grave.*): Genio, quizás.

WILLIAMS (*Feliz.*): ¡Genio!

JONATHAN: ¿Se imagina? ¡Williams el Destripador! La fama... La gloria... Su nombre a ocho columnas en los periódicos.

WILLIAMS: Pero después, la soga al cuello.

JONATHAN: Sólo para los que no tienen la inteligencia de usted.

WILLIAMS (*Tarugo.*): ¡Mi inteligencia! Uuuuaaaaaaaaaa...

JONATHAN: No necesita reír para probarme que es inteligente, Williams. No me cabe la menor duda de ello.

WILLIAMS: Gracias, señor.

JONATHAN: Bueno, Williams, ahora en serio: no le estoy sugiriendo que asesine a nadie. Solamente se pasea un rato por las calles de Londres y deja correr su imaginación. Lo cierto es que no hay bruma, pero puede imaginar que la hay.

WILLIAMS: Entonces, ¿no mato a nadie? (*Abrumado.*) ¡Otra vez no entiendo!

JONATHAN: Es muy fácil, Williams. Lo estoy invitando... ¡al misterio! (*Se convierte en locutor, con voz de corneta.*) ¡Distinguido auditorio: ante ustedes, el mundo del *suspense!* (*Deja de ser locutor.*) Conecte su mente Williams; ponga la televisión. Vea la historia. ¿Se da cuenta? Le estoy dando una categoría superior a la de ir a comprar el pan. Le estoy dando una categoría de personaje..., qué digo de personaje; una categoría de protagonista de una historia de horror. Imagine usted... un hombre alto.

WILLIAMS (*Se estira.*): ¿Yo?

JONATHAN: Alto y vestido de negro. (Williams *se exhibe.*) Pero no de negro como un mayordomo; de negro como un lord.

WILLIAMS (*Deslumbrado.*): ¡Como un lord!

JONATHAN: Imagine a este hombre distinguido (Williams *actúa cada adjetivo*), fuerte, bien parecido... (*Otra vez locutor.*) Nuestro personaje camina por las calles de Londres. (*Deja de ser locutor, en tanto que el mayordomo sigue actuan-*

do.) ¡Está alerta! Vigila... Inesperadamente, ¡voltea! No, nadie lo sigue... ¡De pronto, al doblar una esquina, una sombra! Él lleva la mano al puñal que trae escondido... (Williams *lleva la mano al puñal;* Jonathan *se vuelve* Monje Loco *y deja oír diabólica carcajada.*) Uuuaaaa-aaaaaa... Nadie sabe, nadie supo lo que hará... Nadie sabe qué encuentro inesperado le aguarda. ¡Pero pobre del ser humano, hombre o mujer, que se cruce en su camino!

WILLIAMS (*Se vuelve* Monje Loco *también.*): Uuu-aaaaaaaaaa...

JONATHAN (*Otra vez locutor, a la vez que* Williams *deja de ser* Monje Loco *y se convierte en espectador de televisión.*): ¿Apuñalará nuestro personaje a la bella Mildred? ¿Logrará convencerla sin violencia de que le deje todo el dinero? Vea usted el siguiente capítulo mañana, a la misma hora. (*Apaga la televisión.*)

WILLIAMS (*Contrariado.*): ¿Se terminó?

JONATHAN (*Implacable.*): Se terminó.

WILLIAMS: Creí que apenas estaba empezando... ¿Convencer a la bella Mildred? ¿Convencerla sin violencia?

JONATHAN: Claro, Williams, ¿no había pensado en esa posibilidad? El mayordomo no siempre tiene que ser el asesino. Puede haber muchos finales para la historia.

WILLIAMS: ¿Muchos finales? ¿Cuáles?

JONATHAN: Se va al hotel y otro día se los cuento.

WILLIAMS: Cuéntemelos ahora. (*Se sienta.*)

JONATHAN (*Hace acopio de paciencia.*): Está bien, Williams, ahora. Siéntese, Williams.

WILLIAMS: Gracias, señor.

JONATHAN: Supongamos pues que el mayordomo no tiene que matar a nadie porque Mildred decidió·dejarle todo su dinero en vida.

WILLIAMS: ¿Y por qué iba a decidir eso?

JONATHAN: Ella ya no necesita dinero. Supongamos que el intruso es muy rico.

WILLIAMS: ¿Sí?

JONATHAN: Supongamos que el intruso es. . . (*Presume.*) un jeque árabe. Muchos millones.

WILLIAMS: ¡Petróleo!

JONATHAN: Lo que usted quiera. Supongamos que el jeque se dispone a raptar a Mildred a caballo —eso más bien lo veo para cine, en grandioso tecnicolor—. Y antes de irse con el pirata —el intruso también puede ser un bravo pirata— la bella Mildred le deja al mayordomo todo su dinero porque ya no le hace falta: el pirata·tiene más.

WILLIAMS: Estaría muy bien, pero no es verosímil. Ya no hay piratas.

JONATHAN: Claro que los hay. Sólo que ahora se les llama ex políticos.

WILLIAMS: ¡Ah! (*Observando a* Jonathan, *que presume.*) De todos modos, el intruso no parece un ex político.

JONATHAN: No, ¿verdad? El traje se ve algo usado. . . Tiene razón, Williams. Habrá que pensar en otro final.

WILLIAMS: ¡Ya está! Tía Emily, que se cree la heredera, mata a Mildred. El mayordomo descubre a la asesina, lucha con ella y la vence. La denuncia a la policía. ¡Y se queda con todo!

JONATHAN: Claro que también puede resultar que tía Emily de veras sea la heredera porque el testamento de Mildred a favor del mayordomo es falso.

WILLIAMS (*Alarmado.*): ¿Cómo?

JONATHAN: Todo es posible en una historia de horror, ¿no es cierto?

WILLIAMS (*Enojado.*): Sí, todo es posible. A lo mejor tía Emily mata al intruso. Uuuaaaaaaa... ¡O lo mata el mayordomo!

JONATHAN: ¿Y por qué iban a matarlo? No tienen ningún motivo. No, Williams, no. La historia debe tener un final más lógico. Por ejemplo, Mildred mata a tía Emily.

WILLIAMS: ¡Mildred!... (*Para sí.*) Sí, podría ser... Ella estuvo en un asilo de locos.

JONATHAN: ¡No me diga!

WILLIAMS (*Se da cuenta de que habló en voz alta.*): Bueno, prometí no decirlo, pero ya lo dije.

JONATHAN: En fin, en esto de locos y cuerdos se lleva uno muchas sorpresas. En esta casa, por ejemplo, si empezamos a investigar... ¿Está loca Mildred? Y tía Emily, ¿está cuerda? El mayordomo: ¿cuerdo? No olvidemos que su risa es muy sospechosa.

WILLIAMS (*Preocupado.*): ¿Le parece?

JONATHAN: Yo, en su lugar, Williams, consultaría con un especialista.

WILLIAMS: Íbamos en Mildred. ¿Por qué quiere matar a tía Emily?

JONATHAN: Porque tía Emily la quiere matar a ella.

WILLIAMS: Y el mayordomo, ¿qué gana con eso?

JONATHAN: Se conforma con no perder. Porque también puede ocurrir que se descuide y Mildred lo mate a él.

WILLIAMS: ¡Que Mildred mate al mayordomo!

JONATHAN: ¿Por qué no? ¿Le sudan las manos, Williams?

WILLIAMS: No sé... ¿Por qué?

JONATHAN: No, nada más era una pregunta... Puede ocurrir que Mildred mate al mayordomo y huya con tía Emily.

WILLIAMS: No iba a preferirla al mayordomo.

JONATHAN: Quién sabe. Tía Emily es muy sexy.

WILLIAMS: Y aunque la prefiriera: por qué matar al mayordomo. Le bastaría con despedirlo.

JONATHAN: Ah, pero si lo mata se ahorra la gratificación. Además, supongamos que Mildred tenga cierta... predilección por matar gente. A lo mejor resulta una envenenadora y les da cianuro a los dos: a tía Emily y al mayordomo.

WILLIAMS: Quizás a los tres. Uuuaaaaaaaaaa... Quizás también le dé cianuro al intruso.

JONATHAN: No.

WILLIAMS: Por qué no.

JONATHAN: El cianuro hay que disolverlo en algo... Se invita a la víctima a tomar un trago, por ejemplo. Y el intruso es abstemio.

WILLIAMS: También el intruso puede envenenar a todos. El que tiene el cianuro es el intruso.

JONATHAN: Oh, pero el intruso no hereda nada de nadie. Además, con el intruso el mayordomo especialmente no corre ningún peligro.

WILLIAMS: ¿No? ¿Por qué?

JONATHAN: Quedamos en que habría que disolver el cianuro. El intruso tendría que ofrecerle un trago al mayordomo. ¿Toma usted whisky, Williams?

WILLIAMS: No, no, muchas gracias.

JONATHAN: Aunque lo tomara no correría peligro. El intruso es un caballero. Y un caballero nunca invitaría a un mayordomo a tomar un trago.

WILLIAMS: ¿Nunca?

JONATHAN: ¡Jamás, Williams, jamás! Usted que es mayordomo hijo de mayordomos debería saberlo.

WILLIAMS (*En mayordomo.*): Lo sé, señor.

JONATHAN (*Severo.*): Por cierto, Williams, en toda esta historia usted ha tenido una actitud muy sospechosa... Tan sospechosa como su risa... Una actitud de mal mayordomo.

WILLIAMS (*Alarmado.*): ¿Mal mayordomo, señor?

JONATHAN: Sin embargo, estoy dispuesto a pensar en un final feliz para usted.

WILLIAMS: Muchas gracias, señor.

JONATHAN: Vamos a ver... El mayordomo sale a la calle... Porque el secreto de todo está en que el mayordomo salga a la calle.

WILLIAMS (*Feliz.*): ¿Otra vez soy un asesino peligroso?

JONATHAN: No. Ahora es nada más un mayordomo.

WILLIAMS (*Defraudado.*): Muchas gracias, señor.

JONATHAN: Sale a la calle y no hay bruma. La visibilidad es perfecta. El mayordomo ve venir hacia él, corriendo, a un hombre con gabardina y sombrero, que trae en la mano un portafolios... Parece desesperado. Sin dejar de correr, avienta el portafolios frente a una puerta. Tras él vienen dos hombres más; no, tres hombres que lo persiguen. No ven el portafolios. Todos siguen corriendo. Desaparecen a la vuelta de la calle y jamás vuelven. El mayordomo recoge el portafolios, lo abre y se encuentra con que está lleno de billetes de banco. ¡Libras esterlinas! Para mejor contar los billetes, el mayordomo (*Subraya.*) *decide alquilar un cuarto de hotel* y allí puede darse cuenta cabal del tesoro que tiene en sus manos. Duerme feliz toda la noche y cuando regresa a casa, (*Subraya.*) *al día siguiente,* ya no es el mayordomo sino un multimillonario. Mildred cae a sus pies y promete guardar compostura y quitarse lo ninfomaniaca.

WILLIAMS: ¿Y la tía?

JONATHAN: La mandamos a un país tropical para que no estorbe.

WILLIAMS: ¿Por qué tropical?

JONATHAN: Las comunicaciones son lentas. Los trenes no salen a tiempo. Y si escribe, se perderán las cartas.

WILLIAMS (*Pensativo.*): Esto parece un final razonable... Lo malo es que el del portafolios puede no aparecer. Y entonces todo se viene abajo.

JONATHAN: En fin, siempre existe algún riesgo.

WILLIAMS: Creo que lo mejor fue la solución del principio: el mayordomo mata a Mildred y a tía Emily y le echa la culpa de los dos crímenes al intruso.

JONATHAN: ¡De ninguna manera! El intruso no permite que le echen la culpa. Cuando lo detiene la policía demuestra que el asesino es el mayordomo.

WILLIAMS (*Desesperado.*): Pero usted dijo que el intruso nunca se dejaría atrapar por la policía.

JONATHAN: No podemos asegurarlo. Scotland Yard es muy eficaz.

WILLIAMS (*A punto de llorar.*): ¿Entonces yo qué hago? ¡Cada vez entiendo menos!...

JONATHAN: La verdad, Williams, hay muchos finales más para la historia pero sería demasiado largo exponerlos todos. De modo que me los salto, pero como lo quiero ayudar le voy a explicar de plano la manera de resolver su problema. Ponga mucha atención.

WILLIAMS: Sí, señor.

JONATHAN: Lo único que tiene que hacer es decirle a Mildred que se une con ella contra tía Emily y a tía Emily que está de parte de ella contra Mildred y a las dos que está contra todo lo que una quiera y a favor de todo lo que quiera la otra de tal forma que tanto la una como la otra crean cada una precisamente lo que la otra no crea, es decir, estratégicamente se coloca usted contra la una sin que lo descubra la otra y contra la otra sin que lo descubra la una y cuando la otra le pregunte le dice que no está contra la otra sino contra la una, lo mismo que le dirá a la una que no está contra la una sino contra la otra. Ahora sí, ¿ya quedó claro?

WILLIAMS (*A quien la cabeza le dio vueltas, tratando de seguir la explicación, ahora llora.*): ¡No!... ¡No quedó claro!...

JONATHAN (*Empujándolo hacia la salida.*): Perfectamente, Williams. Quedamos entonces en que se va a la calle, a la bruma, al hotel, al prostíbulo, al orfanatorio, a donde le dé la gana, pero se va y no regresa hasta mañana. Vamos, Williams, ¡a la calle!

WILLIAMS: Sí, señor. Iré por mi abrigo.

JONATHAN: Ya hemos perdido demasiado tiempo. ¡Nada de abrigo! El frío es estimulante: aclara las ideas... Aunque hay casos perdidos en que ni con el frío... Bueno, Williams, qué espera. ¡Es una orden, Williams!

WILLIAMS: Sí, señor.

JONATHAN: ¡Buena suerte! (*Lo empuja a la calle y cierra con llave.*) ¡Creí que no se iría nunca!... (*Breve pausa. Da unos pasos.*) ¡Al fin solos, Margaret!... Margaret, ¿estás ahí?... (*La ubica y va hacia ella. Divertido.*) ¡Nuestra noche de bodas!... ¿Te gusta la habitación, Margaret? Una cama antigua, de caoba y con dosel. Un dosel blanco con dorado... Ahora los colores han cambiado: ¿te gusta, Margaret? He mandado instalar damascos rojos por todas partes. La cama parece un canapé, pero no hagas caso: es nuestra cama. Y para tu Polonesa tenemos el piano en la habitación de al lado... Margaret... (*La tiene cerca; extiende la mano hacia el rostro de ella.*) Una mano... que poco a poco se extiende y alcanza a tocar una mejilla... tu mejilla, Margaret..., ¿estás ahí? A veces te imagino y a veces nada más te veo... No me dejes solo todavía... Ven, Margaret, siéntate... (*La sienta en el canapé.*) Hazme un lugar a tu lado... (*Se instala, probablemente sentado en el suelo.*) Ya amanece, Margaret, ¿lo ves? Ya los objetos en la habitación, los muebles en la habitación van cobrando forma con la luz del día que llega... Margaret, tan blanca... (*Brusco, se aleja y ríe.*) Ahora que ya amaneció voy a decírtelo, Margaret: ese color blanco era ofensivo. Yo habría preferido cualquier otro color, cualquiera menos el blanco... Margaret, primero el vestido y después tu piel blanca y ahora bajo ella corren los gusanos... (*Ríe.*) Sí, los gusanos... No desentonan. Son gusanos blancos también, lechosos, ¿no es cierto, Margaret?, sígueme contando. De todos ésos que lo mismo que yo tu cuerpo con sus manos tocaron, Margaret, soy masoquista, sígueme contando... De veras no me importaría si no fuera porque tu piel transparente y blanca... (*Ríe; se dirige a un espectador.*) Doctor: si Margaret hubiera sido morena, no la habría matado. (*A Margaret.*) Tenías, Margaret, un pequeño cuello blanco...

un pequeño cuello de gallina desplumada... (*Ríe; después serio.*) No me río, Margaret, de veras que no me río. (*Ríe.*) Pero es que el vestido, y también los gusanos eran blancos, y después el pequeño cuello, la gallina... (*Ríe; después, serio, al espectador.*) Doctor, cerré mis manos sobre el pequeño cuello... No me río, doctor, de veras que no me río. (*Ríe.*) Pero es que la gallina, es que el vestido blanco, es que... (*Se interrumpe, enojado.*) Bueno, doctor, ¿y usted con qué derecho está aquí? ¿Por qué irrumpe en mi vida? ¿Por qué me interroga?... ¿Sólo quiere ayudarme? Entonces no moleste, doctor, no pregunte; no me deja pensar. Yo trato de pensar, ¿comprende? Inicio el viaje hacia dentro de mí mismo y usted a cada rato interrumpe con sus necias preguntas, doctor, preguntas tontas de burgués mediocre, doctor, usted interrumpe a cada rato... (*A otro espectador.*) ¿Que cómo empezó todo? Está bien, doctor, está bien: por enésima vez voy a explicárselo. Primero que nada —tome usted nota, doctor, y subraye: primero que nada— los conocimientos de mi mujer en música eran más bien elementales. Naturalmente yo habría preferido cierta cultura, cierta sensibilidad, cierto estilo... Pero no. Elementales... En realidad lo de la boda, doctor, ella lo organizó solita. Apenas nos conocíamos, pero ella organizó que nos casáramos. Y yo tenía problemas conmigo mismo, doctor, muchos problemas, usted lo sabe. De modo que la dejé que enviara esas tarjetitas: unos cartoncitos blancos muy monos, con florecitas blancas... Sí, ya sé, doctor, ya sé: "irresponsable"; me casé en una forma "irresponsable". Pero tampoco por eso va a llamarme loco; no puede encerrar a todos los que se casan de manera irresponsable, doctor no puede... Bueno, pues de pronto llegaron los invitados a casa y hasta hubo pastel. (*Ríe.*) Un pastel blanco... Y cuando se fueron, ella me pidió que tocara el piano y se le ocurrió La Polonesa heroica. —Probablemente, doctor, no se sabía otra cosa—. De modo que toqué para Margaret, en la habitación de al lado. Y cuando regresé ahí estaba, todavía con el vestido blanco... Un blanco grotesco, doctor, un blanco de farsa... Ella me había dicho que tocara mientras se cambiaba, pero regresé y no se había cambiado y pensé que todo iría mejor cuando le quitara el vestido; pensé que el vestido era lo único antiestéticamente blanco. Pero debajo del vestido había encajes blancos también y debajo de los encajes la piel era blanca y bajo la piel, ¿de qué color cree que eran los gusanos, doctor? (*Ríe.*) ¡También eran blancos!... Y cuando se lo dije a ella se enojó y gritó (*A Margaret.*) —perdóname, Margaret, pero gritaste y tu voz era desagradablemente aguda, Margaret, una voz discordante—; (*Al mismo espectador*) doctor, ella gritó: "Ya sabía que no ibas a poder soportarlo, anda, dilo de una vez, dime que ahora que sabes que me acosté con todos ellos no vas a poder soportarlo. Te lo conté porque pensé que eras civilizado." (*Ríe.*) Confundía la civilización con el orgasmo. (*A otro espectador.*) De acuerdo, doctor, de acuerdo: fueron celos. A usted le gusta la palabrita porque es el título de un tango. Pero además de celos —haga un pequeño esfuerzo mental, doctor, si es que puede—, además de celos, doctor, ella era vulgar. Y en ella era especialmente antiestético ese color blanco. No me quedó más remedio: tuve que darle de bofetadas... Insisto en que fue un asunto de estética. Y también de conflicto —ya que a usted le encantan los "conflictos", doctor—; conflicto entre vulgaridad y belleza. Una cuestión de tonos, entre el ideal romántico y lo burdo de la farsa. (*Ríe.*) Hasta que todo quedó en melodrama... Mientras tanto ella reía con desarmonía, doctor, reía a destiempo. Y la voz aguda repetía: "Ya sabía que no ibas a poder soportarlo"... Después se calló. Pero callada seguía siendo vulgar; dormida seguía siendo vulgar. (*A otro espectador.*) Doctor, yo no iba a dejarla con vida así nada más para que al día siguiente, con el nuevo amanecer, todo recomenzara. ¡Para que los gusanos desbordaran la cama, invadieran el cuarto, y para que en todas partes se instalara ese color blanco!... (*Divertido.*) En cambio, con ella muerta, para los gusanos fue el principio del fin: ya sólo les quedaba entredevorarse... (*Ríe, después, serio.*) Con ella muerta, doctor, en la habitación había otra vez armonía... (*A Margaret.*) La muerte, Margaret, unifica sonidos y empareja colores. La muerte, por fin es auténtica... (*Al mismo espec-*

tador.) Ella quedó, desnuda y blanca, atravesada sobre la cama. Pero viéndola, ya pude pensar en otros colores, no nada más el blanco. Doctor, me instalé en el lugar común. Pensé en Susana y los viejos. Pensé en Rembrandt y en Tintoretto y casi todos los colores eran dorados y ocres, con algún tono de rojo y bastante negro. Pero en seguida me sentí como convencional, me molestó ser tan "clásico" y mejor me dediqué a pensar en Marcel Duchamp y su "Desnudo bajando una escalera" y a partir de ese nivel como que el sentido del humor se impuso y ante el humor los colores perdieron importancia, ¿se da cuenta?, dejaron de ser problema... (*A otro espectador.*) Vamos, doctor, ¿por qué pone esa cara? Le estoy hablando de arte a nivel elemental, doctor, a nivel asequible para su cultura; le estoy dando ejemplos de enciclopedias que se venden en los supermercados. (*Al primer espectador.*) Doctor, en serio, ¿cree usted que había que hacer tanto escándalo por una pequeña gallina desplumada?... (*Melodramático.*) "Pianista que mata a su mujer después de una noche de amor desenfrenado." A los periódicos les encanta el melodrama. Y ahora, doctor, a mí también me fascina. Hay un cierto melodrama, doctor, que es mi obsesión ahora. Lo mismo que La Polonesa heroica. Doctor, La Polonesa yo no la incluía en mis conciertos pero ahora no puedo dejar de oírla. La escucho todo el día, doctor, me persigue. Por ejemplo, es lo único que podría tocar si por aquí hubiera un piano. Doc-

tor, La Polonesa, necesito volver a tocarla. Para
que todo recomience, doctor, ¿comprende?, para que Margaret y yo, en nuestra noche de bodas... (*Se interrumpe.*) Doctor, ¿qué en su
cochino sanatorio no hay un maldito piano? (*Al
público.*) Señores del jurado... Señores del jurado, el médico me tiene mala voluntad. Me
esconde los pianos. Me contradice. Me odia. Y
cada vez que se lo digo, me acusa de paranoia.
Señores del jurado, voy a explicarles. Señores del
jurado. (*Vanidoso.*) ¡yo era concertista! Yo en-
traba al escenario y la gente se ponía en pie.
¡Bravo!, gritaban. ¡Bravo!, aplaudían. Y yo hacía
una ligera inclinación con la cabeza... ni siquiera con el cuerpo; solamente inclinaba un poco
la cabeza, una imperceptible sonrisa, un saludo
solamente insinuado... Después, todos guarda-
ban silencio. Y yo me acercaba al piano. Y tocaba... Tocaba a veces tranquila, a veces desesperadamente; tocaba hasta que todos de mi vista
desaparecían; tocaba hasta enajenarme... hasta
que aquella noche, cuando le quité los encajes
blancos, me encontré con unas vísceras que cru-
jían y una risa que desafinaba... (*Ríe. Después,
serio.*) Locos o cuerdos... de todos modos, nunca tener nadie a quien contarle; nunca esperar
que nadie comprenda... Al principio sí, al principio ahí estaba Dios. Pero después cambié a
Dios por el arte y al arte por el asesinato...
Loco, dicen, y te encierran. Y del mundo dejas
de formar parte. Corredores demasiado largos.
Cuartos demasiado limpios. Paredes de un azul

gélido. El del número tres llora, pero se le oye apenas... Señores del jurado, ustedes sí me comprenden... (*A otro espectador.*) Pero no, ahí está el doctor, no los deja comprenderme. ¿Qué fue lo que les dijo, doctor? A ver, ¿qué fue lo que les dijo? "¿Disociación específica de las funciones síquicas?" "¿Trastornos por desarmonía de tendencias?" "¿Juicio egocéntrico?" "¿Esquizofrenia?" "¿Divorcio de la realidad?" "¿Disociación entre impresiones sensoriales y sus reacciones?"... Doctor, qué se me hace que usted no anda bien de la cabeza... Tranquilo, doctor, tranquilo. Le aseguro que sus obsesiones no son tan graves. ¿Cuándo me platica sus problemas? Los analizamos en consulta externa y si se pone necio y no entiende desde ahorita vamos apartando cuarto para que lo internen. Para evitarle sorpresas desagradables, doctor, debo advertirle: no es lo mismo ser el médico que ser el paciente. La lucha es dispareja, doctor, no es justo; a ver, quítese esa bata y después hablamos. ¡No sea egocéntrico! (*Divertido, a un espectador a quien ya se dirigió anteriormente.*) Doctor, definitivamente usted es tan elemental como mi mujer. ¿Se da cuenta?: podía haber sido usted el estrangulado... Sí, sí se da cuenta. ¿Por eso se vengó de mí, doctor? ¿Por eso me volvió abstemio? ¿Por eso me pusieron aquellas inyecciones que cuando tomaba alcohol me hacían vomitar? Se hubiera ahorrado la molestia, doctor: sin necesidad de inyecciones, cuando lo veo a usted, vomito... (*A otro espectador a quien ya se dirigió.*) ¡Ah, pero mi mayor satisfacción, doctor, es saber que cuando era usted niño le quitaron las amígdalas! ¿Gritó muy fuerte, siquiatra? ¿Igual que gritaba cuando le salté encima y le mordí la mano? ¿Le dolió mucho, doctor? ¡Qué escándalo hizo! No dejó de gritar hasta que me encerraron en aquella celda, incomunicado. Pero me fingí tranquilo... pacífico, hasta que volvieron a olvidarse de mí. Y logré escapar, doctor, ya lo ve; escapé de su limpio sanatorio y hasta me traje la billetera del enfermero de guardia... Escapé en sus narices, doctor... (*A* Margaret.) Escapé, Margaret, y llegué a esta casa... Margaret, ¿todavía estás ahí? Qué bueno que no te has ido; no te había olvidado... Nunca creí volverte a ver, Margaret, y de pronto, cuando menos lo esperaba, apareciste frente a esa ventana... Margaret, ya llegué. La realidad del hospital era la de ellos; la mía, me la habían quitado. Pero he vuelto a encontrarla... He vuelto a encontrarte, Margaret... Una mano que se extiende hasta tocar una mejilla... Todo vuelve a la normalidad ahora. Todo vuelve a empezar, ahora que ya todo ha terminado... De acuerdo, Margaret, mientras te desvistes tocaré para ti; el piano está en la habitación de al lado... Obviamente, Margaret, La Polonesa; qué otra cosa podría ser... Todo recomienza, Margaret; tocaré para ti... (*Lento, empieza con el tema de la "heroica".*) ¿Oyes, Margaret? Toco ahora lento, suave, hasta que las notas se desvanecen... ¿Oyes el piano? Toco para ti ahora,

Margaret... (*Ve a* Mildred, *que entró; está desnuda bajo una bata de seda blanca.*) Mildred, toco ahora para ti... (*Poco a poco, deja de tocar.*)

MILDRED: Me gusta oírte tocar.

JONATHAN: Mi color preferido es el blanco.

MILDRED: Me puse esta bata para ti.

JONATHAN: Estoy plenamente consciente de la realidad. Esta noche no hay en mí ninguna "desarmonía de tendencias". Sé lo que quiero hacer. Tía Emily está encerrada en su cuarto y Williams salió: no regresa hasta mañana. Mildred, tenemos tiempo.

MILDRED (*Sensual.*): Todo el tiempo que tú quieras.

JONATHAN: Aquí, Mildred, aquí estás bien: no te muevas. Quédate aquí, frente a la ventana. (*La deja colocada.*) Ahora yo me alejo, retrocedo... (*Lo hace.*) Ahora estoy en la calle, frente a la ventana. Miro hacia ti ahora... Miro hacia ti desde la calle oscura y destaca tu cuerpo iluminado, vestido de blanco, frente a la ventana... Empiezas a desnudarte para mí... Fue así durante las demás noches, ¿no es cierto, Mildred?

MILDRED: Sí, así fue. (*Se abre la bata y la deja caer al suelo. Él se acerca; va a abrazarla. Pero ve que ella se le ofrece. Brusco, Jonathan se aleja.*)

JONATHAN: No, no fue así. Al final Margaret ya no quería hacer el amor.

MILDRED (*Despreocupada, poniéndose la bata.*): ¿No quería? ¡Oh!, conmigo no hay problema. (*Va al canapé y aguarda, provocativa.*)

JONATHAN: ¿Pero es que no comprendes? Margaret tenía miedo. (*La avienta.*)

MILDRED (*Quedó torcida sobre el canapé.*): Yo solamente estoy un poco incómoda.

JONATHAN: Un pequeño cuello blanco...

MILDRED: El canapé se me está clavando en la espalda.

JONATHAN (*Cierra las manos sobre el cuello de ella.*): Un pequeño cuello de gallina desplumada. (*Ríe.*)

MILDRED (*Apenas puede hablar.*): Mejor vamos a la cama...

JONATHAN (*Ríe.*): Vamos a la cama... (*Aprieta, furioso, y la estrangula.*) ¡Vamos a la cama! ¡Vamos a la cama! ¡Vamos a la cama!... (*La avienta. Ríe y se dirige al público.*) Señores del jurado: sus últimas palabras fueron "vamos a la cama". (*Ríe. Se interrumpe al oír un ruido; voltea.*) ¿Eh? ¿Quién es? ¿No pueden dejarme en paz?

TÍA EMILY (*Entrando, ancianita, en su silla de ruedas, con* Mike *que maúlla lastimeramente.*) Mew... mew... mew...

JONATHAN: ¡Cállate!

TÍA EMILY (*Ancianita, mostrando una enorme llave.*): Ji, ji... tenía otra llavecita... Mike sigue enfermito... (*Lo acaricia.*) Mew... mew... mew...

JONATHAN (*Al gato.*): Te dije que te callaras. (*Se apodera de* Mike *y le tuerce el pescuezo.*)

TÍA EMILY (*Joto.*): ¡Mew, mew, mew, mew, mew!

JONATHAN: ¡Muérete!

TÍA EMILY: ¡Meeeeeewww...! (*Mike muere. Jonathan le arranca la cabeza y tiene ahora en las manos los dos pedazos por separado. Los avienta al suelo. Tía Emily se vuelve ancianita y ve alternativamente los pedazos.*) ¡Mike!... ¡Michelle!... (*Como "La Llorona".*) ¡Ay mis hijoooos!... (*Ve a Mildred y se vuelve hombre.*) ¿Se desmayó?

JONATHAN: ¡Está muerta! (*Vanidoso.*) La estrangulé.

TÍA EMILY (*Hombre, salta de la silla.*): ¡Mildred muerta! ¡Heredo todo! ¡Soy rico! (*Joto, brinca de gusto.*) ¡Soy rica! ¡Rica! ¡Rica!

JONATHAN (*Enojado.*): ¡Basta!

TÍA EMILY (*Hombre, levantándose las enaguas para brincar.*) ¡Heredo todo! ¡Soy rico! ¡Soy rico! (*Con los saltos, el puñal que Tía Emily traía entre sus ropas cae al suelo. Jonathan lo recoge. Está ante ella, amenazador. Tía Emily se vuelve ancianita.*) Ji, ji... No se ponga nervioso... Diremos que fue el mayordomo... (*Joto, brinca de gusto.*) ¡Rica! ¡Rica ¡Rica!

JONATHAN: ¡Es antiestético! (*Se abalanza sobre ella y le clava el puñal. Tía Emily cae al suelo.*)

TÍA EMILY (*Hombre.*): Estoy muerto. (*Joto.*) ¡Muerta! (*Tiene todavía una seña obscena para Jonathan y muere. Jonathan se acerca y de entre las ropas de Tía Emily toma la pistola. La maneja como gángster, la hace girar sobre un dedo, la revisa, sopla en el cañón... Parece divertido, pero frente a él está Williams, que acaba de entrar.*)

JONATHAN (*Enojado.*): ¡Qué significa esto, Williams! ¿Qué hace aquí?

WILLIAMS: Decía usted bien, el frío aclara las ideas. Así que decidí volver. Y como tenía otra llave... (*Se interrumpe al ver los cadáveres.*) ¡Oh, perdón! ¿Interrumpo?

JONATHAN (*Vanidoso.*): No, no interrumpe. Había terminado. (*Se guarda la pistola.*)

WILLIAMS: ¡Las mató a las dos!

JONATHAN: A las dos.

WILLIAMS: ¡Hizo todo el trabajo por mí!

JONATHAN: Se equivoca; no lo hice por usted.

WILLIAMS (*Feliz.*): No se preocupe; declararé a su favor.

JONATHAN: ¿En serio haría usted eso? Buen muchacho, Williams.

WILLIAMS: Le darán pocos años. Diré que está loco.

JONATHAN (*Súbitamente furioso.*): ¿Loco? ¿Dirá que estoy loco? (*Saca la pistola y a boca de jarro dispara al mayordomo, que cae al suelo. Por última vez deja oír su carcajada, que va agotándose.*)

WILLIAMS: Uuuaaaa... a... a... a... a... ¡a! (*Muere.*)

JONATHAN (*Enojado.*): ¡Loco! No vamos a volver a empezar con eso. (*Avienta la pistola y va por su abrigo. Regresa y se lo pone, todavía enojado. Pero a su mente llega La Polonesa, que se oye en una grabación. La escucha, le ·gusta, la disfruta... empieza a tararear el tema, a la vez que lo toca en un teclado imaginario.*) Tan, tarán, tararararararán, tararararararantantantantán, tan-tantantán... Tan, tarán... (*Se ha puesto de buen humor; deja de tocar, pero la grabación permanece. Ve los dos pedazos de Mike; divertido, los recoge, vuelve a ensartar la cabeza en el tronco y planta al gato en la silla de ruedas con fuerte sentón del que Mike —por boca de Jonathan— se queja.*) ¡Meeew!... (*Retrocede observando a Mike y riendo; tropieza con Williams.*) ¡Otra vez el mayordomo! (*Pasa por encima de él.*) Siempre estorbando. (*Está ante Tía Emily.*) Antiestético. (*Le estira las enaguas, tapándole las piernas. Descubre la pistola en el suelo; la recoge y se la da a Mike, que queda apuntando. Todavía se divierte un rato viendo a Mike y después va hacia la puerta. Pero regresa, serio, y da unos pasos hacia Mildred. Ríe.*) La putita vestida de blanco... (*Despreocupado, al público.*) Señores del jurado, he vuelto a matarla. Señores del jurado, los conocimientos de mi mujer en música eran más bien elementales. Señores del jurado, un pequeño cuello de gallina desplumada...

Ríe y tarareando La Polonesa, que se sigue oyendo en la grabación, se abrocha el abrigo; abre la puerta, sale y cierra. Como quien regresa a casa después que terminó su jornada de trabajo, viene ahora por la calle, canturreando La Polonesa. Se detiene: hace frío. Se frota las manos para calentárselas. De una bolsa del abrigo saca la bufanda y se la pone. Ante algún recuerdo que le viene en mente, vuelve a reír. Después, serio:

JONATHAN: Tengo hambre.

Y otra vez canturreando se aleja; al final de la calle, dejamos de verlo. Todavía durante unos segundos los cadáveres en escena. Y La Polonesa se desvanece.

O S C U R O

BIBLIOGRAFÍA

(Preparada por María Elena Reuben, investigadora de Hofstra University, Long Insland, Nueva York.)

OBRAS DE MARUXA VILALTA

TEATRO

Cinco obras de teatro. México, Secretaría de Educación Pública, Cuadernos de Lectura Popular, núm. 285, 1970. Incluye: *Un país feliz, Soliloquio del Tiempo, Un día loco, La última letra* y *El 9*.

Cuestión de narices. En *Teatro*. México, Fondo de Cultura Económica, Colección Tezontle, 1972; Colección Popular, núm. 206, 1981.

————. En *Teatro selecto hispanoamericano contemporáneo*. Selección, prólogo y notas de Orlando Rodríguez-Sardiñas y Carlos Miguel Suárez-Radillo. Madrid, Escelicer, 1971.

————. En *Teatro mexicano del siglo XX*. Selección, prólogo y notas de Antonio Magaña-Esquivel. México, Fondo de Cultura Económica, 1970.

————. México, UNAM. Textos del Teatro de la Universidad de México, núm. 18, 1967.

A *mattter of noses*. Trad. Lisa Routman, Drake University, Des Moines, Iowa, 1978.

A *question of noses*. Trad. Joan R. Green, Rice University, Houston, Texas, 1974.

Qüestió de Nassos. Trad. Josep María Poblet. Barcelona, Editorial Portic, Colección "Libre de Butxaca", 1973.

Dos obras de teatro. Prólogo de Carlos Solórzano, bibliografía preparada por María Elena Reuben. México, Difusión Cultural UNAM, Textos de Teatro 17, 1984. Contiene: *Una mujer, dos hombres y un balazo* y *Pequeña historia de horror (y de amor desenfrenado)*.

El 9. Revista *Letra*, México, septiembre de 1976.

—————. En *Teatro*. México, Fondo de Cultura Económica, Colección Tezontle, 1972; Colección Popular, núm. 206, 1981.

—————. En *Cinco obras de teatro*. México, Secretaría de Educación Pública, Cuadernos de Lectura Popular, núm. 285, 1970.

—————. México, Ecuador, 0° 0' 0", 1966.

Il 9. Trad. Anna Scriboni. En *Teatro latino americano, 10 atti unici di 8 autori d'avanguardia*. Roma, Instituto Italo-Latinoamericano, 1974.

Le 9. Trad. André Camp. Revista *L'Avant-Scène*, París, núm. 737, 1º de noviembre de 1983.

Number 9. Trad. Keith Leonard y Mario T. Soria. En *The Best Short Plays 1973*. Selección, introducción y notas de Stanley Richards. Radnor, Pennsylvania, Chilton Book Company, 1973.

Esta noche juntos, amándonos tanto. En *Teatro de la Vanguardia*. Prólogo, selección y notas de Myrna Casas. Massachusetts, D. C. Heath and Company, 1975.

—————. En *Teatro mexicano de 1970*. Selección y notas de Antonio Magaña-Esquivel. México, Aguilar, 1973.

—————. En *Teatro*. México, Fondo de Cultura Económica, Colección Tezontle, 1972; Colección Popular núm. 206, 1981.

—————. Prólogo de Miguel Álvarez Acosta. México, Organismo de Promoción Internacional de Cultura (OPIC), 1970.

Como dos palomos, como dos tórtolos. Trad. y prólogo de Jan y Jana Makarius. Praga, agencia teatral y literaria Dilia, 1971.

Together tonight, loving each other so much. Trad. Willis Knapp Jones. *Modern International Drama*, State

University of New York at Binghamton, vol. 6, núm. 2, primavera de 1973.

Historia de él. México, Difusión Cultural UNAM, Textos de Teatro 12, 1979.

    The story of him. Trad. Edward Huberman. *Modern International Drama,* State University of New York at Binghamton, vol. 14, núm. 2, otoño de 1980.

La última letra. En *Teatro.* México, Fondo de Cultura Económica, Colección Tezontle, 1972; Colección Popular, núm. 206, 1981.

————. En *Cinco obras de teatro.* México, Secretaría de Educación Pública, Cuadernos de Lectura Popular, núm. 285, 1970.

————. En *Trío.* Colección Teatro Mexicano, 1965.

————. México, Colección Panoramas, Bartolomé Costa-Amic, editor, 1960.

    Le dernier signe. Trad. Mireille Pezzani. *Revista L'Avant-Scène,* París, julio de 1964.

    The last letter. Trad. Robert L. Bancroft, University of Massachusetts, Amherst, Mass., 1972.

Los desorientados. En *Teatro.* México, Fondo de Cultura Económica, Colección Tezontle, 1972; Colección Popular, núm. 296, 1981.

————. México, Ecuador 0° 0' 0", 1966.

————. México, Libro-Mex., 1960.

————. México, Colección Teatro Mexicano, 1959.

Teatro. México, Fondo de Cultura Económica, Colección Tezontle, 1972; Colección Popular, núm. 206, 1981. Contiene: *Los desorientados, Un país feliz, Soliloquio del Tiempo, Un día loco, La última letra, El 9, Cuestión de narices, Esta noche juntos, amándonos tanto.*

Nada como el piso 16. México, Joaquín Mortiz, Colección El Volador, 1977. Primera reimpresión, México, Grupo Editorial Planeta, 1984.

    Nothing like the sixteenth floor. Trad. Edward Huberman. *Modern International Drama.* State University of New York at Binghamton, vol. 12, núm. I, otoño de 1978.

Nothing like the sixteenth floor. Trad. Keith Leonard (Simpson College, Indianola, Iowa), y Mario T. Soria (Drake University, Des Moines, Iowa), 1977.

16ème. étage à Manhattan. Trad. André Camp, París, 1978.

Pequeña historia de horror (y de amor desenfrenado). En *Dos obras de teatro.* Prol. de Carlos Solórzano. México, Difusión Cultural UNAM, Textos de Teatro/17, 1984.

———. México, Universidad Autónoma Metropolitana, Unidad Xochimilco, Colección de Teatro Mexicano, núm. 4, 1986.

A little tale of horror (and unbrided love). Trad. Kirsten F. Nigro. *Modern International Drama,* State University of New York at Binghamton, vol. 19, núm. 2, primavera de 1986.

Primera, Segunda y Tercera Antología de obras en un acto. Selección de M. V. México, Colección Teatro Mexicano, 1959, 1960 y 1960.

Soliloquio del Tiempo. En *Teatro.* México, Fondo de Cultura Económica, Colección Tezontle, 1972; Colección Popular, núm. 206, 1981.

———. Revista *Espiral,* Bogotá, 1971.

———. En *Cinco obras de teatro.* México, Secretaría de Educación Pública, Cuadernos de Lectura Popular núm. 285, 1970.

———. En *Trío.* México, Colección Teatro Mexicano, 1965.

———. México, Ediciones Ecuador, 0° 0' 0", 1964.

Soliloqui del Temps. Trad. Vicens Riera Llorca. Revista *Xaloc,* núm. 24, México, 15 de junio de 1968.

Time's Soliloquy. Trad. Edward Huberman. *Latin American Literary Review,* Carnegie Mellon University, Pittsburgh, Pennsylvania, vol. I, núm. 2, primavera de 1973.

Trío. México, Colección Teatro Mexicano, 1965. Contiene: *Soliloquio del Tiempo, Un día loco, La última letra.*

Un día loco. En *Teatro.* México, Fondo de Cultura Económica, Colección Tezontle, 1972; Colección Popular núm. 206, 1981.

————. En *Cinco obras de teatro*. México, Secretaría de Educación Pública, Cuadernos de Lectura Popular, núm. 285, 1970.

————. En *Trío*. Colección Teatro Mexicano, 1965.

A mad day. Trad. Edward Huberman. *Latin American Literary Review*, Carnegie Mellon University, Pittsburg, Pennsylvania, vol. I, núm. 2, 1973.

Un jour de folie. Trad. Jean Camp. Revista *L'Avant-Scène*, París, núm. 423, 1º de abril de 1969.

Un país feliz. En Téatro. México, Fondo de Cultura Económica, Colección Tezontle, 1972; Colección Popular, núm. 206, 1981.

————. En *Cinco obras de teatro*. México, Secretaría de Educación Pública, Cuadernos de Lectura Popular, núm. 285, 1970.

————. En *Teatro mexicano de 1964*. Selección y notas de Antonio Magaña-Esquivel. México, Aguilar 1967.

————. México, Ecuador, 0° 0' 0", 1965.

A happy country. Trad. Edward Huberman. *Latin American Literary Review*, Carnegie Mellon University, Pittsburgh, Pennsylvania, vol. III, núm. 6, primavera-verano de 1975.

Una mujer, dos hombres y un balazo. En *Dos obras de teatro*. México, Difusión Cultural UNAM, Textos de Teatro 17, 1984.

A woman, two men and a gunshot. Trad. Kirsten F. Nigro, The University of Kansas, Lawrence, Kansas, 1984.

Una voz en el desierto (*Vida de San Jerónimo*). Obra en 17 cuadros. (En preparación.)

NOVELA

Dos colores para el paisaje. México, Libro-Mex, 1961.
El Castigo. México, Editorial La Prensa, 1957.

Los desorientados. México, Libro-Mex, 1960.

————. México, Ediciones Selecta, 1a. ed., 28 de agosto de 1958; 1a. reimpresión, 30 de diciembre de 1958.

RELATO

Con vista a Alejandría. Diorama de la Cultura, *Excélsior,* México, 21 de octubre de 1979.

Diálogos del narrador, la Muerte y su invitado. En *El otro día, la muerte.* México, Joaquín Mortiz, 1974.

————. Diario *Novedades,* Managua, 1º de octubre de 1972.

————. *Diario de Costa Rica,* San José, 23 de julio de 1972.

Death and the guest. Trad. Edward Huberman. *Pembroke Magazine,* Pembroke State University, Pembroke, North Carolina, núm. 6, 1975.

El otro día, la muerte. México, Joaquín Mortiz, 1974. Contiene: *Diálogos del narrador, la Muerte y su invitado, Romance de la Muerte de agua, Aventura con la Muerte de fuego, Morir temprano, mientras comulga el general.*

Diferencia. Diorama de la Cultura, *Excélsior,* México, 15 de noviembre de 1959.

Diferencia. Traducción al catalán de Vicens Riera Llorca. Revista *Pont Blau,* México, núm. 53, marzo de 1957.

La fórmula creativa. Diorama de la Cultura, *Excélsior,* México, 26 de septiembre de 1965.

Llorar por el vigilante. Revista de la Universidad de México, vol. xxx, núm. 6, febrero de.1976.

Morir temprano, mientras comulga el general. En *Cuentistas Mexicanas del siglo XX.* Selección, introducción y notas de Aurora M. Ocampo. México, UNAM, 1976.

———— Revista de la Universidad de México, vol. xxxviii, núm. 6, febrero de 1974.

Romance de la Muerte de agua. El Urogallo, Madrid, año IV, núm. 23, septiembre-octubre de 1974.

Sucedió en París. Diorama de la Cultura, *Excélsior*, México, 25 de julio de 1965.

Un día loco. Diorama de la Cultura, *Excélsior*, México, 15 de enero de 1961.

———. Revista *Cruz Roja Mexicana*, año III, vol. 2, núm. 18, septiembre de 1959.

El meu día foll. Trad. Vicens Riera Llorca. Revista *Xaloc*, México, 1958.

CINE

El invitado. (Cortometraje). Adaptación de *Diálogos del narrador, la Muerte y su invitado.* México, 1979.

The Guest. Trad. Edward Huberman, Rutgers University, Nueva Jersey, 1979.

TRADUCCIONES

El sistema Fabrizzi, de Albert Husson. México, 1966.

Se compra sabio (The abscence of a cello), de Ira Wallach. México, 1967.

Ese animal extraño, de Arout-Chejov. México, 1967.

OBRAS SOBRE TEXTOS DE M. V.

García Geillek, Rafael. *Un día loco.* Adaptación cinematográfica de la pieza de teatro del mismo título. México, 1979.

Leder, Pablo. *Soliloquio del Tiempo.* Adaptación para televisión de la pieza teatral del mismo título, México, 1973.

———. *Un día loco.* Adaptación para televisión de la pieza de teatro del mismo título. México, 1973.

Moreno, Jesús. *Un día loco.* Guión cinematográfico sobre la pieza de teatro del mismo título. México, 1964.

Rocha, Guillermo. *Concierto para un invitado y su muerte*. Montaje escénico con base en *La Muerte y su invitado*, de Luis de Tavira. México, 1983.

Tavira, Luis de. *La Muerte y su invitado*. Adaptación teatral de *Diálogos del narrador, la Muerte y su invitado*. México, 1979.

ALGUNOS ARTÍCULOS ACADÉMICOS Y REFERENCIAS SOBRE OBRAS DE M. V.

Attisani, Antonio. *Enciclopedia del teatro del '900*. Milán, Feltrinelli Editore, 1980.

Azar, Héctor, *Zoon Theatrikon*. México, UNAM, 1977.

Bancroft, Robert L. *Play Synopses. Cuestión de narices, Los desorientados, Un país feliz, Soliloquio del tiempo, Un día loco, La última letra, El 9*. En *Latin American Theatre Review*, The University of Kansas, Lawrence, Kansas, 6/2, primavera de 1973.

———. *El teatro de Maruxa Vilalta. El Urogallo*, Madrid, año 3, núm. 5, mayo-junio de 1972.

———. *Jodorowsky y Vilalta en el teatro mexicano actual*. Salamanca, Actas del IV Congreso de la Asociación Internacional de Hispanistas, 1971.

Bearse, Grace y Roses, Lorraine, E. *Maruxa Vilalta: Social Dramatist*. En *Revista de estudios hispánicos*, The University of Alabama Press, tomo XVI, núm. 3, octubre de 1984.

Blaugrund, Sarah. *La integridad en los personajes de Maruxa Vilalta*. Tesis para la maestría en artes, University of Texas at El Paso, 1969.

Boorman, Joan R. *Contemporary Latin American Woman Dramatists*. Rice University Studies, vol. 64, núm. 1, 1978.

Coll, Edna. *Injerto de temas en las novelistas mexicanas contemporáneas*. San Juan, Puerto Rico, ediciones Juan Ponce de León, 1964.

Del Río, Marcela. *Movimiento de interrelación espacio-temporal; cinética de cruce; ejemplo de greca compuesta: "Nada como el piso 16", de Maruxa Vilalta.* Del libro *Analítica cinética aplicada al arte dramático* (inédito).

200 Catalans a les Amèriques 1493-1987. (Mostra del diccionari de Catalunya i Amèrica). Barcelona, 1988, Comissió Catalana del Cinquè Centenari del Descobriment d'Amèrica.

El exilio español en México. Prólogo de José López Portillo. México, Fondo de Cultura Económica, 1981.

Fernández-Zurpa, Karen (State University College at Buffalo). *Maruxa Vilalta, dramaturga moderna.* LXVI Reunión Anual de The American Association of Teachers of Spanish and Portuguese, México, agosto de 1984.

Gaucher-Schultz, J. *La temática de dos obras premiadas de Maruxa Vilalta. Latin American Theatre Review,* The University of Kansas, Lawrence, Kansas, 12/2, primavera de 1979.

—————. *El teatro de Maruxa Vilalta: "Nada como el piso 16".* Congress of Inter-American Women Writers, San José State University, San José, California, 11 de abril de 1976.

Gringoire, Pedro. *Galería de retratos literarios.* México, Editorial Trillas, 1967.

Holzapfel, Tamara. *The theatre of Maruxa Vilalta: a triumph of versatility. Latin American Theatre Review,* The University of Kansas, Lawrence Kansas, 14/2, primavera de 1981.

Ichaso, Marilyn. *El teatro en México.* Revista *Américas,* OEA, Washington, vol. 24, núm. 9, septiembre de 1972.

Knapp Jones, Willis. *Esta noche juntos, amándonos tanto. Latin American Theatre Review,* The University of Kansas, Lawrence, Kansas, 4/2, primavera de 1971.

—————. *Un país feliz. Books Abroad,* University of Oklahoma, Norman, Oklahoma, primavera de 1965.

—————. *Dos colores para el paisaje. Books Abroad,* University of Oklahoma, Norman, Oklahoma, otoño de 1962.

Lajoie, Lucien F. *Who's notable in México*. México, Who's who in México, 1972.

La vida literaria (órgano de la Asociación de Escritores de México; director, Wilberto Cantón). *Análisis de "Teatro" de Maruxa Vilalta*. Artículos de Carlos Solórzano, Salvador Reyes Nevárez, José Antonio Alcaraz, Mada Carreño y Marco Antonio Acosta. México, vol. 3, núm. 25, julio de 1972.

Magaña-Esquivel, Antonio. *Medio siglo de teatro mexicano (1900-1961)*. México, Instituto Nacional de Bellas Artes, 1964.

Magnarelli, Sharon. *Discourse as Content and Form in the Works of Maruxa Vilalta. Hispanic Journal*, Indiana University of Pennsylvania, vol. 9, núm. 2, 1988.

————. *Travestismo y divorcio semánticos: "Esta noche juntos, amándonos tanto", de Maruxa Vilalta*. Ponencia en el Primer Encuentro Internacional de Crítica y Teoría del Teatro Latinoamericano patrocinado por La Sorbona, París, mayo 1988. Publicado en Revista *Plural*, vol. XVIII-I, núm. 205, octubre de 1988.

Makarius, Jan. *Maruxa Vilalta*. Catálogo de la Agencia teatral y literaria Dilia, Praga, 1972.

Martínez, Carlos. *Crónica de una emigración (La de los Republicanos españoles en 1939)*. México, Libro-Mex Editores, 1959.

Mendoza López, Margarita. *Teatro mexicano del siglo XX (1900-1986), catálogo de obras teatrales*. México, Instituto Mexicano del Seguro Social, 1987.

Miller, Beth. *26 autoras del México actual*. México, B. Costa-Amic, editor, 1979.

Mirkin, Zulema. *La visión del mundo en la dramaturgia de Maruxa Vilalta*. University of California, Irvine, California, 1978.

Mujeres mexicanas notables. Prólogo de Jesús Romero Flores. México, publicación de la Cámara de Diputados, 1975.

Muñiz, Ariel. *Maruxa Vilalta y el juego de las suposiciones*. Revista *Claudia*, México, año XXI, núm. 261, junio de 1987.

Nigro, Kirsten F. *Esta noche juntos, amándonos tanto: texto y representación*. Actas del VI Congreso Internacional de Hispanistas, University of Toronto, 22-26 de agosto de 1980.

Nivel, gaceta de cultura. *Presencia dramática de Maruxa Vilalta*. Nota editorial de Germán Pardo García y artículos de Carlos Miguel Suárez-Radillo, Caracas, Venezuela, y Robert L. Bancroft, University of Massachusetts. México, núm. 110, febrero de 1972.

————. *Maruxa Vilalta, grande autora teatral*. Artículos de Vicente Leñero, Malkah Rabell, Sigfredo Gordón, Marco Antonio Acosta, Emmanuel Haro Villa, Antonio Magaña-Esquivel, Carmen Tapia, Juan Miguel de Mora, Eduardo Santaella, Jorge del Campo, Luis Sánchez Zevada y Olga Harmony, México, núm. 160, abril de 1976.

Ocampo, Aurora M. *Diccionario de escritores mexicanos*. Prólogo de María del Carmen Millán. México, Centro de Estudios Literarios, UNAM, 1967.

Quackenbush, Harold. *Cuestión de vida y muerte: tres dramas existencialistas. Latin American Theatre Review*, The University of Kansas, Lawrence, Kansas, 8/1, otoño de 1974.

————. *The Legacy of Albee's "Who's afraid of Virginia Woolf?" in the Spanish American absurdist theater*. Revista *Review Interamericana*, vol. XI, núm. 1, primavera de 1979.

Rabell, Malkah, *Luz y sombra del anti-teatro*. México, textos del teatro de la Universidad de México, núm. 25, UNAM, 1970.

Ramos, María. *Mulheres de América*. Río de Janeiro, José Alcaro, editor, 1964.

Reuben, María Elena. *Las dramaturgas mexicanas contemporáneas*. Tesis de doctorado, Graduated Center of the City University of New York, 1984.

Revista *Mujeres*. *Homenaje de "Mujeres" a Maruxa Vi-*
lalta. México, enero de 1976.

Roses, Lorraine. *La expresión dramática de la inconfor-*
midad social en cuatro dramaturgas hispanoamerica-
nas. Revista *Plaza*, Romance Languages Department,
Harvard University, Cambridge, Massachusetts, 1981.

Routman, Lisa. *A translation and comentary on Maruxa*
Vilalta's "A matter of noses" (an abstract of a thesis).
Drake University, Des Moines, Iowa, 1979.

Solórzano, Carlos. *El teatro de Maruxa Vilalta*. *Latin*
American Theatre Review, The University of Kansas,
Lawrence, Kansas, primavera de 1985.

————. *Diez años de teatro en México*. *Revista de la*
Universidad de México, vol. 30, núm. 12, agosto de
de 1976.

————. *Maruxa Vilalta: El otro día, la muerte*. En *Re-*
vista de Bellas Artes. México, enero-febrero de 1975.

————. *El teatro mexicano contemporáneo*. Revista *Siem-*
pre, México, 27 de enero de 1971.

————. *Lectura de Maruxa Vilalta*. Revista *Siempre*,
México, núm. 917, 20 de enero de 1971.

————. *Teatro: propósito didáctico*. Revista *Siempre*,
México, 29 de abril de 1970.

————. *El teatro de postguerra en México*. Revista *Ar-*
tes de México, año XVI, núm. 123, 1969.

Suárez-Radillo, Carlos Miguel. *La obra de la dramaturga*
Maruxa Vilalta a través de la confrontación de críti-
cas y anticríticas. En *Lo social en el teatro hispano-*
americano contemporáneo. Caracas, Equinoccio, editorial de la Universidad Simón Bolívar, 1976.

————. *México, el teatro hispanoamericano de la masi-*
ficación del hombre. *Obra "El 9" de Maruxa Vilalta*.
En *Temas y estilos en el teatro hispanoamericano con-*
temporáneo. Selección de textos programados por Radio
Nacional de España en sus emisiones para el exterior,
Zaragoza, Editorial Litho-Arte, 1975.

————. *Panorama del teatro hispanoamericano actual*.

En *El Urogallo*, año VI, núm. 35-26, septiembre-diciembre de 1975.

——. *Renace el teatro hispanoamericano en Madrid.* Revista *Mundo Hispánico*, Madrid, año XXVII, núm. 316, julio de 1974.

Tavira, Luis de. *Bajo el signo de la diosa.* En el libro *La mujer mexicana en el arte*, coordinación de Victoria Eugenia Montañez, México, Bancreser, 1987.

Unidad Artística y Cultural del Bosque. Memorias 1958-1964. México, Secretaría de Educación Pública, 1964, y Memorias 1964-1970, México, Secretaría de Educación Pública, 1970.

Valenzuela, Víctor M. *Siete comediógrafas hispanoamericanas.* Lehigh University, Bethlem, Pennsylvania, 1975.

Willis, John. *Theater World 1973-1974.* Nueva York, Crown Publishers Inc., vol 30, 1975.

World Premieres. Cuestón de Narices. París, Instituto Internacional del Teatro, vol. XIX, núm. 1, enero-febrero de 1967.

——. *Un país feliz.* París, Instituto Internacional del Teatro, vol XV, núm. 43, mayo-junio de 1964.

ALGUNAS RESEÑAS Y COMENTARIOS DE PRENSA
SOBRE OBRAS DE M. V.

Acevedo Vega, Carmen. *Los Desorientados, de Maruxa Vilalta. La Nación*, Guayaquil, 30 de julio de 1960.

Acosta, Marco Antonio. *Expresionismo y absurdo en Maruxa Vilalta. El Nacional*, México, 6 de septiembre de 1981.

——. *Historia de él, una obra valiente. El Nacional*, México, 1º de julio de 1978.

——. *Foro escénico: Nada como el piso 16.* Revista Mexicana de cultura, *El Nacional*, México, 16 de noviembre de 1975.

Alonso, Alberto. *Hecho positivo es la difusión de obras*

de Compañía Teatro Repertorio Español. *El Tiempo,* Nueva York, 10 de enero de 1974.

Antoniorrobles. *Maruxa Vilalta.* Revista *Siempre,* México, 20 de marzo de 1974.

—————. *Maruxa Vilalta. Nivel,* México, 25 de diciembre de 1968.

—————. *Contenido social de la nueva pieza de Maruxa Vilalta.* Revista *Siempre,* México, 5 de octubre de 1966.

Argüelles, F. P. *Teatro latinoamericano. Nueva York Hispánico,* Nueva York, núm. 50, febrero-marzo de 1974.

Armengol, Ramón. *En y por el teatro. (Esta noche juntos, amándonos tanto.)* Revista *Cruz Roja,* México, abril de 1970.

Baguer, Francois. *Miralina y el 9. Excélsior,* México, 7 de octubre de 1965.

—————. *Un país feliz. Excélsior,* México, 17 de enero de 1964.

Bartomeus, Antonio. *El teatro, cuestión de mentalidad y de cultura. El Correo Catalán,* Barcelona, 9 de septiembre de 1971.

Basurto, Luis G. *Crónica de México/Teatro de Maruxa Vilalta. Excélsior,* México, 3 de diciembre de 1985.

Benítez, Jesús Luis. *Conversación con Maruxa Vilalta.* Revista Mexicana de Cultura, *El Nacional,* México, 28 de mayo de 1972.

—————. *El teatro de Maruxa Vilalta. El Nacional,* México, 15 de mayo de 1972.

Cantón, Wilberto. *El Teatro de Maruxa. Novedades,* México, 22 de abril de 1972.

Capetillo, Manuel. *Un bisturí para el teatro, el mismo para la vida. El Sol de México,* México, 19 de julio de 1981.

—————. *Comienza la hora de la revancha. El Sol de México,* suplemento cultural núm. 229, 18 de febrero de 1979.

Casas, Luis. *"Una mujer, dos hombres y un balazo",*

de Maruxa Vilalta. Revista *Siempre!*, México, 19 de agosto de 1981.

Castillo, Othón. *Candilejas*. *La Opinión*, Los Ángeles, California, 24 de abril de 1980.

Castillo, Susana D. *Entrevista con Maruxa Vilalta*. *La Opinión*, Los Ángeles, California, 19 de octubre de 1980.

Converso, Carlos. *Una mujer, dos hombres y un balazo*. *Excélsior*, México, 27 de julio de 1981.

Corberó, Salvador. *El teatro, mi vehículo de expresión*. *Diario de Barcelona*, 7 de septiembre de 1971.

Corrales, José. *Esta noche juntos*. *El Tiempo*, Nueva York, 18 de noviembre de 1973.

Chacón, Joaquín Armando. *La muerte tiene cara de mujer*. La Onda, *Novedades*, México, 2 de junio de 1974.

Chiriboga, Marco A. *Autora mexicana es valor joven en la dramaturgia de su patria*. Suplemento Cultural de *La Prensa*, Nueva York, 12 de noviembre de 1973.

Del Río, Marcela. *Esta noche juntos, amándonos tanto*. Diorama de la Cultura, *Excélsior*, México, 2 de abril de 1970.

Díaz, Raúl. *Historia de él*. Revista *Tesis política*, México, agosto de 1978.

Dies, Haroldo. *El Teatro de Maruxa Vilalta*. *El Sol de México*, México, 4 de mayo de 1972.

Domínguez Aragonés, Edmundo. *Maruxa Vilalta: buen teatro*. *Últimas Noticias*, primera edición, 14 de mayo de 1985.

El Comercio. *Teatro independiente de Francisco Tobar García presenta hay cuatro obras en un acto*. Quito, 28 de junio de 1967.

El Tiempo. *Paco Tobar García estrena "Cuarteto"*. Quito, 28 de junio de 1967.

El Universo. *Esta noche juntos, amándonos tanto*. Guayaquil, 20 de junio de 1971.

Estrada Lang, Carlos. *Historia de él, una gran obra de Maruxa Vilalta*. *Ovaciones*, 2a. edición, México, 15 de julio de 1978.

Foix, Pere. *La obra teatral de Maruxa Vilalta*. México en la Cultura, *Novedades*, México, 28 de febrero de 1971.

Galván Corona, Antonio. *Pie de imprenta/Maruxa Vilalta/Historia de él*. Revista *Hoy*, México, 14 de julio de 1979.

García-Oliva, Manolo. *Minuto y medio con Maruxa Vilalta*. *ABC de las Américas*, Nueva York, 1974.

————. *Esta noche juntos, amándonos tanto*. *Disco Revista*, Nueva York, enero de 1974.

Gaucher-Schultz, Jeanine. *Dos obras de Maruxa Vilalta premiadas*. Revista *Jueves de Excélsior*, México, 21 de octubre de 1976.

Gordon, Sigfredo. *Una mujer, dos hombres y un balazo*. *Últimas Noticias*, 1a. edición, México, 3 de septiembre de 1981.

————. *Un país feliz*. *Últimas Noticias*, 1a. edición, México, 18 de enero de 1964.

Gorlero, José Enrique. *Entrevista con Maruxa Vilalta*. *El Día*, México, junio de 1978.

Guardia, Miguel. *Dos obras, dos*. Diorama de la Cultura, *Excélsior*, México, 23 de julio de 1978.

————. *Obra muy importante en el teatro de la Universidad*. *Cine Mundial*, México, 17 de julio de 1978.

Harmony, Olga. *Nada como el piso 16*. *El Heraldo*, México, 30 de noviembre de 1975.

Haro Villa, Emmanuel. *Historia de él*. *El Fígaro*, México, 23 de julio de 1978.

————. *Teatro y cine*. *Claridades*, México, 16 de noviembre de 1975.

Huerta, Efraín. *Libros y antilibros*. El Gallo Ilustrado, suplemento de *El Día*, México, 11 de septiembre de 1977.

————. *Teatro de comedia y drama*. *El Fígaro*, México, 10 de octubre de 1965.

————. *Teatro de comedia y drama*. *El Fígaro*, México, 9 de agosto de 1964.

Íchaso, Marilyn. *Nada como el piso 16*. Revista *Kena*, núm. 299, México, 15 de enero de 1976.

―――. *Pequeña historia de horror*. *Excélsior*, México, 23 de abril de 1985.

La Prensa. *Autora mexicana, miembro de honor de "Nuevos Horizontes"*. Managua, 26 de julio de 1972.

La Vanguardia. *Una "Semana Maruxa Vilalta" en Estados Unidos de América*. Barcelona, 15 de octubre de 1977.

―――. *Brillante carrera, con premios nacionales de teatro en México, de la barcelonesa Maruxa Vilalta*. Barcelona, 3 de abril de 1976.

Leñero, Vicente. *Reseña Teatral. Nada como el piso 16*. *Excélsior*, México, 13 de noviembre de 1975.

Lewin, Teresa. *Canales Espectador/Nada como el piso 16*. Revista *Canales*, año 7, núm. 205, Nueva York, mayo de 1979.

López Miarnau, Rafael. *Esta noche juntos, amándonos tanto*. Revista *Siempre*, México, 17 de marzo de 1971.

Luke Jensen, Herdis. *Angustia tras carcajada*. *Excélsior*, México, 23 de abril de 1985.

Lladó, Josep M. *Lladoscope/En el Teatro Hilton Center*. *Tele/Express*, Barcelona, 2 de enero de 1975.

Maciá Maciá, José. *Estreno de "Qüestió de Nassos", de Maruxa Vilalta, por el grupo El Antifaz*. *Tele/Express*, Barcelona. 15 de febrero de 1974.

Magaña-Esquivel, Antonio. *Una mujer, dos hombres y un balazo*. *Novedades*, México, 2 de agosto de 1981.

―――. *Maruxa Vilalta en Nueva York*. Revista *Tiempo*, México, 11 de junio de 1973.

Magdaleno, Mauricio. *Teatro Mexicano/Presencia de Maruxa Vilalta*. *Excélsior*, México, 24 de mayo de 1985.

Magnarelli, Sharon. *Contenido y forma en la obra de Maruxa Vilalta*. Revista *Plural*, México, vol. XIV-XII, núm. 192, septiembre de 1987.

Melgoza Paralizabal, Arturo. *Maruxa sabe demasiado de teatro*. Revista *Impacto*, México, núm. 1 646, 1981.

Mendoza, María Luisa. *La O por lo redondo. (Esta noche*

juntos, amándonos tanto.) *El Día,* México, 4 de abril de 1970.

―――――. *Dos damas de vanguardia.* El Gallo Ilustrado, suplemento de *El Día,* México, 17 de octubre de 1965.

Michelena, Margarita. *Lecturas a la carta/Dos colores para el paisaje.* Revista, *La mujer de hoy,* México, octubre de 1961.

Moncada Galán, Raúl. *Maruxa Vilalta.* Suplemento cultural de *El Día,* México, 15 de mayo de 1972.

Montenegro, Manuel Roberto. *Columna Teatral.* Revista *Negob,* México, 16 de julio de 1978.

―――――. *Un verdadero latigazo. Excélsior,* México, 25 de julio de 1981.

―――――. *Pequeña historia de amor que se engrandece/ Maruxa Vilalta: teatro de avanzada.* Revista *Siempre,* México, 29 de mayo de 1985.

Mora, Fernando G. *Historia de él. Diario de la Tarde, Novedades,* México, 1978.

Morales, Gloria V. *Maruxa Vilalta: un teatro que rompe con lo tradicional.* Revista *Plural,* México, vol. XV-XII, núm. 192, septiembre de 1987.

Mossman, Josef. *Writer dazzles Drake: storms NY Theather. Des Moines Register,* Des Moines, Iowa, 19 de octubre de 1977.

Muro, María. *Maruxa Vilalta y "Una mujer, dos hombres y un balazo". Excélsior,* México, 18 de julio de 1981.

News Record. Stroller at Newark State. Maplewood, Nueva Jersey, 19 de mayo de 1973.

Oliva, Alberto R. *Esta noche juntos, amándonos tanto. ABC de las Américas,* Nueva York, 1º de diciembre de 1973.

Ordaz, Luis. *Cinco obras de teatro de Maruxa Vilalta.* Revista *Talía,* Buenos Aires, abril de 1971.

Pagés Rebollar, Beatriz. *Mujer que ha puesto en el cesto de las inutilidades la conducta predeterminada del sexo de la enagua.* El Sol de México, México, 24 de febrero de 1983.

Peinado, Rolando E. *Sobre "Esta noche juntos, amándonos tanto".* Suplemento de *El Mundo*, San Juan, Puerto Rico, 2 de mayo de 1971.

Peralta, Elda. *Entrevista a Maruxa Vilalta.* Revista *Plural*, México, abril de 1979.

Pérez Rivera, Francisco. *Presentarán en Broadway una obra teatral de Maruxa Vilalta.* El Nacional, Nueva York, 5 de agosto de 1977.

Perrín, Tomás, *Maruxa Vilalta.* Revista *Siempre*, México, 6 de mayo de 1970.

Poniatowska, Elena. *Habla la autora teatral Maruxa Vilalta.* El Gallo Ilustrado, suplemento de *El Día*, México, 10 de octubre de 1966.

Quebleen, Rodolfo C. *El pensamiento de Maruxa Vilalta.* *ABC Cultural, ABC de las Américas*, Nueva York, año 2, núm. 60, 1973.

Rabell, Malkah. *Esta noche juntos, amándonos tanto.* El *Día*, México, 22 de abril de 1970.

———. *El teatro (El 9 y La última letra.) El Día*, México 21 de febrero de 1968.

Ramos Zepeda, Jorge. *Historia de él.* En *Boletín*, núm. 58, vol. VI, septiembre-noviembre de 1978.

Revista *Jueves de Excélsior.* Autores Varios. Comentarios a *Esta noche juntos, amándonos tanto.* México, 30 de abril de 1970.

Revista *Xaloc. Maruxa Vilalta en la collecció de teatre editada por Stanley als EU.* México, año X, núm. 67, 31 de octubre de 1967.

Reyes, Mara. *Cuestión de narices.* Diorama de la Cultura, *Excélsior*, México, 18 de septiembre de 1966.

———. *Trío.* Diorama de la Cultura, *Excélsior*, México, 16 de agosto de 1964.

Reyes Nevárez, Beatriz. *Objetivos de la obra de Maruxa Vilalta.* Revista *Siempre*, México, 9 de agosto de 1978.

Risdon, Anita. *Crítica de Nada como el piso 16. Últimas Noticias*, 2a. edición, México, 8 de diciembre de 1975.

Rodríguez Solís, Eduardo. *Carta a Maruxa Vilalta.* Revista *Jueves de Excélsior*, México, 23 de julio de 1981.

————. *Parábola de un ambicioso* (*Historia de él*). La Onda, *Novedades*, México, 29 de agosto de 1978.

Saladrigas, Robert. *Monólogo con Maruxa Vilalta*. Revista *Destino*, Barcelona, 30 de septiembre de 1971.

Salazar Mallén, Rubén. *Farsa ambivalente/Nada como el piso 16*. Revista *Mañana*, México, 24 de septiembre de 1977.

Salvat, Ricard. *El teatro y las razones de Maruxa Vilalta*. *Tele/Express*, Barcelona, 12 de septiembre de 1972.

Sánchez Zevada, Luis. *El género fársico es difícil y serio*. *Claridades*, México, 26 de julio de 1981.

————. *Cañonazo de Maruxa en el teatro universitario*. *Claridades*, México, 13 de agosto de 1978.

————. *Maruxa Vilalta triunfa en el Teatro de la Universidad*. *Última Hora*, México, 29 de noviembre de 1975.

Santaella, Eduardo. *Historia de él*. La Prensa, México, 23 de agosto de 1978.

Schulman, Jennie. *Spanish Theatre Repertory Company*. Revista *Backstage*, Nueva York, 24 de mayo de 1974.

Sempronio. *Maruxa Vilalta y sus comedias*. Revista *Destino*, Barcelona, 11 de septiembre de 1971.

————. *Maruxa Vilalta, una autora teatral mexicana nacida en la calle de Muntaner*. *Tele/Expres*, Barcelona, 2 de septiembre de 1971.

Solana, Rafael. *Historia de él*. Revista *Siempre*. México, 2 de agosto de 1978.

————. *Por nuestros teatros*. El Redondel, México, 23 de julio de 1978.

Steiner, Rolando, *Cine y teatro*. Prensa Literaria, Managua, 7 de febrero de 1971.

Tele/Expres. *Maruxa Vilalta, Premio Nacional de Teatro en México*. Barcelona, 27 de julio de 1971.

The Simpsonian. *Theatre Simpson Features English Premiere*. Indianola, Iowa, 21 de octubre de 1977.

Trejo Fuentes, Ignacio. *La experiencia teatral de Maruxa Vilalta*. *La Semana de Bellas Artes*, núm. 92, México, 5 de septiembre de 1979.

Trujillo Herrera, Rafael. *Todos estamos atrapados en el piso 16*. La Opinión, Los Ángeles, California, 24 de julio de 1980.

Ventalló, Joaquín. *Libro Catalán/"Qüestió de Nassos". de Maruxa Vilalta*. La Vanguardia, Barcelona, 7 de junio de 1973.

Whearley, Bob. *Of human dignity, love, life*. Des Moines Tribune, Iowa, 19 de octubre de 1977.

Zendejas, Francisco. *Multilibros/Nada como el piso 16*. Excélsior, México, 29 de julio de 1977.

ÍNDICE

Este libro se terminó de imprimir en el mes
de marzo de 1989 en los talleres de Offset
Marvi, Leiria, 72; 09440 México, D. F. Se
tiraron 3 000 ejemplares. La edición estuvo
al cuidado de *Mario Enrique Figueroa*.

E